KU-101-324

COO
BOO

ALICE OSEMAN

RADIO SILENCE

Přeložila Romana Bičíková

ISBN 978-80-7498-680-2

O napsání téhle knihy jsem se začala snažit v roce 2013, během svého prvního semestru na Durhamské univerzitě. Bylo mi čerstvých devatenáct, studovala jsem anglickou literaturu a na koleji bydlela s holkou, se kterou se mi nakonec nepovedlo skamarádit. Na konci akademického roku mi měl vyjít první román, *Solitaire*, a já čelila obávanému „syndromu druhé knihy".

Odjakživa jsem byla pilná a nadaná žačka. Písemek jsem se nebála, vždycky jsem se uměla probíranou látku naučit rychle a snadno. Už na základce jsem byla premiantka a učitelé si se mnou moc nevěděli rady. Dokonce ještě než se můj věk přehoupl do dvojciferných čísel, už jsem si na úspěch a chválu zvykla tak, že mě obojí nechávalo chladnou. Dokud se mi takhle bude dařit dál, budu v životě úspěšná, a na ničem jiném až tak moc nezáleželo.

V osmnácti jsem se vydala cestou, která se ode mě očekávala, a nastoupila na jednu z nejlepších britských univerzit – ale nejdřív jsem zažila zdrcující zklamání z toho, že mě nevzali na Oxford ani na Cambridge. Třetí nejlepší univerzita byla v Durhamu, a tak jsem šla tam.

A samozřejmě se mi tam nelíbilo. Ne proto, že by to byla špatná škola. Ale proto, že v hloubi duše jsem nebyla studijní typ. Anglická literatura mě nebavila. Šla jsem na vysokou jen proto, abych byla „úspěšná", abych získala titul, protože jedině tak jsem si mohla zajistit naplněný život. Měj dobré známky, vystuduj vysokou, najdi si dobrou práci, vydělávej peníze a žij šťastně až do smrti.

Ve chvíli, kdy jsem si začínala rozvrhovat svůj další román, mi poprvé došlo, jaká je to pitomost. Bylo mi příšerně.

Celý život jsem věřila, že moje studijní zdatnost je to nejlepší, co mám. Říkali mi to všichni. Učitelky. Spolužáci. V ničem jiném jsem nevynikala.

Dokud jsem nenapsala *Solitaire* a nezjistila, že jsem ve skutečnosti kreativní duše. Spisovatelka. Umělkyně. Chtěla jsem *tvořit.*

Vymyslet, o čem bude *Radio Silence*, bylo nesmírně obtížné. Byla jsem pod obrovským tlakem, myslela jsem si, že musím napsat něco, co bude lepší než *Solitaire* – bezpochyby na tom svůj díl viny nesly i moje sklony k perfekcionismu –, a neměla jsem žádné nápady. Trvalo mi prvních pár měsíců na univerzitě, během nichž se moje zoufalství stupňovalo a začínala jsem čím dál víc litovat svých životních rozhodnutí, než jsem si uvědomila, že chci psát právě o tomhle.

Radio Silence se stalo odpovědí na můj strach, že jsem udělala strašlivou životní chybu, a moji zlobu na lidi, kteří k tomu přispěli. Během psaní jsem byla Frances i Aled zároveň. Teenagerka, které se ve škole daří, ale cítí se prázdná a její srdce udržuje naživu jen její divný koníček. Teenager, který tvoří svůj vlastní magický příběh, ale čelí temné monotónnosti tříletého univerzitního studia. Díky jejich setkání a jejich nádhernému vztahu jsem mohla udělat další životní rozhodnutí, rozhodnutí, od kterého mě celý život všichni zrazovali. *Mohla jsem si nade vším ostatním zvolit kreativitu. Mohla jsem prostě tvořit a být šťastná.* Nacpala jsem do té knihy všechno, co mi přinášelo pocit štěstí. Divné tvůrčí projekty vymyšlené pod řetězy světýlek. Fikční podcasty, o kterých nikdo nikdy neslyšel. Příběhy, které nemusejí dávat smysl, hlavně, když mají *vibes*. Dívání se z okna za jízdy vlakem. Internetové konspirační teorie a hysterické fandomy. Ten pocit, když najdete člověka, který vás doopravdy *chápe*.

Od svých vysokoškolských studií jsem si vytvořila dost velký emocionální odstup. Zrovna teď jsem si během psaní vygooglila „Durhamská univerzita" a i znak mé bývalé školy mi připadal cizí, nepovědomý. Vážně jsem tam strávila tři roky? Už na tu dobu nemám žádné výrazné vzpomínky. Nejvíc si pamatuju to, jak sedím na posteli s notebookem na klíně, nebo jak brečím ve vlaku během dlouhých cest z Kentu a zase zpátky.

Napsat *Radio Silence* mi trvalo skoro dva roky z těch tří, co jsem studovala, a pomohlo mi to smířit se s tím, kdo jsem a co od života chci. Pomohlo mi to utéct ze škatulky, do níž mě odmalinka cpali, a věnovat se věcem, na kterých mi opravdu záleží.

Často se sama sebe ptám, co by se stalo, kdybych se mohla vrátit v čase a udělat to rozhodnutí znova. *Měla jsem jít studovat výtvarné umění. Měla jsem jít studovat tvůrčí psaní.* Jenže – změnilo by se tím pro mě něco? Co když bych jen začala nenávidět umění a psaní stejně, jako jsem začala nenávidět studium literatury? Takový výsledek by byl ještě mnohem horší.

Ale ráda nad tím dumám. Co se stane, když odmítneš být tím jediným, co od tebe všichni očekávají? Co se stane, když si stvoříš vlastní budoucnost, když se věnuješ tomu podivnému koníčku, o kterém nikdo neví, když se naplno ponoříš do něčeho, co tě naplňuje a přináší ti štěstí?

Já už to vím. Mám velkou kliku, že jsem si kolem toho mohla vybudovat svůj dospělý život. A vděčím za to *Radio Silence*.

Škola je na hovno.
Proč, jako proč existuje práce? Já to – já to nechápu.
Mm.
Koukni na mě. Podívej se mi do tváře.
Přijde ti, že mě zajímá škola?
Ne.

„lonely boy goes to a rave", *Teen Suicide*

UNIVERSE CITY: Ep. 1 – temně modrá

UniverseCity 109 982 zhlédnutí

Jsem v nouzi. Trčím v Universe City. Pomozte mi.

Transkript níže >>>

Ahoj.
Doufám, že mě někdo poslouchá.
Zkouším to přes rádiový signál – já vím, je zastaralý, ale je to nejspíš jeden z mála prostředků komunikace, který tu zapomněli monitorovat. Tohle je moje temné a zoufalé volání o pomoc.
Věci v Universe City nejsou takové, jaké se zdají být.
Nemůžu vám říct, kdo jsem. Říkejte mi prosím… říkejte mi prosím jen Radio. Radio *Silence*. Jsem koneckonců opravdu jen hlas v rádiu a možná mě už vůbec nikdo neposlouchá.
Říkám si – pokud můj hlas nikdo neposlouchá, vydává vůbec nějaký zvuk?
[…]

BUDOUCNOST

„Slyšíš to?“ zeptala se mě Carys Lastová a zastavila přímo přede mnou tak náhle, že jsem do ní málem narazila. Stály jsme na nástupišti, bylo nám patnáct a byly jsme kamarádky.

„Co?“ opáčila jsem, protože jsem neslyšela nic kromě hudby, kterou jsem měla puštěnou do jednoho sluchátka. Nejspíš to byla písnička od Animal Collective.

Carys se zasmála, což se nestávalo moc často. „Máš tu muziku moc nahlas,“ prohlásila a vytrhla mi sluchátko z ucha. „Poslouchej.“

Stály jsme bez hnutí a naslouchaly a já si doteď pamatuju každičkou věc, kterou jsem v tu chvíli slyšela. Slyšela jsem burácení vlaku, ze kterého jsme právě vystoupily a který pokračoval z naší zastávky dál do města. Slyšela jsem zřízence u turniketů, jak nějakému staříkovi vysvětluje, že rychlík na nádraží St Pancras dneska kvůli sněhu nejede. Slyšela jsem vzdálené skřípění automobilové dopravy, vítr nad našimi hlavami, spláchnutí nádražních záchodků a „*K prvnímu nástupišti – přijíždí – vlak do cílové stanice – Ramsgate – pravidelný odjezd – v osm hodin a dvě minuty*,“ odhazování sněhu a hasičskou sirénu a Carysin hlas a...

Oheň.

Otočily jsme se a zíraly na město za námi, zasněžené a mrtvé. Obvykle jsme už odsud viděly budovu školy, ale dneska nám ji zakrýval mrak hustého dýmu.

„Jak to, že jsme ten kouř neviděly už z vlaku?" podivila se Carys.

„Já jsem spala," odpověděla jsem.

„Já ne."

„Tak jsi nedávala pozor."

„No, takže nám asi shořela škola," prohodila moje kamarádka a šla si sednout na nádražní lavičku. „Sedmiletý Carys se splnil sen."

Ještě chvíli jsem jen třeštila oči a pak jsem si sedla k ní.

„Myslíš, že to byli tamti vtipálci?" zeptala jsem se s narážkou na anonymní blogery, co na naší škole poslední měsíc prováděli čím dál tím horší vylomeniny.

Carys pokrčila rameny. „Na tom nezáleží, ne? Konečnej výsledek je pořád stejnej."

„Záleží." V tu chvíli mi to doopravdy došlo. „Vypadá – vypadá to fakt vážně. Budeme muset jít na jinou školu. Zdá se, že celá budova C a taky celý déčko jsou prostě… pryč." Zmačkala jsem v rukou látku svojí sukně. „V déčku jsem měla skříňku. A v ní svůj maturitní skicák. Některý věci v něm mi zabraly dost dní."

„A kruci."

Zachvěla jsem se. „Proč by tohle udělali? Zničili tolik dřiny. Spoustě lidí tím zkomplikovali maturitu a přijímačky, bude to mít dopad na jejich budoucnost. Doslova tím zkazili některým lidem život."

Carys se nad tím zahloubala, potom otevřela pusu k odpovědi, ale nakonec ji zase zavřela a nic neřekla.

1. DRUHÉ POLOLETÍ

a)

BYLA JSEM CHYTRÁ

„Záleží nám na štěstí našich studentů a studentek, a především na jejich úspěchu," prohlásila naše ředitelka, dr. Afolayanová, před čtyřmi stovkami rodičů a maturantů na shromáždění u příležitosti třídních schůzek 12. ročníku, do kterého jsem chodila. Bylo mi sedmnáct, byla jsem primuska a seděla jsem v zákulisí, protože jsem za dvě minuty měla vyjít na jeviště a pronést řeč. Žádný proslov jsem si nepřipravila a ani jsem nebyla nervózní. Byla jsem se sebou náramně spokojená.

„Považujeme za svou povinnost poskytnout mladým lidem přístup k nejlepším příležitostem, které svět dnes nabízí."

Loni jsem se stala primuskou, protože jsem si na volební plakát dala fotku, na které mám dvě brady. Taky jsem ve svém volebním projevu použila slovo „meme". To vyvolalo dojem, že mi na volbě ani za mák nezáleží, i když to bylo právě naopak, a lidi pak pro mě chtěli hlasovat. Nedá se říct, že bych neznala svoje publikum.

Navzdory tomu jsem si nebyla moc jistá, o čem chci během projevu před rodiči mluvit. Afolayanová říkala všechno, co jsem si před pěti minutami naškrábala na leták z jakési diskotéky, který jsem našla v kapse saka.

„Náš program přípravy na Cambridge a Oxford letos zaznamenal obrovský úspěch –"

Zmačkala jsem leták a hodila ho na podlahu. Dobře, tak budu improvizovat.

Už jsem během proslovů improvizovala mockrát, takže o nic nešlo, a stejně to nikdy nikdo nepoznal, nikdo se ani nezamyslel nad tím, jestli si náhodou slova netahám z paty. Měla jsem pověst organizované studentky, která vždycky dělá úkoly, dostává dobré známky a chystá se na Cambridge. Učitelé mě milovali a spolužáci mi záviděli.

Byla jsem chytrá.

Byla jsem nejlepší studentka v ročníku.

Půjdu na univerzitu do Cambridge a pak si najdu dobrou práci a budu vydělávat hromady peněz a budu šťastná.

„Myslím si," vykládala dál Afolayanová, „že náš učitelský sbor si zaslouží potlesk za to, jak skvělou práci letos odvádí."

Publikum zatleskalo, ale já si všimla, že pár studentů protočilo panenky.

„A teď bych ráda přivítala na jevišti naši primusku Frances Janvierovou."

Moje příjmení vyslovila špatně. Viděla jsem, jak mě z opačné strany pódia sleduje Daniel Jun, náš primus. Daniel mě nenáviděl, protože jsme oba byli bezohlední šprti.

„Frances na naši školu nastoupila teprve před dvěma lety, ale od té doby dosahuje vynikajících výsledků a pro mě je velikou ctí, že reprezentuje hodnoty, které jsou pro nás zde na Akademii stěžejní. Dnes vám poví o své zkušenosti z maturitního ročníku a o svých plánech do budoucnosti."

Vstala jsem, vyšla na jeviště a usmála se, byla jsem ve svém živlu, protože právě pro tohle jsem se narodila.

VYPRAVĚČ

„Nebudeš zase improvizovat, Frances, že ne?“ ptala se mě patnáct minut předtím máma. „Minule jsi svou řeč zakončila tím, žes všem ukázala vztyčený palec.“

Stála se mnou na chodbě vedle vstupu do zákulisí.

Máma třídní schůzky milovala, hlavně protože ji bavily zmatené pohledy, kterými ji lidé častovali, když se jim představila jako moje matka. To se děje kvůli tomu, že jsem napůl černoška a ona je běloška, a navíc si hodně lidí myslí, že jsem Španělka, protože jsem měla soukromého lektora, a díky tomu jsem udělala mezinárodní zkoušku ze španělštiny.

Máma taky ráda poslouchala, jak jí učitelé pořád dokola vykládají, že jsem strašně dobrá.

Zamávala jsem před ní popsaným letákem. „No dovol, jsem perfektně připravená.“

Vytrhla mi papír z ruky a prohlédla si ho. „Máš tady tři odrážky a u jedné z nich je napsané jen *zmínit se o internetu*.“

„Víc nepotřebuju. V zasvěceném blábolení mám praxe dost.“

„No, to já vím.“ Máma mi podala leták a opřela se o stěnu. „Jen bych byla nerada, kdyby se opakoval ten incident, kde jsi tři minuty mluvila jen o *Hře o trůny*.“

„Ty mi to nikdy nepřestaneš předhazovat, co?“

„Ne.“

Pokrčila jsem rameny. „Hlavní body tu jsou. Jsem chytrá, půjdu na vysokou, bla bla bla známky úspěchy štěstí. Bude to v pohodě.“

Občas jsem měla pocit, že o ničem jiném nikdy nemluvím. Chytrost byla koneckonců hlavním zdrojem mé sebedůvěry. Jsem založením smutný člověk, ve všech smyslech toho slova, ale aspoň jsem se chystala jít na prestižní univerzitu.

Máma povytáhla obočí. „Neznervózňuj mě.“

Snažila jsem se na to přestat myslet a místo toho se zaměřit na svoje plány na večer.

Večer, až přijdu domů, si udělám kafe a dám si kousek dortu a pak půjdu k sobě do pokoje a vlezu si do postele a poslechnu si nový díl *Universe City*. *Universe City* byl podcast na YouTube a hlavní postavou byl student-detektiv v obleku, snažící se utéct ze sci-fi univerzity plné monster. Nikdo nevěděl, kdo za podcastem stojí, ale mě u něj držel hlavně hlas vypravěče – bylo v něm cosi měkkého, co uspávalo. Bylo to, jako když vás někdo hladí po vlasech, ale v dobrém, úplně neúchylně.

Přesně tohle byl můj plán, co budu dělat, až dorazím domů.

„Určitě to zvládneš?“ ujišťovala se máma a sklopila ke mně oči. Pokládala mi tuhle otázku pokaždé, když jsem měla mluvit na veřejnosti, což bylo často.

„Jo, budu v pohodě.“

Urovnala mi klopy saka a poklepala prstem na můj stříbrný odznak primusky.

„Připomeň mi, proč ses chtěla stát primuskou?“ požádala mě.

A já jsem odpověděla: „Protože jsem v tom fakt dobrá,“ ale v duchu jsem si pomyslela, *protože primusové mají lepší šance u přijímaček na vysokou.*

UMÍRÁM, ALE V DOBRÉM

Přednesla jsem svůj projev a pak jsem slezla z jeviště a podívala se na mobil, protože jsem si ho nezkontrolovala celé odpoledne. A vtom jsem to uviděla. Uviděla jsem soukromou zprávu na Twitteru, která mi měla změnit život, nejspíš už navždy.

Zaskočeně jsem se rozkašlala, dosedla na plastovou židli a popadla primuse Daniela Juna za paži tak silně, že sykl: „Au! Co je?"

„Právě se mi stalo něco monumentálního na Twitteru."

Daniel se tvářil, že ho to tak trochu zajímá, ale jen do chvíle, než jsem vyřkla slovo „Twitter". Pak se zamračil a vymanil se mi ze sevření, nakrčil nos a uhnul pohledem, jako bych právě udělala naprostý trapas.

O Danielu Junovi potřebujete vědět hlavně jednu věc: klidně by se zabil, kdyby měl dojem, že mu to pomůže dostat lepší známku. Většině lidí jsme připadali navlas stejní. Oba jsme byli chytří a měli jsme namířeno na Cambridge a nic jiného nikdo neviděl. Jen dva zářné premianty vznášející se jako polobozi vysoko nad školní budovou.

Rozdíl tkvěl v tom, že mně naše „rivalita" připadala směšná, zatímco Daniel se choval, jako bychom vedli nelítostnou válku o to, kdo je větší šprt.

No nic.

Vlastně se mi staly dvě monumentální věci. Ta první byla:

uživatel @UniverseCity vás sleduje

A druhá byla soukromá zpráva pro „Toulouse“, což bylo moje uživatelské jméno na Twitteru.

Zpráva od: Radio @UniverseCity

ahoj toulouse! nejspíš to bude znít divně, ale dostaly se ke mně tvoje ilustrace k Universe City, cos dávala na sítě, a strašně se mi líbí

zajímalo by mě, jestli bys nechtěla pro moji show tvořit oficiální vizuály pro nové epizody?

už nějakou dobu hledám někoho, jehož styl by odpovídal Universe City, a ten tvůj je podle mě super.

Universe City je nezisková věc, takže ti nemůžu tak úplně platit a určitě pochopím, když řekneš ne, ale přijde mi, že máš fakt ráda

můj podcast, a tak se chci zeptat, jestli bys měla zájem. samozřejmě tam bude uvedené tvoje jméno. strašně mě mrzí, že ti nemůžu zaplatit, ale nemám žádné peníze

(taky studuju). no. tak mi dej vědět, jestli bys vůbec měla zájem. a když ne, tak jen chci říct, že se mi tvoje kresby fakt líbí. jako fakt hodně. tak jo.

radio x

„No tak dobře, no," zvedl Daniel oči v sloup. „Co se stalo?"

„Něco monumentálního," zašeptala jsem.

„Jo, tos už říkala."

Zničehonic mi došlo, že o tom nemůžu absolutně nikomu říct. Nikdo nejspíš ani neví, co *Universe City* je, a vytváření fanouškovských ilustrací byl beztak dost divný koníček, třeba by si pak lidi mysleli, že si tajně kreslím nějaké porno obrázky nebo tak něco, a pak by si našli můj Tumblr a přečetli si moje osobní posty, a to by byla naprostá hrůza. *Šprtka a primuska Francis Janvierová je ve skutečnosti zvrhlá fangirl!*

„Ehm..." odkašlala jsem si. „To by tě stejně nezajímalo. Zapomeň na to."

„Jak myslíš." Daniel potřásl hlavou a odvrátil se.

Universe City. Si mě vybrali. Mě. Abych jim dělala vizuály.

„Frances?" ozval se nade mnou velice tichý hlas. „Jsi v pohodě?"

Zvedla jsem hlavu a zjistila, že přede mnou stojí Aled Last, Danielův nejlepší kamarád.

Aled vždycky tak trochu připomínal dítě, které se ztratilo mámě v obchoďáku. Nejspíš to mělo něco společného s tím, jak mladě vypadal, jak kulaté měl oči a jak mu vlasy povlávaly kolem hlavy jako jemné miminkovské chmýří. Taky působil, že mu nikdy není pohodlné oblečení, které má na sobě.

Nechodil k nám na akademii, ale na chlapeckou školu na opačné straně města, a i když byl jen o tři měsíce starší než já, byl o ročník výš. Většina lidí ho znala díky Danielovi. Já jsem ho znala, protože bydlel přes ulici a dřív jsem se kamarádila s jeho sestrou a jezdili jsme do školy stejným vlakem, ačkoli jsme si každý sedali do jiného vagonu a vůbec jsme spolu nemluvili.

Aled Last stál vedle Daniela a díval se na mě, jak na své židli ztěžka oddychuju. Trochu se ošil a dodal: „Ehm, promiň, ehm, jen chci říct, no, vypadáš, jako by ti bylo špatně nebo tak něco."

Pokusila jsem se ze sebe vydat větu, aniž bych vyprskla hysterickým smíchem.

„Jsem v pohodě," opáčila jsem, ale zuřivě jsem se u toho culila a nejspíš jsem vypadala, že se chystám někoho zavraždit. „Co tady děláš? Přišel jsi podpořit Daniela?"

Šuškalo se, že Aled a Daniel jsou odmalička nerozluční, navzdory tomu, že Daniel byl nadutý, svéhlavý blbeček a Aled za den pronesl tak maximálně padesát slov.

„Ehm, ne," odpověděl, jeho hlas byl takřka neslyšitelný, ostatně jako obvykle. Tvářil se vystrašeně. „Paní Afolayanová chtěla, abych tu měl proslov. O univerzitě."

Probodla jsem ho pohledem. „Ale vždyť ani nechodíš na naši školu."

„No, ne."

„Tak proč jako?"

„Přišel s tím pan Shannon." Shannon byl ředitel Aledovy školy. „Něco o soudržnosti našich škol. Vlastně tu měl mluvit jeden můj kamarád... loni byl primus... ale nakonec nemohl, takže... požádal mě... no."

Aledův hlas se během mluvení ještě ztišil, skoro jako by měl pocit, že ho ani neposlouchám, ačkoli jsem z něj nespustila oči.

„A tys souhlasil?" zeptala jsem se.

„Jo."

„*Proč?*"

Aled se jen zasmál.

Bylo vidět, jak se chvěje.

„Protože je to ťulpas," řekl Daniel a založil si ruce na hrudi.

„Jo," zamumlal Aled, ale usmíval se u toho.

„Nemusíš to dělat," řekla jsem. „Klidně jim řeknu, že je ti špatně, a bude to v pohodě."

„No, ale já tak trochu musím," odporoval Aled.

„Vážně nemusíš dělat nic, co dělat nechceš," prohlásila jsem, ale věděla jsem, že to není pravda, a Aled taky, protože jen se smíchem zavrtěl hlavou.

Pak už jsme nic neřekli.

Na pódiu stála zase Afolayanová. „A teď mi dovolte přivítat Aleda Lasta, jednoho ze skvělých studentů 13. ročníku chlapecké školy, který od září nastoupí na jednu z nejprestižnějších univerzit ve Spojeném království. Tedy pokud mu vyjde maturita!"

Všichni rodiče se zasmáli. Daniel, Aled a já ne.

Ředitelka a rodiče v publiku začali tleskat a Aled vyšel na scénu. Dokráčel k mikrofonu. Sama jsem přesně tohle udělala už mockrát, a i tak jsem vždycky měla trémou stažený žaludek, ale sledovat teď Aleda bylo snad ještě třistatisíckrát horší.

Vlastně jsem s ním nikdy pořádně nemluvila. Sice jsme jezdili do školy stejným vlakem, ale jak už jsem říkala, každý jsme si v něm sedali jinam. Prakticky nic jsem o něm nevěděla.

„Ehm, no, dobrý večer," vymáčkl ze sebe. Jeho hlas zněl plačtivě.

„To jsem netušila, že je až takhle stydlivej," pošeptala jsem Danielovi, ale neodpověděl mi.

„No, takže já jsem v minulém pololetí dělal přijímačky..."

Sledovali jsme, jak se prokousává svým proslovem. Daniel, stejně jako já zdatný řečník se spoustou zkušeností s mluvením na veřejnosti, občas zavrtěl hlavou. V jednu chvíli utrousil: „Mohl se na to klidně vykašlat, boha jeho." Bylo mi nepříjemně, a tak jsem se na druhou část Aledova projevu svalila zpátky na židli a asi padesátkrát si přečetla twitterové zprávy od *Universe City*. Snažila jsem se soustředit jen na ně. Moje obrázky sklidily úspěch, moje hloupé malé nákresy postav, ujeté kresby a čmáranice, které jsem ve tři ráno bezmyšlenkovitě tvořila do levného skicáku místo dopisování eseje z dějepisu. Nic takového se mi ještě nikdy nestalo.

„Super, dobrá práce," pochválila jsem Aleda, když slezl z jeviště a opět se k nám připojil, i když jsme oba věděli, že i tohle je lež.

Podíval se na mě. Měl pod očima temně modré kruhy. Možná taky často ponocoval, stejně jako já.

„Dík," odtušil a pak šel pryč a já si pomyslela, že to je nejspíš naposled, co se vidíme.

DĚLEJ SI, CO CHCEŠ

S mámou jsem se sešla u auta. Sotva mě stihla pochválit za povedený projev, už jsem ze sebe sypala, co se stalo s *Universe City*. Jednou jsem se ji pokusila pro podcast získat tím, že jsem ji donutila poslechnout si cestou na prázdniny do Cornwallu prvních pět epizod, ale máma jen řekla: „Já to nechápu. Má to být zábavné, nebo strašidelné? A je Radio Silence holka, nebo kluk, nebo ani jedno? Proč nikdy nechodí na přednášky?" Připadalo mi fér, že mi říká, že to pro ni není. Aspoň se se mnou pořád ještě dívala na *Glee*.

„Jsi si jistá, že to není nějaký podvod?" zeptala se mě zamračeně, když jsme vyjely z parkoviště. Přitáhla jsem si kolena k hrudi. „Vždyť ti ani nechtějí zaplatit. Zní to, jako by jen chtěli ukrást tvoji tvorbu."

„Přišlo to z jejich oficiálního účtu. Mají ověření," oponovala jsem, ale na mámu to nemělo stejný účinek jako na mě. „Moje kresby se jim líbily tak moc, že chtějí, abych se k nim přidala do týmu!"

Máma neodpověděla, jen povytáhla obočí.

„Mohla bys z toho prosím mít taky radost?" řekla jsem a otočila k ní hlavu.

„Je to super! Je to paráda! Jen nechci, aby ti někdo kradl kresby. Vždyť je máš tak ráda."

„Podle mě to není krádež. Uvedou u nich moje jméno."

„Už jsi podepsala smlouvu?"

„Mami!" zaúpěla jsem frustrovaně. Nemělo smysl se jí to pokoušet vysvětlit. „To je fuk, stejně je budu muset odmítnout."

„Počkej, proč? Jak to myslíš?"

Pokrčila jsem rameny. „Nebudu na to mít čas. Budu ve třináctým ročníku, už teď mám pořád se školou strašně moc práce, a k tomu se budu muset připravovat na přijímačky na Cambridge... prostě nebudu ani náhodou mít čas každý týden něco kreslit pro nový díl."

Máma se zamračila. „Já to nechápu, myslela jsem, že jsi z toho nadšená."

„To jsem, je fakt parádní, že mi napsali a líbí se jim moje obrázky, ale... musím to brát realisticky –"

„Víš, že taková příležitost se člověku nenaskýtá moc často," skočila mi do řeči máma. „A vidím ti na očích, že se ti do toho chce."

„No, to jo, ale... už teď dostávám spoustu domácích úkolů a příští rok to bude s učením ještě náročnější –"

„Podle mě bys na to měla kývnout." Máma upírala pohled přímo před sebe a zatočila volantem. „Stejně si myslím, že do té školy až moc dřeš, a měla bys pro jednou využít příležitosti a dělat si, co chceš."

A já jsem chtěla tohle:

Zpráva pro: Radio @UniverseCity

Ahoj!! Páni... fakt moc děkuju, nemůžu uvěřit, že se ti líbí moje tvorba! Rozhodně mi bude ctí se na podcastu podílet!

Můj e-mail je touloser@gmail.com, pokud je pro tebe jednodušší si psát tam. Už se těším, až mi povíš, jak si ty vizuály představuješ!

Upřímně, Universe City je můj nejoblíbenější seriál všech dob. Fakt moc děkuju, že jste si mě vybrali!!

Doufám, že nezním jako naprosto šílená fanynka haha! xx

VŽDYCKY JSEM SI PŘÁLA MÍT KONÍČEK

Když jsme přijely domů, měla jsem co dělat. Pokaždé jsem měla co dělat, když jsem dorazila domů. A skoro pokaždé jsem něco dělala, protože když jsem se neučila nebo nedělala úkoly, měla jsem pocit, že mrhám časem. Vím, že to zní smutně, a vždycky jsem si přála mít koníček, třeba hrát fotbal nebo na klavír nebo bruslit, jenže pravda byla taková, že jediné, co mi šlo, bylo dostávat dobré známky. Což je v pohodě. Byla jsem za to vděčná. Naopak by to bylo mnohem horší.

Ale ten den, v den, kdy mi přišla soukromá zpráva od tvůrců *Universe City*, jsem po příchodu domů nezačala dělat úkoly ani se učit.

Svalila jsem se na postel, otevřela notebook a rovnou jsem najela na svůj Tumblr, kam jsem postovala všechny svoje kresby. Scrollovala jsem až dolů. Co přesně Tvůrce v mých ilustracích vidí? Všechno to byly jen matlanice, které jsem načmárala, když jsem chtěla na chvíli vypnout, aby se mi povedlo usnout a aspoň na pět minut zapomenout na eseje z dějepisu a úkoly na výtvarku a projevy primusky.

Podívala jsem se na Twitter, jestli mi Tvůrce neodpověděl, ale neodpověděl. Podívala jsem se do e-mailu, jestli mi něco nepřišlo tam, ale nepřišlo.

Universe City jsem milovala.

Možná právě to byl můj koníček. Kreslit *Universe City*.

Jenže jsem neměla pocit, že je to koníček. Spíš to bylo moje zvrhlé tajemství.

A moje kresby byly beztak k ničemu. Nemohla jsem je prodávat ani je sdílet s kamarády. Nebylo to něco, co mi pomůže dostat se na Cambridge.

Scrollovala jsem svým Tumblrem dál, měsíce a měsíce tvorby, až do loňského roku a pak do předloňského, byla to hotová cesta časem. Kreslila jsem postavy – Radio Silence s kamarády. Namalovala jsem i tmavou, prašnou sci-fi univerzitu Universe City. Nakreslila jsem všechny zloduchy a zbraně a monstra, lunární motorku a obleky, které Radio vlastní, Temně modrou budovu, Osamělou cestu, a dokonce i February Friday. Nakreslila jsem prostě úplně všechno.

Proč jsem to udělala?

Proč jsem taková?

Byla to pravděpodobně jediná věc, co mě bavila. Jediná věc, kterou jsem měla, kromě dobrých známek.

Ne – počkat. To by bylo fakt smutný. A ujetý.

Prostě mi to jen pomáhalo usnout.

Možná.

Já nevím.

Zaklapla jsem notebook a vydala se do přízemí, abych si sehnala něco k snědku a přestala na to všechno myslet.

NORMÁLNÍ NÁCTILETÁ HOLKA

„No tak jo," pronesla jsem, když máma o pár dní později v devět večer zastavila auto před hospodou řetězce Wetherspoon's. „Jdu vypít všechny alkoholy, dát si všechny drogy a užít si všechen sex."

„Jasně," pousmála se máma. „Teda, moje holčička nějak zdivočela."

„No, tohle je ve skutečnosti moje úplně pravý já." Otevřela jsem dveře a vyskočila na chodník. Ještě jsem na ni houkla: „Neboj se, neumřu!"

„Ne že ti ujede poslední vlak!"

Byl poslední den školy před týdnem studijního volna a já se s kamarádkami chystala do místního nočního klubu jménem Johnny Richard's. Bylo to poprvé, co jsem vůbec šla na diskotéku, a v podstatě jsem umírala strachy, jenže jsem s kamarádkami podnikala už tak málo věcí, že hrozilo, že pokud nepůjdu, moje parta už mě nebude považovat za jednu z hlavních členek a pak bude příliš rozpačité se s nimi každý den potkávat ve škole. Neuměla jsem si představit, že by na mě čekalo cokoli jiného než opilí kluci v pastelových tričkách a pokusy mých kamarádek vylákat mě na parket, abych si trsla na Skrillexe.

Máma odjela.

Přešla jsem ulici a nakoukla dveřmi do hospody. Moji kamarádi seděli u stolu ve vzdálenějším rohu, popíjeli a smáli se. Byli to skvělí lidé, ale taky mě znervózňovali. Nebyli na mě zlí, to vůbec, jen ve mně viděli zcela konkrétní osobu – školní Frances, nudnou primusku, nerda a šprtku. Ačkoli, ne že by byli tak daleko od pravdy.

Zašla jsem k baru a objednala si dvojitou vodku a limonádu. Barman po mně ani nechtěl občanku, i když jsem s sebou pro jistotu měla falešnou. Docela mě to překvapilo, protože většinu času vypadám tak na třináct.

Potom jsem došla k partě, prodírala jsem se davem kluků a lidí, co se opíjeli už teď, aby si pak nemuseli kupovat drinky na diskotéce – což byla další věc, co mě znervózňovala.

Upřímně řečeno bych se měla přestat bát chovat se prostě jako normální náctiletá holka.

„Co, kuřba?“ zeptala se Lorraine Senguptová, všeobecně známá jako Raine, která seděla vedle mě. „Ta za to fakt nestojí, kámo. Kluci jsou srabi, ani ti pak nechtějí dát pusu.“

Maya, nehlučnější členka party a tím pádem taky vůdkyně, se lokty opírala o desku stolu a před sebou měla tři prázdné sklenice. „Ale no tak, to přece neplatí pro úplně všechny.“

„Ale pro většinu jo, takže se s tím doslova nehodlám obtěžovat. Za tu námahu to nestojí, tbh.“

Raine doopravdy řekla tbh, zkratku anglického *to be honest*, neboli abych byla upřímná. Nepřišlo mi, že by to myslela ironicky, a nebyla jsem si jistá, jaký z toho mít pocit.

Jejich konverzace byla pro můj život tak nepodstatná, že jsem posledních deset minut předstírala, že si s někým píšu na mobilu.

Moje odpověď se zatím nedočkala reakce, ani na Twitteru, ani na mailu. Už to byly čtyři dny.

„Ne, fakt nevěřím, že páry vážně usínají v objetí," prohlásila Raine. Takže už se bavily o něčem jiném. „To je jen lež, co nám vnucujou masmédia."

„Jé, čau Danieli!"

Mayino zvolání mě přimělo zvednout hlavu od displeje. Kolem našeho stolu právě procházeli Daniel Jun a Aled Last. Daniel na sobě měl jednoduché šedivé triko a obyčejné modré džíny. Za ten rok, co jsem ho znala, jsem ho neviděla v ničem vzorovaném. Aled vypadal úplně stejně nevýrazně, jako by mu oblečení vybíral Daniel.

Daniel sklopil hlavu a na okamžik zachytil můj pohled. „Ahoj," odpověděl Maye. „Jak se vede?"

Začali se spolu bavit. Aled mlčel a jen se hrbil, jako by se snažil být co nejmíň viditelný. Taky se na mě krátce podíval, ale hned zas uhnul pohledem.

Raine se ke mně naklonila. „Co je to za bleduli?" zamumlala v narážce na Aleda.

„Aled Last. Chodí na chlapeckou školu."

„Jo aha, dvojče Carys Lastový?"

„Jo."

„S tou ses dřív kamarádila, ne?"

„Ehm..."

Snažila jsem se vymyslet, co na to říct.

„Tak trochu," řekla jsem nakonec. „Jezdily jsme stejným vlakem. Občas."

S Raine jsem se asi z naší party bavila nejvíc. Neutahovala si z toho, že jsem totální šprtka, jako všichni ostatní. Kdybych se chovala víc přirozeně, nejspíš bychom byly docela dobré kamarádky, měly jsme podobný smysl pro humor. Jenže Raine klidně mohla být cool a divná, protože nebyla primuska. Taky měla na pravé straně hlavy vyholené vlasy, takže se nikdo nedivil, když se chovala zvláštně.

Teď jen přikývla. „Jasný."

Sledovala jsem, jak Aled upíjí ze sklenice, kterou držel v ruce, a nenápadně se rozhlíží po hospodě. Zdálo se, že se tu necítí moc příjemně.

„Frances, jak se těšíš k Johnnymu?" zeptal se mě jeden z kamarádů a naklonil se přes stůl se žraločím úšklebkem ve tváři. Jak jsem říkala, moji kámoši se ke mně nechovali nijak příšerně, ale dělali, jako bych neměla žádné zkušenosti s normálním životem a byla prostě jen do studia zabraná šprtka.

Což byla v podstatě pravda, takže proč ne.

„Ehm, jo, celkem jo," vymáčkla jsem ze sebe.

K Aledovi přišli dva kluci a dali se s ním do řeči. Oba byli vysocí a měli kolem sebe auru moci a mně došlo, že je to proto, že ten napravo – se snědou kůží, v kostkované košili – byl loni na chlapecké škole primus a ten vlevo – ramenatý blonďák – byl zase kapitán jejich ragbyového týmu. Když jsem u nich byla na dni otevřených dveří – chlapecká škola brala do dvou maturitních ročníků zvaných šesťák i holky –, měli oba projev.

Aled se na ně usmál. Fakt jsem doufala, že má kromě Daniela ještě i další kamarády. Pokoušela jsem se zachytit útržky jejich konverzace. „Jo, Dan mě tentokrát přemluvil!" řekl Aled a ten primus na to: „Jestli nechceš, nemusíš potom jít i k Johnnymu, my nejspíš taky pojedeme domů dřív." A podíval se na toho ragbistu a ten souhlasně přikývl a dodal: „Jo, hele, kdybys potřeboval hodit domů, tak si řekni! Jsem tu autem." A já si upřímně přála, abych mohla udělat totéž, prostě se sebrat a jít domů, kdykoli se mi zachtělo, jenže to jsem nemohla, protože mám moc velký strach dělat si, co chci.

„Je to tam dost děs," prohodila další z mých kamarádek a vytrhla mě z mého odposlouchávání.

„Je mi z toho úplně zle," zasmála se další. „Frances je takový neviňátko! Mám pocit, jako bysme ji úplně kazili, když ji taháme do hospody a do klubu a nutíme ji pít."

„Ale vždyť si taky zaslouží pauzu od učení!"

„Já bych chtěla vidět opilou Frances.“

„Myslíš, že v opilosti spíš brečíš?“

„Ne, podle mě je vtipná, když se nalije. Podle mě má nějakou tajnou, skrytou osobnost, o který nic nevíme.“

Nevěděla jsem, co na to říct.

Raine do mě drkla loktem. „Neboj, kdyby na tebe dotírali nějaký úchyláci, prostě na ně omylem vyliju svoje pití.“

Někdo se zasmál. „Ona to fakt udělá. A nebylo by to poprvý.“

Zasmála jsem se spolu s ostatními a mrzelo mě, že nemám odvahu taky říct něco vtipného, jenže to jsem nemohla, protože v téhle společnosti jsem nebyla moc zábavná. Byla jsem prostě jen nudná.

Dopila jsem svoji vodku a rozhlédla se. Dumala jsem, kam se vypařili Aled s Danielem.

Měla jsem trochu divný pocit, protože Raine začala mluvit o Carys a já se vždycky cítila divně, když o ní někdo mluvil, protože jsem na ni nechtěla myslet.

Carys Lastová utekla z domova, když byla v jedenáctém ročníku a já v desátém. Nikdo nevěděl proč a nikomu na tom nezáleželo, protože neměla moc kamarádů. Vlastně neměla žádné kamarády. Kromě mě.

JINÝ VAGON

S Carys Lastovou jsem se seznámila ve vlaku cestou do školy, když nám bylo patnáct.

Bylo 7:14 ráno a já seděla na jejím místě.

Podívala se na mě pohledem knihovnice, které vadí hlučný hovor. Vlasy měla platinově blond a ofinu tak hustou a dlouhou, že jí skoro nešlo vidět do očí. Slunce ji zezadu ozařovalo jako nějaké nebeské zjevení.

„Jé," vydechla. „Fajn, hele, drahá vlaková parťačko, sedíš na mém místě."

Mohlo by to znít, jako by chtěla být zlá, ale fakt nebyla.

Bylo to zvláštní. Viděly jsme se už mockrát, obě jsme každé ráno čekaly na stejné vlakové zastávce v naší vesnici, i s Aledem, a večer jsme jako poslední vystupovaly ze stejného vlaku, už od doby, co jsem začala chodit na druhý stupeň. Ale nikdy jsme spolu nemluvily. Tak už to asi u lidí bývá.

Její hlas zněl jinak, než jsem si představovala. Měla takový ten povýšený londýnský přízvuk, ale spíš to bylo okouzlující než otravné, a mluvila pomalu a tiše, jako by byla trochu zhulená. Taky je potřeba říct, že jsem v té době byla o dost menší než ona. Carys vypadala jako majestátní elfka a já jako skřet.

A pak mi zničehonic došlo, že má pravdu. Seděla jsem na jejím místě. Netušila jsem proč. Obvykle jsem si sedala do úplně jiného vagonu.

„Ježiš, promiň, já si přesednu…"

„Cože? Ne, ne, já to nemyslela, jako ať vypadneš, tyvado. Sorry. Asi to ode mě znělo dost nezdvořile." Plácla sebou na sedadlo naproti mně.

Carys Lastová se podle všeho neusmívala ani necítila potřebu se nepřirozeně usmívat, jako jsem to dělala já. Udělala tím na mě výrazný dojem.

Aled s ní nebyl. Tou dobou mi to nepřišlo divné. Po našem seznámení jsem si všimla, že si každý sedá ve vlaku jinam. Ani to mi nepřipadalo zvláštní. Neznala jsem ho, takže mi to bylo jedno.

„Nesedáš si normálně do zadního vagonu?" zeptala se mě tónem byznysmena ve středním věku.

„Ehm, jo."

Povytáhla obočí.

„Taky bydlíš tady ve vesnici, co?" pokračovala.

„Jo."

„Přes ulici od našeho domu?"

„Asi jo."

Carys přikývla. Měla až nepřirozeně neutrální výraz, což bylo zvláštní, protože všichni se vždycky snažili ze všech sil na ostatní usmívat. Díky své vyrovnanosti působila o dost starší, než doopravdy byla, a taky obdivuhodně na úrovni.

Položila si ruce na stolek mezi námi a já si všimla, že na nich má malinké jizvy od popálenin.

„Líbí se mi tvůj svetr," pronesla.

Měla jsem pod školním sakem svetr s obrázkem smutného počítače.

Sklopila jsem oči, protože jsem na něj úplně zapomněla. Byl začátek ledna a venku mrzlo, takže jsem přes svetr od školní uniformy měla nataženou ještě jednu teplou vrstvu. Tenhle svetr byl jedním z mnoha kousků oblečení, které jsem si koupila, ale nikdy je nenosila před kamarády, protože jsem se bála jejich posměchu. Svůj osobitý módní styl jsem si nechávala na doma.

„V-vážně?" vykoktala jsem v domnění, že jsem se přeslechla.

Carys se uchechtla. „No jo."

„Dík," potřásla jsem mírně hlavou. Podívala jsem se na svoje ruce a potom ven z okna. Vlak se s trhnutím rozjel.

„Takže, proč sis dneska sedla do tohohle vagonu?" vyslýchala mě Carys.

Prohlédla jsem si ji, tentokrát už pořádně. Doteď pro mě byla jen holka, co si barví vlasy na blond a každé ráno si sedá na lavičku na opačné straně nádraží. Jenže teď jsme se spolu bavily a ona seděla naproti mně, byla namalovaná, i když v jejím ročníku se ještě holky podle školního řádu líčit nemohly, byla velká a měkká a zvláštním způsobem mocná. Jak mohla být tak milá, a přitom se vůbec neusmívat? Vypadala, že by klidně dokázala někoho zabít, kdyby musela, jako by za všech okolností přesně věděla, co dělá. Z nějakého důvodu jsem už v tu chvíli věděla, že spolu nemluvíme naposledy. Bože, neměla jsem ani ponětí, co všechno se semele.

„Já nevím," pokrčila jsem rameny.

NĚKDO POSLOUCHÁ

Uplynula ještě hodina, než nastal čas, kdy bylo přijatelné vydat se do nočního klubu, a já se snažila zachovat klid a nenapsat na messengeru mámě, aby pro mě přijela, protože to by bylo trapné. Věděla jsem, že ve skutečnosti jsem trapná, ale nikdo jiný to vědět neměl.

Zvedli jsme se k odchodu. Trochu se mi točila hlava a měla jsem pocit, že mě neposlouchají nohy, ale i tak jsem slyšela, jak Raine říká „moc hezký". Ukazovala na můj top, což byla jednoduchá šifonová halenka, kterou jsem si vybrala, protože vypadala jako něco, co by si na sebe vzala Maya.

Aleda jsem už skoro úplně pustila z hlavy, ale pak, když jsme vyšli na ulici, se mi rozezvonil telefon. Vytáhla jsem ho z kapsy a podívala se na displej. Volal mi Daniel Jun.

Daniel Jun měl moje číslo jen proto, že byl primus a já primuska, takže jsme spolu často museli organizovat školní akce. Nikdy mi nevolal a za celou dobu mi poslal jen čtyři nebo pět všedních esemesek ve stylu „připravíš stolek s občerstvením ty, nebo já" a „u dveří budeš odtrhávat vstupenky a já budu lidi vítat u školní brány". Navíc mě nesnášel, takže jsem neměla nejmenší tušení, proč mi volá.

Ale byla jsem opilá, a tak jsem hovor přijala.

F: Haló?
Daniel: (mumlání a hlasitý dubstep)
F: Haló? Danieli?
D: Haló? (smích) počkej, sklapni – haló?
F: Danieli? Proč mi voláš?
D: (smích) (dubstep)
F: Danieli?
D: (zavěsil)

Podívala jsem se na mobil.

„No dobře," řekla jsem nahlas, ale nikdo mě neslyšel.

Prohnalo se kolem mě stádečko kluků, noha mi sklouzla z chodníku a najednou jsem šla po silnici. Nechtěla jsem tady být. Měla jsem spoustu práce, potřebovala jsem se učit, zpracovávat si otázky z testů, počítat matematické úlohy, číst si pořád dokola zprávu od *Universe City*, kreslit si návrhy vizuálů pro další epizody – měla jsem toho hromadu a být tady byla upřímně řečeno totální ztráta času.

Telefon znovu zazvonil.

F: Danieli, přísahám bohu –
Aled: Frances? Je to Frances?
F: Alede?
A: Franceeeeees! (dubstep)

Aleda jsem skoro neznala. Do tohohle týdne jsem s ním prohodila sotva dvě slova.

Proč...

Co?

F: Ehm, proč mi voláš?

A: No… on Dan – Dan se ti nejspíš snažil ze srandy dovolat… nevím, jestli se mu to povedlo…

F: … aha.

A: …

F: Kde jsi? Je s tebou Daniel?

A: No, jsme u Johnnyho… divný, vlastně ani nevím, kdo ten Johnny je… Dan má… (smích, mumlání dalších hlasů)

F: … Jsi v pohodě?

A: Jo, dobrý… promiň… Daniel znova vytočil tvoje číslo a pak mi strčil svůj mobil… vlastně ani nevím, co se stalo. Nevím, proč s tebou vůbec mluvím! Haha…

Trochu jsem přidala do kroku, aby mi moje parta neutekla.

F: Alede, jestli je s tebou Daniel, tak já prostě zavěsím…

A: Jo, sorry… ehm… teda, jo.

Bylo mi ho líto. Nechápala jsem, proč se kamarádí zrovna s Danielem… a zajímalo mě, jestli ho Daniel taky komanduje. Daniel komandoval hodně lidí.

F: To nic.

A: Mně se tady nelíbí.

Zamračila jsem se.

A: Frances?

F: No?

A: Mně se tady nelíbí.

F: … Kde?

A: Tobě se tady líbí?

F: *Kde?*

Na druhé straně se na okamžik rozhostilo ticho – nebo teda ticho, do kterého hrála plechová taneční hudba a ozýval se smích a hovor dalších hlasů.

F: Alede, prosím tě, řekni mi, jestli je s tebou Daniel, abych si o tebe nemusela dělat starosti a mohla pokračovat v započatý večerní zábavě.
A: Já nevím, kde je Daniel...
F: Chceš, abych pro tebe došla a odvedla tě domů nebo tak něco?
A: Hele... víš co? ... Zní to, jako bys byla v rádiu...

Na mysli mi okamžitě vytanulo *Universe City* a Radio Silence.

F: Ježiš, ty jsi namol.
A: (směje se) Ahoj. Doufám, že mě někdo poslouchá...

A zavěsil. Ve mně by se po jeho posledních slovech krve nedořezal.

„Ahoj. Doufám, že mě někdo poslouchá," zamumlala jsem si sama pro sebe.

Tahle slova jsem poslední dva roky poslouchala pořád dokola, byla to slova, která jsem psala do řečových bublin svých kreseb a na zdi svého pokoje. Slova, která jsem slyšela pronášet mužský hlas a ženský hlas, které se každých pár týdnů střídaly, ale vždycky zněly jako staromódní hlasatel z rozhlasu za druhé světové války.

Úvodní věta každého dílu *Universe City*:

„Ahoj. Doufám, že mě někdo poslouchá."

ZVLÁDLA JSEM TO

Vyhazovač u dveří nad řidičákem, který jsem mu ukázala, ani nehnul brvou, třebaže patřil Rainině starší sestře Ritě, která je indického původu a má krátké rovné vlasy. Nechápala jsem, jak někdo může nevidět rozdíl mezi Indkou a holkou, která je napůl etiopského původu, ale stalo se.

U Johnnyho byl do 11 večer volný vstup, což bylo dobře, protože jsem nesnášela plýtvat penězi na věci, které jsem ve skutečnosti dělat nechtěla.

Šla jsem s kamarády dovnitř.

Bylo to tam přesně takové, jaké jsem to čekala.

Všude samí opilci. Blikající světla. Příliš hlasitá hudba. Klišé nad klišé.

„Kámo, jdeš ještě na drink?" zahulákala na mě z patnácti centimetrů Raine.

Zavrtěla jsem hlavou. „Je mi trochu blbě."

Maya mě uslyšela a zasmála se. „Ále, Frances, ty naše miminko. No tak, jen jednoho malýho panáka!"

„Asi půjdu spíš na záchod."

Ale Maya už se dala do řeči s někým jiným.

„Mám jít s tebou?" zeptala se Raine.

Zavrtěla jsem hlavou. „To je dobrý. Jsem v pohodě."

„Tak jo." Raine mě popadla za ruku a ukázala kamsi na opačnou stranu sálu. „Záchody jsou tamhle! Pak za náma přijď na bar, jo?"

Kývla jsem.

Absolutně jsem neměla v plánu jít na záchod.

Raine na mě mávla a odploužila se.

Já jsem se chystala najít Aleda Lasta.

Jakmile jsem se ujistila, že jsou moji kamarádi patřičně zaneprázdnění na baru, vydala jsem se po schodech nahoru. V tomhle patře hráli indie rock a bylo tu tišeji, za což jsem byla ráda, protože z toho dubstepu dole jsem začínala trochu panikařit – jako by to byla úvodní hudba z akčního filmu a já měla jen deset vteřin na to utéct před výbuchem.

A pak byl najednou Aled Last přímo přede mnou.

Než vyřkl ten citát z *Universe City*, ani by mě nenapadlo ho jít hledat. Jenže to udělal – a nemohla to být náhoda, že ne? Ocitoval to slovo od slova. Úplně přesně. Se stejnou výslovností, se stejným syknutím ve slově „poslouchá", se stejnou pauzou mezi „někdo" a „poslouchá", se stejným slyšitelným úsměvem za druhou větou...

On ten podcast poslouchal taky?

Ještě jsem nepotkala nikoho, kdo by o něm třeba jen slyšel.

Bylo s podivem, že Aleda z klubu nevyhodili, protože podle všeho usnul. Nebo omdlel. Každopádně seděl na zemi zády opřený o zeď tak, že bylo zjevné, že ho tam někdo takhle usadil. Nejspíš Daniel. Což mě překvapilo, protože Daniel se k Aledovi většinou choval dost ochranitelsky, aspoň podle toho, co jsem slyšela. Ale možná to bylo naopak.

Dřepla jsem si vedle něj. Stěna, o kterou se opíral, byla vlhká, jak se na ní srážely výpary z celého sálu. Zatřásla jsem mu ramenem a pokusila se přeřvat hudbu:

„Alede?“

Znovu jsem jím zatřepala. Ve spánku vypadal pěkně, tvář mu ozařovala oranžová a červená diskotéková světla. Působil tak dětsky.

„Hlavně nebuď mrtvej. To by mi vážně zkazilo den.“

Aled se s trhnutím probudil, s odrazem se odlepil ode zdi a předklonil se, takže jsme se srazili hlavami.

Bolelo to tak strašně moc, že jsem se nevzmohla na víc než tiché „do prdele“. Z koutku levého oka mi skanula osamělá slza.

Zatímco já se schoulila do klubíčka ve snaze zaplašit bolest, Aled zakřičel:

„Frances Janvierová!“

Moje příjmení vyslovil správně.

„Že já jsem tě právě praštil do hlavy?“ pokračoval.

„Praštil je slabý slovo,“ odpověděla jsem hodně nahlas a zase se napřímila.

Myslela jsem, že se zasměje, ale on jen třeštil oči, zjevně byl pořád opilý. „Panebože,“ vydechl, „strašně se omlouvám.“ A pak, protože byl totálně namol, jen zvedl ruku a lehce mě poplácal po čele, jako by se moji bolest snažil utišit nějakým kouzlem. „Promiň,“ omlouval se znovu, tvářil se upřímně ustaraně. „Ty brečíš? Ježiš, zním jak Wendy z *Petra Pana*.“ Pohled se mu na chvíli rozmlžil, ale pak ho znovu upřel na mě. „Holka, proč brečíš?“

„Já nebrečím…“ ohradila jsem se. „Nebo možná jen vnitřně.“

Teprve teď se rozesmál a v jeho smíchu bylo něco, co mě taky nutilo se smát, a tak jsem se zasmála. Aled se zaklonil, opřel si hlavu o zeď a připlácl si ruku na pusu. Byl tak opilý a mně v hlavě tepala bolest a celá tahle diskotéka byla nechutná, ale aspoň na pár vteřin mi to všechno připadalo naprosto k popukání.

Když se přestal smát, chytil mě za džínovou bundu a opřel se mi o rameno, aby se zvedl ze země. Musel bleskově připlácnout ruku na zeď, jinak by rovnou zase sletěl. Taky jsem vstala, nebyla jsem si jistá, co dál. Nevěděla jsem, že se Aled umí takhle zřídit. Na druhou stranu jsem toho o něm vůbec moc nevěděla. Neměla jsem důvod se o něj zajímat.

„Neviděla jsi Dana?" zeptal se mě, jeho dlaň mi znovu přistála na rameni. Naklonil se ke mně a zamžoural.

„Kdo je – aha, Daniela." Všichni lidi, které jsem znala, mu říkali celým jménem. „Ne, sorry."

„Aha…" Sklopil oči k botám a zase vypadal jako dítě, jeho polodlouhé vlasy by se hodily spíš ke čtrnáctiletému klukovi a svetr mu vůbec neseděl. Působil prostě tak… ani nevím jak. A já se ho hlavně chtěla zeptat na *Universe City*.

„Pojď se mnou na chvíli ven," navrhla jsem, ale podle všeho mě ani neslyšel. Vzala jsem ho kolem ramen a táhla ho pryč, skrz dunění hudby a pot, davem lidí, směrem ke schodům.

„Alede!"

Zarazila jsem se, Aled se o mě opřel skoro celou svojí vahou a otočil se za hlasem. Mezi tančícími lidmi se k nám prodíral Daniel se sklenicí vody v ruce.

„Jé," vydechl. Díval se na mě, jako bych byla halda špinavého nádobí. „Nevěděl jsem, že jdeš dneska taky ven."

On snad měl poškozený mozek? „Vždyť jsi mi před chvílí *volal*, Danieli."

„Volal jsem ti, protože s tebou chtěl Aled mluvit."

„Aled tvrdil, žes mi volal z legrace."

„Proč bych to dělal? Není mi dvanáct."

„No a proč by se mnou chtěl Aled mluvit? Vždyť se ani neznáme."

„Jak to mám sakra vědět?"

„Jsi jeho nejlepší kámoš a dneska večer tu jste spolu!"

Na to už Daniel nic neřekl.

„Nebo možná nejste," rýpla jsem si do něj. „Jo, zrovna jsem Aleda zachraňovala z mdlob."

„Cože?"

Zasmála jsem se. „Neříkej mi, žes svého nejlepšího kamaráda nechal jen tak sedět v bezvědomí na podlaze, Danieli!“

„Ne!“ Zvedl sklenici. „Šel jsem mu pro vodu. Zas takovej kretén nejsem.“

To pro mě byla novinka, ale říct mu to přímo do obličeje by už asi bylo přes čáru.

Místo toho jsem se otočila k Aledovi, který se vedle mě kýval ze strany na stranu. „Proč jsi mi volal?“

Aled se zamračil, potom mě prstem lehce ťuknul do nosu a řekl: „Líbíš se mi.“

Rozesmála jsem se v domnění, že je to vtip, jenže Aled se ke mně nepřidal. Pustil mě a objal kolem ramen Daniela, který se trochu překvapeně zapotácel a podepřel sklenici s vodou i druhou rukou.

„Není divný,“ pronesl Aled, rty jen pár milimetrů od Danielovy tváře, „že jsem byl šestnáct let vyšší já, a teď jsi najednou vyšší ty?“

„Jo, fakt divný,“ opáčil Daniel a koutky rtů se mu zvedly v čemsi, co připomínalo úsměv víc než cokoli, co jsem u něj za posledních pár měsíců viděla. Aled se mu opřel hlavou o rameno a zavřel oči a Daniel ho lehce poklepal rukou po hrudi. Pošeptal mu něco, co jsem neslyšela, a podal mu sklenici s vodou. Aled si ji beze slova vzal a napil se.

Těkala jsem mezi nimi očima, dokud si Daniel nevzpomněl, že jsem tam taky.

„Ty už jdeš?“ zeptal se mě. „Mohla bys ho vzít domů?“

Vrazila jsem ruce do kapes. Stejně jsem tu už nechtěla být. „Jo, jasně.“

„Nenechal jsem ho jen tak sedět na zemi. Šel jsem mu pro vodu.“

„Jo, to už jsi říkal.“

„No, jen mi přišlo, že mi nevěříš.“

Pokrčila jsem rameny.

Daniel Aleda zase přesunul ke mně a Aled mi okamžitě pověsil ruku kolem ramen a trochu mi polil rukáv.

„Stejně jsem ho sem vůbec neměl brát," posteskl si Daniel, ale připadalo mi, že spíš jen sám pro sebe, a když se podíval na Aleda, odpřisáhla bych, že se mu v očích mihlo cosi jako lítost. Aled mi skoro usínal v náručí a na kůži se mu střídaly barvy odrážené diskokoulí.

„Co to..." zamumlal Aled, když jsme vyšli na ulici. „Kde je Dan?"

„Říkal, ať tě odvedu domů," oznámila jsem mu a hlavou mi vrtalo, jak přesně tuhle situaci vysvětlím svým kamarádům. V duchu jsem si poznamenala, že musím z nádraží poslat zprávu Raine.

„Tak jo."

Zalétla jsem k němu pohledem, protože najednou zněl zase jako ten zakřiknutý Aled, s kterým jsem mluvila na třídních schůzkách – ten Aled, co jen šeptá a uhýbá pohledem.

„Jezdíš stejným vlakem," pokračoval, když jsme vykročili po liduprázdné hlavní třídě.

„Jo," potvrdila jsem.

„Ty a Carys vždycky sedíte – seděly jste spolu."

Moje srdce při zmínce o Carys poskočilo.

„Jo," zajíkla jsem se.

„Měla tě ráda," řekl Aled. „Víc než... ehm..."

Zdálo se, že ztratil nit myšlenek. Nechtěla jsem mluvit o Carys, a tak jsem na něj nenaléhala.

„Alede, ty posloucháš *Universe City*?" vypálila jsem místo toho.

Aled se rázem zastavil a jeho paže mi sklouzla z ramenou.

„Cože?" zeptal se. Do tváře mu dopadala bronzová záře pouličních lamp a za zády mu blikal neonový nápis nad diskotékou.

Zamrkala jsem. Proč jsem se ho vůbec ptala?

„*Universe City*?" zopakoval, mhouřil oči a mluvil nahlas, jako bychom pořád byli v klubu. „Proč?"

Odvrátila jsem se. Takže ne. Aspoň existovala naděje, že si tenhle rozhovor vůbec nebude pamatovat. „To je fuk."

„*Ne*," odsekl Aled a zakopl o obrubník, div se na mě neskácel. Vykulil oči. „Proč se mě na to ptáš?"

Probodla jsem ho pohledem. „Ehm..."

Aled vyčkával.

„Já jen... měla jsem dojem, že jsi použil jednu hlášku. Ale možná jsem se spletla."

„A ty posloucháš *Universe City*?"

„No, jo," ošila jsem se.

„To je tak... nepravděpodobný. Ještě nemám ani padesát tisíc odběratelů."

Počkat.

„Cože?"

Aled udělal krok dopředu. „Jak to víš? Dan tvrdil, že na to nikdo nepřijde."

„*Cože*?" vyprskla jsem ještě důrazněji. „Na co?"

Aled neodpověděl, jen roztáhl rty od ucha k uchu.

„Ty posloucháš *Universe City*?" zkusila jsem to znovu, ačkoli jsem už zapomněla, proč se ho na to vlastně ptám, jestli proto, že se díky představě, že někdo tenhle podcast miluje stejně jako já, přestanu cítit jako naprostá podivínka, nebo protože jsem chtěla, aby Aled řekl to, co se zjevně zdráhal říct.

„Já jsem *Universe City*," pronesl. Zůstala jsem stát jako opařená.

„Cože?" hekla jsem.

„Jsem Radio," řekl Aled. „Radio Silence. Tvořím *Universe City*."

Dál jsem jen stála.

Nic dalšího jsme neřekli.

Kolem nás se honil vítr. Z hospody poblíž se ozval smích skupinky holek. Někde houkal autoalarm.

Aled uhnul očima, jako by vedle nás stál někdo další, koho viděl jen on, ale já ne.

Pak se vrátil pohledem ke mně, položil mi ruku na rameno, naklonil se a s upřímností v hlase se zeptal: „Jsi v pohodě?"

„To je... ehm..." Jenže jsem netušila, jak říct, že jsem už dva roky posedlá podcastem na YouTube o dobrodružstvích agenderového studenta sci-fi univerzity, co neustále nosí rukavice a používá svoje nadpřirozené schopnosti a detektivní uvažování k řešení záhad ve městě, jehož název je ta nejpřihlouplejší slovní hříčka na univerzitu, kterou jsem kdy v životě slyšela, a že mám v pokoji sedmatřicet skicáků s kresbami a obrázky, které jsem vytvořila právě a jen k tomuhle příběhu, a že jsem v životě nepotkala nikoho, kdo by o tomhle podcastu třeba jen slyšel, že jsem o něm nikdy neřekla ani svým kamarádkám a že jsem zrovna teď, v poslední den před studijním volnem, na ulici před nočním klubem zjistila, že dvojče holky, která byla jednu dobu moje nejlepší kamarádka a celý můj život bydlela naproti přes ulici, člověk, který za střízliva skoro nemluví, je jeho autorem. Tenhle mrňavý sedmnáctiletý blonďák, který většinu času mlčí. A teď stál přímo přede mnou.

„Poslouchám," řekl mi s rozmazaným úsměvem. Byl fakt namol – věděl vůbec, o čem mluví?

„Vysvětlit to by bylo na několik hodin," odtušila jsem.

„Klidně tě budu poslouchat několik hodin," řekl on.

1. DRUHÉ POLOLETÍ

b)

ALED LAST V MÉ POSTELI

Nemám ve svém pokoji ráda cizí lidi, protože se bojím, že by mohli odhalit některé z mých tajemství, jako třeba moji tvorbu nebo historii vyhledávání na internetu, nebo to, že doteď bez legrace spím s plyšákem.

A už vůbec nemám ráda lidi ve své posteli, od doby, kdy mi bylo dvanáct a přespávala u mě kamarádka a já měla noční můru o tamagočim, který mluvil strašně hlubokým hlasem. Ve spánku jsem tu kamarádku praštila do obličeje a ona se rozbrečela, protože jí začala téct krev z nosu. Což je celkem dobrá metafora pro většinu mých dřívějších kamarádství.

Navzdory tomuhle všemu skončil té noci Aled Last v mé posteli.

Haha.

Ne, není to tak, jak si myslíte.

Když jsme s Aledem vystoupili z vlaku – teda v Aledově případě vypadli – a sešli po kamenných schodech spojujících nádraží s naší vesničkou, Aled mi oznámil, že nemá klíče, protože Daniel Jun má na sobě jeho bundu a jeho klíče byly v bundě. A že nemůže vzbudit mámu, aby ho pustila dovnitř, protože by mu „doslova ukousla hlavu“. Říkal to docela přesvědčivě. Jeho máma je jednou z členek rodičovské rady na naší škole, takže jsem mu pár vteřin fakt věřila. Aledova máma mi vždycky naháněla hrůzu, nejspíš by mohla jediným slovem rozsekat moji sebeúctu na kousíčky a dát je sežrat svému psovi. Ne že by to bylo zas tak těžké.

No, každopádně. Takže jsem se ho ve zcela zjevném žertu zeptala: „A co jako, to chceš spát u mě nebo tak něco?“ A on se mi opřel plnou vahou o rameno a zabručel: „*Noooo...*“ a já jsem se zasmála, jako bych přesně tohle předpokládala už od chvíle, kdy si dřepl přímo doprostřed silnice.

„No tak fajn,“ odsekla jsem. Stejně mi bylo jasné, že okamžitě vytuhne, a rozhodně jsem nebyla jedna z těch prudérních ženských přes čtyřicet, co si myslí, že kluk a holka spolu nemůžou platonicky přespat v jedné posteli.

Aled vešel do mého domu a do mého pokoje a beze slova se svalil na postel. Když jsem se vrátila z koupelny, kde jsem se převlékla do pyžama, už spal jako dudek, hlavu odvrácenou, hruď se mu pomalu pohybovala nahoru a dolů. Zhasla jsem.

Litovala jsem, že nejsem taky trochu opilá, protože usnout mi trvalo dobré dvě hodiny, jako obvykle, a celé ty dvě hodiny, pokud jsem zrovna nehrála hry na mobilu nebo neprojížděla Tumblr, jsem jen v měkkém namodralém světle svého pokoje zírala na jeho zátylek. Na mém rozlehlém dvoulůžku naposledy spala Carys, když mi bylo patnáct. Jen pár nocí předtím, než utekla z domova. Když jsem trochu přimhouřila oči, mohla jsem skoro předstírat, že tu vedle mě leží ona – blond vlasy, elfí uši. Jenže když jsem oči zas naplno otevřela, byl to zcela evidentně Aled, ne Carys. Z nějakého důvodu mě to uklidnilo. Ale nevím.

Aled nutně potřeboval ostříhat vlasy a mně zničehonic došlo, že má na sobě Danielův svetr.

JO, JÁ VÍM

Vzbudila jsem se jako první, asi v jedenáct. Aled vypadal, jako by se za celou noc ani nepohnul, takže jsem rychle zkontrolovala, jestli ještě žije (žil), a pak jsem vylezla z postele. V duchu jsem si krátce přehrála všechna rozhodnutí, co jsem udělala předešlé noci. Přesně odpovídala tomu, co jsem sama od sebe očekávala – nechala jsem sebou zametat, vlastním přičiněním jsem se dostala do nepříjemné situace jen proto, abych zajistila bezpečí lidem, které jsem skoro neznala, pokládala jsem divné otázky a pak se za ně hluboce styděla... To, že Aled Last skončil v mojí posteli, bylo přesně něco, co by se přihodilo Frances Janvierové. Co mu vůbec povím, až se probudí?

Nazdárek, Alede. Jsi v mojí posteli. Asi si nepamatuješ proč. Přísahám, že jsem tě sem nepřitáhla násilím. Mimochodem, víš, jak na YouTube děláš ten podivínský podcast? No, tak já jsem jím už několik let totálně posedlá.

Vydala jsem se po schodech dolů. Radši o tom všem zpravím mámu hned, než na to přijde a pomyslí si, že si její dcera našla mrňavého, blonďatého, zdvořilého přítele, a ani jí o tom neřekla.

Máma seděla u televize ve svém jednorožčím overalu a dívala se na *Hru o trůny*. Když jsem vešla do místnosti a plácla sebou vedle ní na gauč, podívala se na mě.

„Nazdárek," řekla. V jedné ruce držela sáček celozrnných cereálních polštářků. Strčila si jeden do pusy. „Vypadáš trochu nevyspale."

„No," odpověděla jsem, ale neměla jsem ani ponětí, co dál.

„Bavila ses dobře na té tancovačce?" zeptala se, ale zubila se od ucha k uchu. Máma ráda předstírá, že vůbec netuší, co v jednadvacátém století mládež provozuje. Je to jedna z jejích oblíbených činností, spolu se sarkastickým odsekáváním učitelům. „Trsla sis? Zadžemovali jste si?"

„Jo, trsali jsme jak o život," opáčila jsem a naznačila taneční pohyb.

„Výtečně, výtečně. Ideální příležitost si vrznout."

Nahlas jsem se rozesmála, hlavně představě, že bych si kdykoli v jakékoli situaci „vrzla", ale potom máma přehnaně pomalu namířila dálkové ovládání na televizi a zmáčkla pauzu, odložila pytlík s cereáliemi a podívala se mi zpříma do očí. Ruce složila v klíně a propletla prsty, jako by byla ředitelka, co má na koberečku neposlušnou žákyni.

„Když už jsme u toho," pokračovala, „zajímalo by mě, kdo je ten rozkošný mladík, co spí v tvé posteli."

Aha. No dobře.

„Jo no," zasmála jsem se. „Ten rozkošný mladík."

„Šla jsem ti do pokoje posbírat špinavé prádlo, a kohopak jsem tam nenašla." Máma rozpřáhla ruce, jako by mi tu scénku chtěla přehrát. „Nejdřív mě napadlo, jestli to není nějaký obří plyšák. Nebo jeden z těch japonských polštářů s obrázkem postavy, cos mi tuhle ukazovala na internetu."

„Jo... ne no. Je opravdovej. Je to skutečný chlapec."

„Byl oblečený, takže předpokládám, že jste spolu neměli žádné techtle mechtle."

„Mami, i když to ‚techtle mechtle' používáš ironicky, stejně mám chuť si do uší nalít vteřinový lepidlo."

Máma chvíli jen mlčela a já taky. A pak jsme obě zaslechly z patra hlasitou ránu.

„Je to Aled Last," řekla jsem nakonec. „Brácha Carys Lastový. Dvojče."

„Bratr tvé kamarádky?" uchechtla se máma. „No teda, dělá se nám z toho tak trochu romantická komedie, ne?"

Bylo to vtipné, ale já jsem se nezasmála a máma zvážněla. „Co se děje, Frances? Myslela jsem, že se budeš bavit s kamarády, trochu si to protáhneš. Ví bůh, že potřebuješ nějak oslavit konec školy, než se vrhneš na učení a opakování."

Věnovala mi soucitný pohled. Máma měla vždycky za to, že beru školu až moc vážně. Byla v podstatě opak toho, co byste čekali od normálního rodiče, ale i tak byla naprosto úžasná.

„Aled se opil, takže jsem ho musela odvést domů. Zapomněl si klíče a jeho máma je podle všeho tak trochu kráva."

„Ach ano, Carol Lastová." Máma semkla rty do úzké čárky a odvrátila pohled, jako by na něco vzpomínala. „Vždycky se se mnou snaží dávat do řeči, když se potkáme na poště."

Z mého pokoje se ozvala další rána. Máma se zamračila a zvedla oči ke stropu. „Nezranila jsi ho nějak, že ne?"

„Asi bych se za ním měla jít podívat."

„To teda. Běž si zkontrolovat svého nápadníka. Nejspíš zrovna leze ven oknem."

„Ale no tak, matko, moji nápadníci by nikdy necítili potřebu utíkat ode mě oknem."

Usmála se na mě tím svým vřelým úsměvem, který ve mně pokaždé vyvolal dojem, že ví něco, co já ne. Zvedla jsem se k odchodu.

„Nenech ho utéct!" houkla za mnou. „Je to možná tvoje jediná šance opatřit si manžela!"

V tu chvíli mi došlo, že jsem mámě neřekla ještě jednu důležitou věc.

„Jo, mimochodem," otočila jsem se mezi dveřmi, „pamatuješ si na *Universe City*?"

Mámin smích se změnil ve zmatení. „Ehm, asi jo?"

„No, tak to dělá Aled.“

Uvědomila jsem si, že si Aled nejspíš nebude pamatovat, že mi řekl, že je autorem mého oblíbeného podcastu. Super. Další nepříjemná situace, kterou budu muset vyřešit.

„Cože?“ nechápala máma. „Jak to myslíš?“

„To on mi poslal tu zprávu na Twitteru. Je tvůrcem *Universe City*. Zjistila jsem to včera večer.“

Máma na mě jen zírala.

„Jo,“ kývla jsem. „Jo, já vím.“

DIVNÝ

Vešla jsem do svého pokoje a našla Aleda, jak se krčí vedle postele a drží nad hlavou ramínko, jako by to byla mačeta. Zaslechl mě a prudce se ke mně otočil, třeštil oči a vlasy – příliš dlouhé – mu trčely okolo hlavy do všech stran. Vypadal tak trochu… no… vyděšený k smrti. Nebylo divu.

Pár vteřin trvalo, než jsem si rozmyslela, co říct.

„Co jsi s tím ramínkem chtěl dělat? Setnout mi hlavu?"

Aled zamrkal, svěsil ruku se zbraní a vstal, zdálo se, že z něj děs trochu vyprchává. Přejela jsem ho očima od hlavy až k patě – měl na sobě samozřejmě pořád stejné oblečení jako včera, Danielův vínový svetr a tmavé džíny, ale tentokrát jsem si všimla, že má taky perfektní limetkově zelené plátěnky s neonově fialovými tkaničkami, a hned jsem se ho zatoužila zeptat, kde je sehnal.

„Jé, Francis Janvierová," vydechl. Pořád vyslovoval moje příjmení správně. Pak zhluboka vydechl a sedl si na postel.

Měla jsem pocit, že se dívám na někoho úplně jiného. Teď, když jsem věděla, že je Tvůrce, hlas Radio Silence, už najednou nevypadal jako Aled Last – ne ten Aled Last, kterého jsem znala. Ne tichý stín Daniela Juna, kluk, který působil, jako by neměl vůbec žádnou osobnost. Kluk, který se jen usmíval a přitakával všemu, co jste mu řekli, a upřímně řečeno byl obecně nejspíš ta nejnudnější, nejobyčejnější lidská bytost ve vesmíru.

Byl Radio Silence. Už celé dva roky tvořil youtubový seriál s nádherným, bezmezným, oslňujícím příběhem.

V duchu jsem se hroutila jak nejšílenější fanynka, krucinál. Takový trapas.

„Kristepane," špitl. Jeho hlas byl teď za střízliva tak tichý, že to působilo, jako by nebyl ani zvyklý se normálně bavit s lidmi, jako by se musel do mluvení nutit. „Už jsem si myslel, že mě někdo unesl." Složil hlavu do dlaní a opřel se lokty o kolena.

Chvíli jen bez hnutí seděl. Já jsem dál rozpačitě postávala ve dveřích.

„Ehm... promiň." Nebyla jsem si jistá, za co se vlastně omlouvám. „Ale tys sem chtěl. Nenalákala jsem tě sem s nějakými postranními úmysly." Zvedl ke mně hlavu a zase tak vykulil oči a já zaúpěla. „No jo, to zní jako něco, co by přesně řekl někdo s postranními úmysly."

„To je fakt trapas," řekl on a rty se mu zkroutily do jakéhosi pološúsměvu. „To já bych se měl omlouvat."

„Jo, je to fakt trapas."

„Mám prostě odejít?"

„No..." Odmlčela jsem se. „No, jako já tě tady nebudu držet násilím. Fakt jsem tě neunesla."

Aled se na mě upřeně zadíval.

„Počkat," vyhrkl. „Neměli jsme... neměli jsme spolu něco, že ne?"

Ta představa zněla tak hloupě, že jsem vyprskla smíchy. Zpětně si říkám, že to mohlo působit trochu nezdvořile.

„Ne, to ne. Ne. Nic se nestalo."

„Tak jo," vydechl a sklopil oči a já nedokázala odhadnout, co se mu honí hlavou. „Jo, to by bylo vážně divný."

Zase se mezi námi rozhostilo ticho. Potřebovala jsem před tím, než odejde, zavést řeč na *Universe City*. Zjevně si náš rozhovor nepamatoval. A já neumím lhát, co by se za nehet vešlo, ani udržet tajemství.

Konečně odložil ramínko, které doteď třímal v ruce.

„Mimochodem, máš fakt cool pokoj," pronesl nesměle a kývl hlavou směrem k mému plakátu *Welcome to Night Vale*. „*Welcome to Night Vale* miluju."

Samozřejmě. *Welcome to Night Vale* byl další podcastový seriál, co jsem zbožňovala, stejně jako *Universe City*. Ale *Universe City* jsem měla radši – byly v něm lepší postavy.

„Nevěděl jsem, že máš ráda takový věci," pokračoval.

„No." Netušila jsem, kam tím míří. „No, jo."

„Myslel jsem, že... víš co, se ráda učíš a... ehm... ráda děláš primusku a... tak."

„Jo, jasně." Rozpačitě jsem se zasmála. Škola byla můj život a dávala jsem do ní celou duši a vůbec. Takže měl svým způsobem pravdu. „No... jo, je pro mě důležitý mít dobrý známky a taky být primuska a tak. Jako víš co, hlásím se na Cambridge, takže potřebuju – musím se hodně učit a tak... no."

Aled mě sledoval a celou dobu pomalu pokyvoval hlavou. „Aha, jasně, to chápu," řekl, ale znělo to, jako by ho to nezajímalo ani z půlky tolik jako můj plakát *Welcome to Night Vale*. Pak mu došlo, že na mě zírá, a tak spěšně sklopil zrak. „Sorry, dělám to ještě divnější," zamumlal. Vstal a jednou rukou si uhladil vlasy. „Tak já půjdu. Stejně už se moc vídat nebudeme."

„Jak to?"

„Protože už jsem dokončil školu a tak."

„Jo tak."

„Haha."

Vyměnili jsme si upřený pohled. Bylo mi tak trapně. Moje kalhoty od pyžama na sobě měly obrázky želv Ninja.

„Řekl jsi mi, že tvoříš *Universe City*," vyhrkla jsem tak rychle, že jsem se okamžitě začala bát, že mě ani neslyšel. Usoudila jsem, že vzhledem k tomu, že neexistuje způsob, jak to jen nenuceně nadhodit, bude lepší to prostě vypálit rovnou. Takhle jsem to dělala většinu života.

Aled nic neřekl, ale nasadil vážný výraz a trochu se zapotácel.

„Řekl jsem ti..." začal, ale jeho hlas se rozplynul do ztracena.

„Nevím, kolik si toho pamatuješ, ale já jsem jakoby..." Zarazila jsem se, abych neplácla něco, kvůli čemu bych zněla jako naprostý magor. „Vážně mám tvůj podcast strašně moc ráda. Poslouchám ho už od samýho začátku."

„Cože?" Zněl upřímně překvapeně. „Ale to jsou už víc jak dva roky..."

„Jo," zasmála jsem se. „Není to divný?"

„To je fakt..." Najednou mluvil o něco hlasitěji. „To je fakt cool."

„Jo, vážně ho mám hrozně ráda, jako já nevím, ty postavy jsou všechny tak dobře vykreslený a jako živý. Hlavně Radio, celá ta věc s tím, že nemá gender, je doslova geniální, třeba ten první díl, co vyprávěl holčičí hlas, jsem si pustila snad dvacetkrát. Ale nejlepší je, když si člověk není jistej, jestli je to klučičí hlas nebo holčičí, to jsou nejlepší epizody. Jako... žádnej z těch hlasů vlastně není ani holka, ani kluk, že jo? Radio je agender. No a ty vedlejší postavy jsou taky parádní, jen kolem nich není celý to sexuální napětí jako v *Pánu času*, jsou to prostě samostatný, komplexní lidi, a taky se mi líbí, jak nejsou hned nejlepší kámoši, občas jsou to klidně nepřátelé. A každej příběh je vtipnej a nikdy se nedá odhadnout, co bude dál, ale i ty dlouhodobý dějový linky jsou super, jako třeba já pořád nevím, proč si Radio nemůže sundat rukavice, nebo co je v Temně modré budově, nebo jestli se Radio a Vulpes někdy vůbec setkají, a ani se tě nebudu ptát na celou tu zápletku s February Friday, protože to by mi pak mohlo celý zkazit. Jo no, prostě to je... je to strašně dobrý, nedokážu ti ani popsat, jak moc to miluju. Vážně."

Zatímco jsem mluvila, Aled čím dál tím víc třeštil oči. Asi v polovině mého monologu si sedl zpátky na moji postel a ke konci si schoval ruce do rukávů. Když jsem domluvila, okamžitě jsem litovala, že jsem si pustila pusu na špacír.

„Ještě nikdy jsem žádnou fanynku *Universe City* nepotkal," zašeptal, jeho hlas zase skoro nebyl slyšet. A pak se rozesmál. Přikryl si ústa rukou, jako včera večer, a mě už poněkolikáté napadlo, proč to asi dělá.

Uhnula jsem pohledem.

„A taky..." pokračovala jsem. Napadlo mě, že mu prozradím, že jsem Toulouse, ilustrátorka, kterou kontaktoval na Twitteru. Hlavou mi blesklo, jak mu to řeknu, on začne vyšilovat, já mu ukážu svých sedmatřicet skicáků, on bude vyšilovat ještě víc, řekne mi, že jsem divná, uteče odsud a už ho nikdy neuvidím.

Zavrtěla jsem hlavou. „Ehm, už jsem zapomněla, co jsem chtěla říct."

Aled ruku zase svěsil. „To nic."

„Měl jsi vidět, jak jsem se včera tvářila, když jsi mi to řekl," zasmála jsem se nuceným smíchem.

Aled se uculil, ale působil nervózně.

Sklopila jsem hlavu. „Takže... to. No nic. Ehm. Můžeš jít domů, jestli chceš. Promiň."

„Neomlouvej se," pronesl tím šeptavým hlasem.

Musela jsem se hodně snažit, abych se znovu neomluvila.

Aled se zvedl, ale ještě se nevydal ke dveřím. Vypadalo to, jako by chtěl něco říct, ale neví, jaká zvolit slova.

„Nebo... bysme si mohli dát něco k snídani? Jestli chceš? Samozřejmě se nic nestane, jestli nechceš..."

„No... já bych se asi styděl," opáčil, ale pousmál se a já měla poprvé za celou dobu pocit, že vím, co si myslí.

„To je dobrý. Moc lidí ke mně na návštěvu nechodí, takže by to... ehm... bylo fajn!" Jakmile jsem to dořekla, uvědomila jsem si, jak smutně to zní.

„Tak jo," kývl. „Teda pokud to nevadí."

„Super."

Naposledy se rozhlédl po mém pokoji. Všimla jsem si, že se dívá na můj stůl, zavalený nepořádnou hromadou pracovních sešitů a papírů se zápisky ze školy, některé už spadly i na zem. Přelétl očima poličky v knihovně, kde jsem měla směsku knížek z povinné literatury, kterou jsem plánovala přečíst na přijímačky na Cambridge, a několika dévédéček, včetně kolekce filmů Studia Ghibli, kterou mi máma koupila k šestnáctým narozeninám. Vyslal z okna pohled ke svému domu. Nevěděla jsem, za kterým oknem je jeho pokoj.

„Nikdy jsem o *Universe City* nikomu neřekl," svěřil se mi a znovu se podíval na mě. „Bál jsem se, že by si lidi mysleli, že jsem divnej."

Mohla jsem na to odpovědět asi sto věcí, ale nakonec jsem řekla jen:

„Jo, mám to stejně."

A pak jsme oba zase ztichli. Myslím, že jsme se jen snažili vstřebat, co se právě stalo. Dodnes netuším, jestli měl z mého odhalení vůbec nějakou radost. Občas mě napadne, že by všechno možná bylo lepší, kdybych mu nikdy neřekla, že o tom vím. Jindy si zas říkám, že to byla ta nejlepší věc, kterou jsem v životě vypustila z pusy.

„Takže... snídaně?" prohodila jsem, protože naše konverzace, tohle setkání, tahle extrémně nepravděpodobná náhoda nemohla skončit zrovna tímhle.

„Jo, tak jo," kývl on, a i když mluvil pořád tak tiše a nesměle, znělo to, jako by se mnou opravdu chtěl ještě chvíli být, jen aby si se mnou mohl dál povídat.

BUDOU Z NÁS PRACHÁČI

Moc dlouho už u mě nakonec nezůstal. Nejspíš si všiml, že se z celé té situace vnitřně nervově hroutím, ale i tak jsem mu udělala tousty a snažila se ho nebombardovat otázkami, i když jsem jich měla na jazyku spoustu. Zeptala jsem se jen, kdo o *Universe City* ví (pouze Daniel), proč s podcastem začal (nudil se) a jak dělá ty efekty s hlasy postav (existuje na to software), a pak jsem si řekla, že bych se spíš měla uklidnit, a tak jsem si nasypala do misky cereálie a posadila se naproti němu ke snídaňovému stolu. Byl květen, ještě ne úplně léto, ale oknem do kuchyně pronikalo sluneční světlo a vypalovalo mi sítnici.

Bavili jsme se o normálních věcech, o škole a studijním volnu a jak daleko jsme v opakování učební látky. Oba už jsme udělali zkoušku z výtvarky, ale jemu ještě zbývala literatura, dějepis a matika a mně literatura, dějepis a politické vědy. Očekávalo se, že Aled dostane samé jedničky, což u někoho, kdo se dostal na jednu z nejlepších univerzit v zemi, moc nepřekvapovalo. Řekl mi, že ze zkoušek není ani moc nervózní. Já jsem mu neřekla, že se jimi stresuju tak, že ve sprše nacházím víc vypadaných vlasů, než bych asi měla.

Potom se mě zeptal, jestli nemám nějaký prášek proti bolesti, a mně došlo, že má dost krhavé oči a moc toho nesnědl. Navždy jsem si zapamatovala, jak ten první den u nás v kuchyni vypadal. V ostrých slunečních paprscích se zdálo, že jeho vlasy mají stejnou barvu jako jeho kůže.

„Chodíš hodně pařit?“ zeptala jsem se a podala mu ibalgin a sklenici vody.

„Ne,“ opáčil. Pak se lehce zasmál. „Mě to upřímně řečeno moc nebaví. Jsem tak trochu lúzr.“

„Mě taky moc ne,“ přitakala jsem. „U Johnnyho jsem včera večer byla poprvý. Bylo to tam mnohem zpocenější, než jsem čekala.“

Aled se znova zasmál a zakryl si rukou pusu. „Jo, je to tam nechutný.“

„Stěny tam byly doslova mokrý.“

„Jo!“

„Nejspíš bys tam mohl postavit vodní klouzačku. Nebudu lhát, být tam klouzačka, užívala bych si to mnohem víc.“ Udělala jsem rukou podivné gesto, které mělo naznačovat jízdu po skluzavce. „Opilecký klouzání. Za to bych klidně zaplatila.“

Plácala jsem nesmysly. Proč jsem to řekla? Čekala jsem, že na mě upře pohled, který bude vyjadřovat něco jako „Frances, co to meleš?“

Ale to se nestalo.

„Já bych zaplatil za opileckej skákací hrad,“ zasnil se. „Jako víš co, kdyby tam byla jedna celá místnost, kde by podlaha byla nafukovací jako ve skákacím hradu.“

„Nebo místnost, která je jako dětská herna.“

„Byla jsi někdy v Opičím království?“

„Jo!“

„Víš, jak tam vzadu byl ten bazén s míčky a nad ním zavěšený houpačky z pneumatiky? To bych bral.“

„Panebože, jo. To musíme navrhnout a zrealizovat a budou z nás pracháči.“

„To teda.“

Na chvíli jsme se odmlčeli a jen jsme jedli. Nebylo to trapné.

„Odkud máš ty boty? Jsou moc hezký,“ zeptala jsem se, ještě než odešel, když už jsme stáli ve dveřích.

Podíval se na mě, jako bych mu právě řekla, že vyhrál v loterii.

„Z Asosu,“ odpověděl.

„Aha, super.“

„Jsou z...“ Skoro to ze sebe nevymáčkl. „Já vím, že jsou divný. Jsou z oddělení pro ženy.“

„Aha. Ale nevypadají jako holčičí boty.“ Sklopila jsem oči k jeho nohám. „Nevypadají ani jako klučičí boty. Jsou to prostě boty.“ Podívala jsem se na něj a usmála se, nebyla jsem si moc jistá, kam tím vlastně mířím. Aled na mě zíral, ve tváři naprosto nečitelný výraz. „Já mám třeba pánskej kabát,“ pokračovala jsem. „A povím ti, že nejlepší vánoční svetry mají v pánským oddělení v Primarku.“

Aled Last si stáhl rukávy přes dlaně.

„Dík za to, cos mi řekla o *Universe City*,“ špitl, ale do očí se mi u toho úplně nedíval. „Já... je to, ehm, no, hodně to pro mě znamená.“

Byla to dokonalá příležitost mu to povědět.

Říct mu, že já jsem ta ilustrátorka, které napsal na Twitteru.

Jenže jsem ho pořádně neznala. Nevěděla jsem, jak by na to zareagoval. Považovala jsem ho za nejvíc cool člověka, jakého jsem kdy potkala, ale to neznamenalo, že mu můžu důvěřovat.

„V pohodě!“ vyhrkla jsem.

Když jsem mu mávla na rozloučenou a on vyšel na ulici, napadlo mě, že to byl nejspíš nejdelší rozhovor, co jsem za posledních pár týdnů vedla s někým v mém věku. Pomyslela jsem si, že bychom se teď mohli začít kamarádit, ale na druhou stranu by to možná bylo trochu divné.

Vrátila jsem se k sobě do pokoje, zahlédla skicáky vykukující zpod postele a v duchu jsem si řekla: *Kéž by to jen věděl.* Vzpomněla jsem si na Carys a přemítala jsem, jestli bych na ni měla zavést řeč – Aled věděl, že jsme se přátelily. Bože, vždyť celou tu dobu jezdil stejným vlakem, byl u toho.

Pomyslela jsem si, že bych mu měla říct, že ta kreslířka jsem já, protože kdybych to odkládala moc dlouho, mohl by mě začít nesnášet, a to jsem nechtěla. Lhaní lidem nic dobrého nepřinese. To už bych měla dávno vědět.

MOC

Carys nikdy o ničem nelhala. Taky ale nikdy neříkala celou pravdu, což bylo svým způsobem snad ještě horší. Ale to mi došlo až dlouho po tom, co zmizela.

Naše konverzace ve vlaku vždycky opanovala vyprávěním o svém životě. O tom, jak se hádá s mámou a kamarádkami ve škole a s učitelkami. O tom, jak špatné píše slohy a jak dostává pětky z písemek. O tom, jak se tajně plíží z domu a chodí kalit a opíjí se, o tom, co se vykládá za drby o lidech z jejího ročníku. Vyzařovalo z ní všechno to, co jsem já neměla – drama, emoce, intriky, moc. Já jsem neměla nic. V mém životě se nikdy nic nedělo.

Ale nikdy mi neřekla úplnou pravdu a já si toho nevšimla. Tolik mě oslnil její zářivý jas, její neskutečné historky a platinově blond vlasy, že mi nepřipadalo divné, že ráno s Aledem přicházejí na nádraží každý zvlášť a že se odpoledne Aled od vlaku trousí dvacet metrů za námi. Neudivovalo mě, že spolu nikdy nemluví ani si nesedají vedle sebe.

Nedávala jsem pozor.

Byla jsem slepá, ničeho jsem si nevšimla a selhala jsem. Nehodlala jsem to už nikdy znova připustit.

UNIVERSE CITY: Ep. 2 – skater boy

UniverseCity 84 873 zhlédnutí

Odteď si budu hledat spojence. Dokud se mi neozveš, bude pro mě přežití hlavní prioritou.

Transkript níže >>>

[...]
Má fakt perfektní kolo, to vám povím. Tři kola a svítí ve tmě. A taky se samozřejmě hodí mít někoho, kdo může používat holé ruce. Ani vám nemůžu vypovědět, jak otravné je muset neustále nosit rukavice.
Pořád si nedokážu vysvětlit, proč žádám o pomoc. Až doteď se mi dařilo přežívat na vlastní pěst. Ale od té doby, co s tebou mluvím, se mi asi... asi se mi trochu změnil názor.
Jestli se odsud chci dostat, budu muset tu a tam uzavřít spojenectví s některými lidmi z města. V Universe City jsou věci, které si vy tam ve skutečném světě nedovedete ani představit, plazí se kolem v metalickém prachu. Monstra a démoni a syntetické zrůdnosti.
Každý den se k vám donesou zprávy o další oběti – nějaký osamělý chudák, co se zatoulal z přednášky, unavený geek v odlehlém koutě knihovny, zoufalá mladá holka, co je sama v posteli. A právě o tom mluvím, starý brachu:
Docházím k názoru, že přežít v Universe City sám nebo sama je prostě nemožné.
[...]

ONLINE

Jedly jsme s mámou pizzu u televize a dívaly se na *Pátý element*, když mi na telefonu zavibrovala zpráva na Facebooku. Sáhla sem po něm s očekáváním, že mi píše některá kamarádka, ale při pohledu na jméno zobrazené na displeji mi málem zaskočila pizzová kůrka.

(19:31) **Aled Last**
ahoj frances jen jsem ti chtěl ještě jednou poděkovat žes mě včera vzala k sobě domů. asi jsem ti dost zkazil večer... strašně moc se omlouvám xx

(19:34) **Frances Janvierová**
Ahoj, nemáš zač! Fakt si s tím nedělej starosti!! ♡
Po pravdě řečeno, vlastně jsem tam úplně nechtěla být...
A tak trochu jsem tě využila jako záminku, abych mohla jít domů, nebudu lhát

(19:36) **Aled Last**
aha tak v tom případě dobrý!
myslel jsem že by bylo fajn se opít protože jsem byl

nervózní z toho že jdu do nočního klubu, ale asi jsem podcenil kolik mi stačí vypít haha
takhle ožralej jsem ještě nikdy nebyl

(19:37) **Frances Janvierová**
Tím se netrap!! Byl tam s tebou i Daniel, takže bylo všechno v pohodě. Když jsem tě našla, zrovna ti šel pro vodu ☺

(19:38) **Aled Last**
jo to je fakt ☺

(19:38) **Frances Janvierová**
😃

Oba jsme potom ještě byli pár minut online a já mu chtěla napsat ještě něco a měla jsem pocit, že on mně taky, ale ani jeden jsme asi nevěděli co, a tak jsem zhasla displej a snažila se znova soustředit na děj filmu, ale nedokázala jsem myslet na nic jiného než na něj.

STOP-MOTION

O den později byla neděle a já se rozhodla, že ten den se začnu doopravdy učit na závěrečné zkoušky. Taky to byl den, kdy mi zrovna ve chvíli, kdy jsem si vypracovávala matematickou úlohu s výpočtem diferenicálu, přišel mail od Radia Silence – od Aleda.

Od: **Radio Silence** <universecitypodcast@gmail.com>
Komu: mně

Ahoj Toulouse,
moc děkuju za odpověď na Twitteru! Jsem rád, že ses rozhodla pracovat pro show, už nějakou dobu si chci trochu pohrát s vizuálem.

E-mail pokračoval několika dalšími odstavci, kde Aled popisoval svoje představy, jak by to mělo vypadat – opakující se pixelové gify jako ty, co viděl u mě na blogu, nebo stop-motion animace černobílých kreseb na bílém pozadí, možná by se dalo aktualizovat i logo podcastu, kdyby to pro mě nebyla až příliš velká zodpovědnost. Ptal se mě, jestli jsem si stoprocentně jistá, že se do projektu můžu zapojit, protože nemůže zklamat svoje odběratele – pokud do toho půjdu, bude to pro mě závazné, nebudu moct vycouvat jen tak, bez dobrého důvodu.

Udělalo se mi z toho špatně.

Odložila jsem mobil na otevřený sešit, do kterého jsem si počítala matematické příklady. Písmenka e-mailu a čísla na papíře se mi na okamžik slila dohromady.

Musela jsem mu říct, že jsem to já.

Než si zničím další kamarádství.

#SNEHOVAVLOCKA

Teprve v pondělí ráno jsem měla vymyšlený plán.

Využiju jako záminku jeho boty. Zeptám se ho na ně, a tak začnu další konverzaci.

A nějak z toho přirozeně vyplyne příležitost mu říct, že jsem Toulouse, autorka fan artu, které psal ohledně svého podcastu. Beztak už jsem mu prozradila, že jsem tím podcastem posedlá.

Nějak. Nevěděla jsem jak.

Bude to v pohodě.

Co se blábolení o všem a o ničem týče, měla jsem zkušeností ažaž.

(16:33) **Frances Janvierová**
Alede!! Sorry, že ruším, ale kde žes to koupil ty boty?? Jsem jima tak trochu posedlá a už asi hodinu projíždím různý online obchody a nic, haha

(17:45) **Aled Last**
ahoj! no jako byly z ASOS a jsou to vansky ale už je mám dost dlouho takže možná už se ani neprodávají?

(17:49) **Frances Janvierová**
Ale nééé to je pech

(17:50) **Aled Last**
sorry!! ☹
jestli tě to utěší Dan vždycky říká že vypadají jak boty pro dvanáctiletý dítě a pokaždý když je mám na sobě se tváří strašně znechuceně

(17:52) **Frances Janvierová**
No, asi proto se mi tolik líbí, většina věcí v mým šatníku vypadá, jako by patřily dvanáctiletýmu dítěti. V duchu mi je dvanáct let

(17:53) **Aled Last**
neneeee vždyť do školy chodíš vždycky oblečená jako profík!!

(17:53) **Frances Janvierová**
No, jako... jo no, musím dbát na svoji pověst primusky premiantky
Doma ale nosím svetry s hamburgery a trička se Simpsonama

(17:55) **Aled Last**
svetry s hamburgery?? to potřebuju vidět

(17:57) **Frances Janvierová**
[fotka svetru, který má Frances právě na sobě – jsou na něm obrázky hamburgerů]

(17:58) **Aled Last**
KÁMO

to je paráda
A taky
mám svetr od stejný značky?? a zrovna teď ho mám na sobě

(17:58) **Frances Janvierová**
COŽE!!
Uka, hned

(18:00) **Aled Last**
[fotka svetru, který má Aled právě na sobě – na rukávech jsou obrázky létajících talířů]

(18:00) **Frances Janvierová**
Omfg
Parádní
Netušila jsem, že máš rád takový věci?? Kdykoli tě vidím, máš na sobě buď školní uniformu, nebo něco úplně obyčejnýho

(18:01) **Aled Last**
jo mám pořád strach že se mi lidi budou smát... nvm asi je to blbost haha

(18:02) **Frances Janvierová**
Ne, není, já to mám úplně stejně
Všechny moje kámošky vypadají pořád tak cool a krásně a elegantně... kdybych mezi ně přišla ve svetru s hamburgery, asi by mě rovnou poslaly domů

(18:03) **Aled Last**
omg ty jsou zlý

(18:03) **Frances Janvierová**
Ne, jsou v pohodě, jen jsou... nvm, občas mám pocit, že jsem úplně jiná než ony. Jsem to ale výjimečná #snehovavlocka co!!!!

(18:04) **Aled Last**
ne to je v pohodě já ten pocit znám! haha

Nakonec jsme si na Facebooku psali až do desíti večer a mně úplně vypadlo, že mu chci říct, že jsem Toulouse, a vzpomněla jsem si na to až ve tři ráno a zpanikařila jsem tak, že jsem ještě dvě hodiny nemohla znova usnout.

CO SE SEBOU

„Ty jsi blbec," oznámila mi máma, když jsem jí ve středu vyložila celou situaci. „Ne že bys nebyla inteligentní, ale jsi takový ten naivní blbec, co spadne do nějaké bryndy a pak se z ní nedokáže dostat, protože neví, co se sebou."

„Právě jsi dokonale popsala můj život." Ležela jsem v obýváku na koberci a procházela si zadání jednoho z minulých testů z matematiky, zatímco máma seděla v tureckém sedu na gauči s hrnkem čaje v rukách a dívala se na nějaký starší díl *Jak jsem poznal vaši matku.*

Vzdychla. „Víš, že mu to prostě musíš říct, že jo?"

„Je to moc velká věc na to, abych to psala přes Facebook."

„Tak za ním zajdi domů. Vždyť bydlí přes ulici."

„To je trapný, dneska už nikdo nechodí za někým domů a neklepe mu jen tak na dveře."

„Dobře – tak mu napiš, že mu potřebuješ říct něco důležitého a že se u něj stavíš."

„Mami, to doslova zní, jako bych mu chtěla vyznat lásku."

Máma znovu vzdychla. „No, tak já nevím, co ti na to mám říct. To ty sis stěžovala, že se kvůli tomu nemůžeš soustředit na učení. Myslela jsem, že je to pro tebe důležité."

„To je!"

„Vždyť ho skoro neznáš! Tak proč tě to tak trápí?"

„V pondělí jsme si strašně dlouho psali, tak je mi trapný to teď vytahovat."

„No, to už je život, ne?"

Přetočila jsem se na bok, abych k ní byla čelem.

„Mám pocit, že bysme mohli být kamarádi," řekla jsem. „Ale nechci to pokazit."

„Ach, zlato." Máma mi věnovala soucitný pohled. „Vždyť máš spoustu kamarádů."

„Ti ale mají rádi jen školní Frances. Ne opravdovou Frances."

LOGARITMY

Všechny testy, které jsem kdy psala, se mi sice pokaždé povedly, ale stejně jsem před nimi vždycky měla strach. Vím, že to zní jako něco normálního, ale když vás rozbrečí exponenciální funkce a logaritmy – dvě naprosto neužitečné věci v jednom z matematických testů –, tak se moc normální necítíte. Nenašla jsem k tomu ve svých poznámkách vůbec nic a v učebnici to bylo vysvětlené úplně debilně. Dneska už si z pokročilé matiky nepamatuju ani ň.

Bylo 22:42, večer před testem, a já seděla v obýváku na zemi, kolem sebe rozprostřené svoje zápisky a učebnice matematiky, a vedle mě seděla máma s notebookem na klíně. Projížděla různé weby a hledala, jestli logaritmy někde nejsou vysvětlené aspoň trochu slušně. Já jsem se snažila se už potřetí toho večera nerozbrečet.

Představa, že dostanu o stupeň nižší známku jen proto, že se mi fyzicky nepodařilo najít dobré vysvětlení určité učební látky, ve mně vyvolávalo touhu si probodnout břicho.

„Nemáš někoho, s kým bys to mohla zkusit probrat?“ zeptala se máma a dál procházela výsledky na googlu. „Nechodí s tebou do třídy některá kamarádka?“

Na pokročilou matematiku se mnou chodila Maya, ale té matika nikdy nešla a nevěděla by toho o logaritmech o moc víc než já. A i kdyby jo, nebyla jsem si jistá, jestli bych jí dokázala napsat. Nikdy jsem jí nepsala, pokud nepočítám zprávy ve skupinové konverzaci.

„Ne," zavrtěla jsem hlavou.

Máma se zamračila a zaklapla notebook. „Možná by sis prostě měla jít lehnout, zlato," pronesla něžně. „Když na ten test půjdeš nevyspalá, bude to jen horší."

Nevěděla jsem, co jí na to říct, protože jsem nechtěla jít spát.

„Myslím, že víc už toho udělat nemůžeš. Není to tvoje vina."

„Já vím," vzdychla jsem.

A tak jsem šla do postele.

A jen jsem brečela.

Což zní upřímně řečeno dost trapně. Taková už prostě jsem. Jsem trapka a nemělo by mě to překvapovat.

Taky by to vysvětlovalo, proč jsem udělala to, co jsem udělala.

Znova jsem napsala Aleďovi.

(00:13) **Frances Janvierová**
Jsi vzhůru?

(00:17) **Aled Last**
ahoj jo jsem jsi v pohodě??

(00:18) **Frances Janvierová**
Sorry, že ti zas takhle zničehonic píšu...
Jen mám za sebou trochu blbej den lol

(00:19) **Aled Last**
to je v pohodě fakt!!!! co se děje??
jestli se cítíš blbě je lepší si o tom s někým promluvit

(00:21) **Frances Janvierová**
No takže, zítra píšu test z matiky
A dneska mi došlo, že jsem při učení přeskočila celej jeden okruh, a je to zrovna jeden z nejtěžších – logaritmy. A tak mě napadlo (pokud zrovna teď nemáš nic jinýho na práci!!), jestli nevíš o nějakým webu nebo čemkoli, kde by byly logaritmy nějak obstojně vysvětlený?? Nějak je nemůžu pochopit a jsem z toho na palici

(00:21) **Aled Last**
ježíši to je strašný

(00:23) **Frances Janvierová**
Jako, pokud dostanu z matiky na vysvědčení dvojku... možná mě v Cambridgi ani nepozvou na přijímací pohovor
Nvm
Celý to zní jako pitomost, já vím, že bych se z toho neměla tak hroutit haha

(00:23) **Aled Last**
ne já to totálně chápu... jít psát test a mít pocit že na něj nejsi dostatečně připravená je fakt stres!
počkej! mrknu se jestli nenajdu nějaký svoje starý poznámky

(00:24) **Frances Janvierová**
Ale jen jestli tě tím neruším!! Fakt se omlouvám, že to po tobě chci, ale... jsi asi jedinej člověk, kterýho o to můžu poprosit

(00:25) **Aled Last**
hele možná je to šílenej nápad

ale co kdybych se u tebe stavil? jestli chceš
jako hned teď
a pomohl bych ti s tím?

(00:25) **Frances Janvierová**
To jako fakt???! To by bylo naprosto parádní

(00:26) **Aled Last**
jo! jako víš co bydlím jen přes ulici a zítra nevstávám nijak brzo

(00:27) **Frances Janvierová**
Mně je to fakt blbý, jseš si jistej? Už je po půlnoci

(00:27) **Aled Last**
ne fakt ti chci pomoct! tys mi minulej tejden pomohla dostat se domů a to zas je blbý mně takže... jsme si kvit? haha

(00:27) **Frances Janvierová**
No tak jo!! Páni, jsi můj zachránce

(00:28) **Aled Last**
tak já jdu

Když jsem půl hodiny po půlnoci otevřela dveře, padla jsem Aledovi kolem krku.

Nebylo to rozpačité, i když to nečekal, jen lehce hekl a trochu couvl.

„Ahoj," řekla jsem, když jsem ho pustila.

„Ahoj," odpověděl skoro šeptem a odkašlal si. Na sobě měl mikinu s kapucí v barvách Havraspáru a šedé pyžamové šortky, chundelaté ponožky a svoje limetkově zelené plátěnky a nesl fialový šanon s poznámkami. „Jo, ehm, sorry, že jsem přišel v pyžamu."

Ukázala jsem na svůj župan, pruhované tričko a legíny s Avengers. „Já nemám co říkat. V pyžamu prakticky bydlím."

Ustoupila jsem stranou, aby mohl projít, a zabouchla za ním dveře. Popošel do chodby a pak se ke mně otočil.

„Tvojí mámě to nevadí?" zeptala jsem se ho.

„No, možná jsem tak trochu vylezl ven oknem."

„To je totální klišé."

Usmál se. „No. Takže... logaritmy?" Zvedl ruku se šanonem. „Přinesl jsem svoje výpisky z minulýho roku."

„Myslela jsem, že už jsi je dávno rituálně spálil nebo tak něco."

„Na to jsem do nich investoval moc práce a energie."

Asi hodinu jsme seděli u nás v obýváku, máma nám udělala kakao a Alex mi svým tichým hláskem vysvětloval exponenciální rovnice a logaritmy, jaké příklady s nimi se můžou v testu objevit a jak je vypočítat.

Na někoho tak zamlklého mu vysvětlování doopravdy šlo. Bral to postupně, krok za krokem, staral se, abychom na každé podtéma spočítali vzorový příklad. Pro někoho jako já, kdo by dokázal nesouvisle blekotat klidně až do smrti, bylo fakt úžasné to poslouchat.

A když domluvil, měla jsem pocit, že všechno bude nakonec dobré.

„Doslova jsi mi zachránil život," řekla jsem mu, když jsem ho vedla zpátky ke vchodovým dveřím.

Aled vypadal trochu unaveně, oči mu slzely a vlasy si zastrčil za uši.

„Doslova ne," zachichotal se. „Ale doufám, že jsem ti pomohl."

Nejradši bych mu řekla, že udělal mnohem víc, ale to by znělo pateticky.

Protože v tu chvíli mi naplno došlo, co pro mě udělal. Vstal uprostřed noci, v pyžamu vylezl z okna, jen aby za mnou mohl přijít a pomoct mi s matematickými úlohami z testu. Do té doby jsme spolu pořádně mluvili jenom jednou. Proč by tohle kdokoli pro někoho dělal? A zrovna pro mě?

„Musím ti něco říct," vyhrkla jsem. „Měla jsem strach ti to říct."

Aled zvážněl. „Musíš mi něco říct?" zopakoval nervózně.

Zhluboka jsem se nadechla.

„Já jsem Toulouse," pronesla jsem. „Touloser na Twitteru a Tumblru. Ta ilustrátorka, který jsi napsal."

Rozhostilo se dlouhé ticho.

A pak se mě zeptal:

„To kecáš? Je to... to je nějakej vtip? To tě navedl Dan – Daniel – nebo tak něco?"

„Ne, já – není to... Já vím, že to zní jako vtip... jen jsem nevěděla, jak ti to říct. Když jsi mi prozradil, že jsi Tvůrce, tak jsem... no, začala jsem v duchu vyšilovat a pak jsem se ti to chystala říct, ale netušila jsem, jak zareaguješ, a nechtěla jsem, abys mě začal nesnášet."

„Protože jsem Tvůrce," skočil mi do řeči. „Tvůrce tvýho oblíbenýho podcastu na YouTube."

„Jo."

„No... tak jo." Sklopil oči ke svým botám.

Tvářil se skoro smutně.

„Takže... ty jsi... to, jak ses ke mně celou tu dobu chovala tak hezky, tos jen předstírala?" zeptal se tichým, jemným hlasem. „Jako... ehm... víš co, jak jsi mě dovedla domů a... já nevím... tos mi lhala o tom oblečení a tak? I teď, když jsi chtěla pomoct s matikou? Jen aby ses mohla kamarádit s autorem svýho oblíbenýho podcastu a... měla nějakej exkluzivní přístup ke spoilerům nebo tak něco?"

„Cože? Ne! Nic z toho všeho nebyla lež, přísahám."

„Tak proč se se mnou teda bavíš?" zeptal se.

A ve chvíli, kdy dodal: „Jsem úplně nezajímavej," jsem já prohlásila: „Protože jsi cool."

Vyměnili jsme si pohled.

Aled se tiše zasmál a zavrtěl hlavou. „To je fakt divný."

„Jo..."

„Jako celá tahle shoda náhod je *šílená*. Tohle by se vůbec nemělo stát. Bydlíme naproti sobě. Máme stejnej vkus na oblečení."

Jen jsem přikyvovala.

„Takže ty jsi primuska a doma si tajně kreslíš fan art?" zeptal se.

Znovu jsem kývla a spolkla touhu se omluvit.

„A já jsem jedinej, kdo to ví?" pokračoval.

Potřetí jsem přikývla a oběma nám došlo, co to znamená.

„Dobře," vydechl nakonec a pak se sehnul a obul si boty.

Sledovala jsem, jak si zavazuje tkaničky. Pak se zas narovnal.

„Jestli – nemusím do toho jít, jestli nechceš," řekla jsem. „Kdyby to bylo moc rozpačitý."

Aled si stáhl rukávy přes ruce. „Jak to myslíš?"

„Jako kdyby bylo divný, abych teď dělala vizuály k *Universe City*... Klidně se už nemusíme nikdy vidět, můžeš o ně říct někomu jinýmu, někomu, koho neznáš osobně. Já bych to pochopila."

Aled vykulil oči. „Já nechci, abysme se už nikdy neviděli." Zlehka potřásl hlavou. „A fakt chci, abys ty vizuály dělala."

A já jsem mu věřila. Doopravdy.

Chtěl mě znova vidět a chtěl se mnou spolupracovat na *Universe City*.

„Určitě? Fakt by mi nevadilo, kdyby sis to..."

„Jo, vážně!"

Nepodařilo se mi potlačit úsměv. „Tak jo."

Aled přikývl, chvíli jsme se na sebe ještě dívali, a i když jsem měla pocit, že mi chce ještě něco říct, jen se otočil a otevřel dveře. Naposledy se ohlédl přes rameno. „Zítra ti napíšu."

„Tak jo!"

„Hodně štěstí s tím testem." Zamával mi a byl pryč. Zavřela jsem dveře a obrátila se.

Stála za mnou máma a sledovala mě.

„Dobrá práce," pousmála se.

„Co?" hekla jsem, ještě pořád až moc omráčená tím, co se zrovna stalo. Snažila jsem se si to celé přehrát v hlavě, abych na to nezapomněla.

„Řekla jsi mu to."

„Jo."

„A on tě nezačal nesnášet."

„Ne."

Stála jsem bez hnutí.

„Jsi v pořádku?" zeptala se máma.

„Já jen... vůbec nevím, co si myslí. Asi tak devadesát devět procent času."

„Jo, je jedním z těch lidí."

„Jakých lidí?"

„Lidí, co nemluví jen tak spontánně." Založila ruce na hrudi. „Co ti nic neřeknou, pokud se přímo nezeptáš."

„Hm."

„Líbí se ti?" zeptala se.

Zamrkala jsem, moc jsem tu otázku nechápala. „Ehm, jo, je mi fakt sympatickej."

„Ne, já myslím, jestli se ti *líbí*."

Znovu jsem zamrkala. „Aha. Ehm. Takhle jsem nad tím nepřemýšlela."

A tak jsem se nad tím zamyslela.

A došlo mi, že *takhle* se mi rozhodně nelíbí.

A že na tom vůbec nezáleží.

„Ne, myslím, že ne. Ale to s tím nesouvisí, ne?"

Máma se zamračila. „S čím?"

„Nevím, prostě s ničím." Obešla jsem ji a vydala se po schodech do svého pokoje. „Divná otázka," utrousila jsem ještě.

NEŽ BUDEME POKRAČOVAT

Potom jsme se nějakou dobu neviděli, ale dál jsme si psali na Facebooku. Z nesmělých „Ahoj, jak se máš?“ se staly dlouhé vzteklé tirády o televizních seriálech, a i když jsme se osobně doopravdy bavili jen dvakrát, měla jsem pocit, že jsme kamarádi. Kamarádi, kteří jeden o druhém nevědí skoro nic kromě toho nejtajnějšího tajemství.

Jen bych teď chtěla něco říct, než budeme pokračovat.

Nejspíš jste nabyli dojmu, že se do sebe s Aledem zamilujeme nebo tak něco. Protože on je kluk a já holka.

Tak jsem jen chtěla říct –

Nezamilujeme.

To je celé.

JSME VŠUDE KOLEM VÁS

Jediný člověk, do kterého jsem kdy v životě byla zakoukaná, je Carys Lastová. Teda pokud nepočítám lidi, které jsem osobně neznala, jako je Sebastian Stan, Natalie Dormer, Alfie Enoch, Kristen Stewart atd. Ne že bych u Carys měla větší šanci než u nich.

Myslím, že hlavní důvod, proč se mi líbila, byl ten, jak byla hezká, a druhý důvod mého zakoukání byl, že to byla jediná queer holka, kterou jsem kdy potkala.

Což je, když se nad tím tak zamýšlím, docela hloupé.

„No, takže nedávno jsem se bavila s jednou holkou z Akademie, fakt sexy kočkou, a – počkat." Carys se odmlčela a upřela na mě pohled. Bylo to asi dva měsíce po tom, co jsme si ve vlaku začaly sedat k sobě, a já z toho každé ráno a odpoledne měla nervy, protože mi naháněla hrůzu a já se neustále klepala, že před ní plácnu nějakou blbost. „Víš, že jsem lesba, že jo?"

Nevěděla jsem to.

Carys povytáhla obočí, nejspíš v reakci na můj absolutně šokovaný výraz. „Jé, já myslela, že to ví každý!" Loktem se opírala o stolek mezi námi. Podepřela si bradu a pobaveně si mě prohlédla. „To je vtipný."

„Nikdy jsem žádnou lesbu nebo gaye nepotkala," vydechla jsem. „Ani bisexuála."

Málem jsem dodala „kromě sebe", ale na poslední chvíli jsem se zarazila.

„Určitě potkala," odporovala mi Carys. „Jen jsi to o nich nevěděla."

Prohlásila to tónem, jako by osobně znala všechny lidi na světě.

Jednou rukou si načechrala ofinu a strašidelným hlasem pronesla: „*Jsme všude kolem vás.*"

Nevěděla jsem, co říct, a tak jsem se jen zasmála.

Pak mi dál vyprávěla o té holce z Akademie a o tom, jak jsou na Akademii lidi obecně víc homofobní, protože tam chodí kluci i holky, na rozdíl od naší výhradně dívčí školy. Já se ale nedokázala soustředit, protože jsem se snažila zpracovat, co mi právě řekla. Chvíli mi trvalo si uvědomit, že moje prvotní reakce je žárlivost. Záviděla jsem jí, že prožívá autentickou pubertu, zatímco já každý večer až do půlnoci sedím nad domácími úkoly.

Nesnášela jsem ji za to, že má všechno v životě tak srovnané, a obdivovala jsem její dokonalost.

Zabouchla jsem se do ní, nedokázala jsem tomu zabránit, ale nemusela jsem jí dávat pusu.

Nemusela jsem. Neměla jsem to dělat.

Jenže to mi nezabránilo v tom, abych jednoho letního dne před dvěma lety Carys Lastovou políbila a všechno tím zničila.

DANIEL JUN

V den, kdy jsem měla psát první test z dějepisu, se ráno stalo něco dost překvapivého.

Přišel za mnou Daniel Jun.

Seděla jsem v největší třídě pro lidi ze šesťáku, nabubřele pojmenované „Centrum pro nezávislé samostudium" neboli „CNS", i když to byla prostě a jednoduše společná studovna. Pročítala jsem si myšlenkové mapy, které jsem si vytvořila předchozí týden, a snažila se zapamatovat si dopady Trumanovy doktríny a Marshallova plánu (což v 8:20 ráno není zrovna nejjednodušší činnost) a Daniel Jun se prodral mezi zoufalci, co si na poslední chvíli v panice opakovali látku, a nakráčel ke mně.

Daniel fakt žil v domnění, že je panovníkem celé školy, i když jsme jako primus a primuska měli stejné pravomoci, a dost často na Facebook vypisoval dlouhé traktáty o kritice kapitalismu.

Připadalo mi bizarní, že by se někdo tak klidný a hodný jako Aled Last kamarádil s někým tak příšerným jako Daniel Jun.

„Frances," oslovil mě, když došel k mé lavici, a já zvedla oči od myšlenkových map.

„Danieli," zavrčela jsem podezřívavě.

Daniel se jednou rukou opřel o desku stolu, ale ještě předtím odhrnul moje mapy na stranu.

„Nemluvila jsi poslední dobou s Aledem?“ zeptal se a volnou rukou si vjel do vlasů.

Tak tuhle otázku jsem ani v nejmenším neočekávala.

„Jestli jsem poslední dobou nemluvila s Aledem?“ zopakovala jsem.

Daniel pozdvihl obočí.

„No, občas si píšeme na Facebooku,“ přiznala jsem. „A minulý týden mi trochu pomohl s učením.“

To byla v podstatě pravda, ačkoli „občas“ znamenalo každý den a „trochu pomohl s učením“ znamenalo, že doslova přišel uprostřed noci ke mně domů jen v pyžamu, i když jsme spolu předtím pořádně mluvili jen jednou.

„Jasně,“ kývl Daniel a sklopil oči, ale k odchodu se neměl. Jen jsem na něj zírala. Zalétl pohledem k mým myšlenkovým mapám. „Co to je?“

„To je myšlenková mapa, Danieli,“ pronesla jsem a snažila se nenaštvat. Nepotřebovala jsem na test z dějepisu přijít ve špatné náladě. Psát dvě hodiny o rozdělení Německa bylo samo o sobě dost děsné.

„*Aha*,“ prsknul a dál si mapu prohlížel, jako by to byly zvratky. „Jasně.“

„Danieli,“ vzdychla jsem, „fakt se potřebuju učit. Bylo by moc fajn, kdybys mě mohl nechat na pokoji.“

Daniel se narovnal. „No jo, no jo,“ řekl. Ale ani se nepohnul a dál si mě upřeně prohlížel.

„*Co je*?“ utrhla jsem se na něj.

„Neříkal…“

Odmlčel se a já ho probodla pohledem. Ve tváři se mu objevil nový výraz a mně chvíli trvalo, než mi došlo, že jsou to obavy.

„Jen jsem se s ním nějakou dobu neviděl,“ připustil a jeho hlas zněl najednou jinak, něžněji, vůbec mu to nebylo podobné.

„No a?“

„Neříkal ti o mně něco?“

Ještě chvíli jen bez hnutí stál.

„Ne,“ odpověděla jsem. „Vy jste se pohádali nebo něco?“

„Ne,“ odtušil on, ale já si nebyla jistá, jestli mi říká pravdu. Otočil se k odchodu.

Ale pak se zastavil a znovu se obrátil na mě.

„Jaký potřebuješ známky? Na Cambridge?“

„Samý jedničky, maximálně jednu dvojku,“ řekla jsem. „Co ty?“

„Samý jedničky.“

„Aha, na technický fakulty chtějí lepší průměr?“

„Nevím.“

Ještě chvíli jsme se na sebe dívali a pak Daniel hlesl: „Fajn, tak čau,“ a odešel.

Možná, kdybych věděla to, co vím teď, něco bych Aledovi řekla. Víc bych se ho na Daniela a jejich vztah vyptávala. Nebo možná taky ne. Nevím. Teď už je stejně po všem.

NUDNÁ

„Frances? Haló?"

Zvedla jsem hlavu. Z druhé strany stolu v jídelně na mě mávala Maya.

Všechny písemky byly dopsané a zrovna nám začalo vyučování. To znamenalo, že na všech hodinách se probírala nová látka, a já nechtěla vypadnout ze soustředění a prošvihnout něco důležitého. Říkala jsem si, že se nejspíš až do letních prázdnin s Aledem moc neuvidím, ale nakonec jsme se dohodli, že se sejdeme o víkendu, a já se na to upřímně řečeno docela těšila.

„Posloucháš nás vůbec?" zeptala se Maya.

Vypracovávala jsem si matematické úlohy z učebnice. Byl to nepovinný domácí úkol a většina lidí se na něj obvykle vykašlala, ale já ne.

„Ehm, ne," přiznala jsem zahanbeně.

Moji kamarádi se zasmáli.

„Zrovna jsme řešili, že bysme v sobotu šli do kina," prohlásil někdo. „Jdeš taky?"

Rozhlédla jsem se kolem stolu, ale Raine tu nebyla.

„No, já..." odmlčela jsem se. „Ehm, mám hodně učení. Ale ještě vám dám vědět."

Ostatní se znovu rozesmáli.

„Typická Frances," ozvalo se. Znělo to jako dobrosrdečný žert, ale přesto mě to trochu ranilo. „To nic."

Ironické bylo, že jsem se ve skutečnosti o víkendu učit neplánovala. Nebylo proč. Ročníkové písemky byly dopsané a výuka nové látky zrovna začala.

Jenže jsem se v sobotu měla vidět s Aledem, a abych byla upřímná, i když jsme se spolu bavili teprve měsíc, a to hlavně přes Facebook, chtěla jsem radši trávit čas s ním.

Pro kamarády ze školy jsem byla nudná. Školní Frances byla tichá, nudná šprtka.

Ale s Aledem jsem taková nebyla.

BABAR, SLONÍ KRÁL

Po té půlnoční logaritmické seanci jsme se znovu osobně viděli u něj doma, v sobotu první týden po testech. Ani mě netrápila nervozita, což mi přišlo trochu divné, protože jak už jsem říkala, okolo svých školních kamarádů jsem obvykle nervózní byla, ale teď, když jsem se měla sejít s klukem, kterého jsem pořádně poznala sotva před čtyřmi týdny, najednou ne.

Stála jsem před vchodovými dveřmi jeho domu. Naposledy jsem zkontrolovala, jestli jsem si omylem neoblékla něco trapného, a pak jsem zazvonila.

Otevřel mi asi za dvě vteřiny.

„Ahoj!" usmál se na mě.

Vypadal úplně jinak, než když jsem ho viděla naposled. Vlasy mu vyrostly, už mu zakrývaly celé uši a padaly mu do očí, a neměl na sobě neladící mikinu a šortky – místo toho si oblékl zase jen obyčejné džíny a tričko. Moc mu to nesedělo.

„Ahoj," odpověděla jsem. Měla jsem chuť ho obejmout, ale vytušila jsem, že by mu to mohlo být nepříjemné.

Sice jsem se rok kamarádila s jeho sestrou, ale nikdy jsem u nich nebyla. Aled mě provedl celým domem. V kuchyni visela černá tabule na seznamy a rozpis úklidu, ve vázách na parapetech a stolech byly umělé květiny a taky se kolem nás ochomýtal prošedivělý labrador jménem Brian, který pak za námi vyhopkal i do patra. Aledova máma doma nebyla.

Jeho pokoj byl ovšem jako jeskyně s pokladem. Všechny ostatní místnosti v domě byly laděné do béžova a hněda, ale v jeho pokoji nebyly prakticky vidět stěny, protože byly dokonale pokryté plakáty. Na posteli i ze stropu visely řetězy se světýlky, pak tu měl několik pokojových rostlin, bílou tabuli plnou čmáranic a celkem čtyři různé sedací pytle. Přehoz na posteli měl na sobě obrázek nočního města.

Když jsme do jeho pokoje vešli, připadal mi trochu nervózní. Na podlaze, psacím stole a nočním stolku nebylo vůbec nic, jako by tu před mým příchodem uklízel a všechny věci z nich někam schoval. Snažila jsem se na žádnou část pokoje dlouho nezírat a sedla jsem si na židli u psacího stolu – byla to bezpečnější volba než sebou rovnou plácnout na jeho postel. Něčí pokoj je jako okno do duše.

Aled se uvelebil v tureckém sedu na posteli. Měl jednolůžko, sotva poloviční postel, než byla ta moje, ovšem Aled nebyl zas takový čahoun – vlastně jsme byli stejně vysocí –, takže mu to nejspíš nevadilo.

„Takže!" zahlaholila jsem. „*Universe City!* Vizuály! Plánování! A tak!"

Po každém slově jsem tleskla a Alex se zazubil a sklopil oči. „Jo..."

Na sobotu jsme si dohodli „schůzku" ohledně *Universe City*. Když jsem to navrhla, schválně jsem použila slovo „schůzka". Připadalo by mi divné se ho zeptat, jestli by se se mnou nechtěl prostě jen tak sejít, protože ho chci vidět. I když to byla pravda.

Aled otevřel svůj notebook. „Zrovna jsem se koukal na tvůj blog, je tam pár obrázků, co by podle mě byly fakt super do videí... jakože se mi líbí stylem..." Jezdil prsty po klávesnici, ale na monitor jsem neviděla. Otáčela jsem se na jeho židli ze strany na stranu.

Pak se odmlčel a vyslal ke mně pohled. Mávl na mě, ať jdu k němu. „Pojď se podívat."

A tak jsem šla a sedla si k němu na postel.

Procházeli jsme můj blog a bavili se o tom, jaký styl by se nejlíp hodil k jeho dvacetiminutovým epizodám a jak to udělat, abych nemusela každý týden tvořit dvacetiminutové animované video (což bych nestíhala). Ze začátku jsem víc mluvila já, ale on se postupem času taky osmělil a ke konci už nám oběma jela pusa jako namazaná.

„Ale co se týče postav, tak si myslím, že každej má trochu jinou představu o tom, jak mají vypadat, takže se vždycky najde někdo, kdo bude z těch kreseb zklamanej," vykládal Aled a psal u toho poznámky do Evernote. Oba jsme se na jeho posteli posunuli tak, že jsme se opírali zády o zeď. „Hlavně Radio – kdyby ses agender postavu pokusila nakreslit, zasypou nás dotazy, jako že jestli se vzhled mění spolu s hlasem, nebo jestli je kompletně androgynní, a vůbec, jak vlastně vypadá taková androgynie, když nemá gender nic společnýho se vzhledem ani s hlasem."

„Jo, přesně, Radio nemůže mít štíhlou ženskou postavu a nosit mužský hadry... to je fakt moc stereotypní, když chceš zobrazit androgynii."

Aled přikývl. „Když je někdo agender, může klidně nosit sukni a plnovous a tak."

„Přesně."

Aled napsal k nové odrážce „Radio – žádný vzhled" a pak si sám pro sebe přikývl. Podíval se na mě. „Nechceš něco k pití?"

„Jo, klidně! Co máš?"

Aled mi vyjmenoval pár možností a já si vybrala limonádu. Pak odešel do kuchyně. Notebook zaklapl, jako by se bál, že mu vlezu do historie vyhledávání, což jsem mu neměla za zlé. Taky bych si nevěřila.

Chvíli jsem jen bez hnutí seděla.

Ale pak mě moje zvědavost přemohla.

Nejdřív jsem se zaměřila na poličku nad jeho postelí. Na jedné straně byla sbírka starých cédéček, včetně všech alb Kendricka Lamara, což mě překvapilo, a pěti desek Radiohead, což mě překvapilo ještě víc. Na druhé straně ležela hromádka ohmataných zápisníků, ale dívat se do nich mi připadalo už moc vlezlé.

Na stole neměl nic, ale při bližším pohledu jsem si všimla zaschlých cákanců barvy a fleků od vteřinového lepidla. Zásuvky jsem se otevřít neodvážila.

Přečetla jsem si pár věcí naškrábaných na tabuli. Nedávaly mi valný smysl, ale podle všeho to byla směska seznamů, co je potřeba udělat, a poznámek k novým dílům *Universe City*. Slova „temně modrá" byla zakroužkovaná. Na pravou stranu napsal „hvězdy – zalévají něco svou září – metafora?" a v jednom rohu stálo „JOHANKA Z ARKU".

Odšourala jsem se k jeho skříni polepené filmovými plakáty a otevřela ji.

Bylo to totálně přes čáru, ale stejně jsem to udělala.

Nejspíš jsem chtěla vědět, jestli je někde na světě vážně někdo jako já.

Ve skříni byla trička. Spousta triček. Trička se zdobnými náprsními kapsičkami, s obrázky zvířat, se vzorem skateboardů a hranolek a hvězd. Byly tu svetry, obrovské vlněné s kulatým výstřihem, roláky, roztrhané svetry, kardigany se záplatami na loktech, oversize mikiny s námořnickými motivy nebo obrázkem počítače na zádech nebo s velkým černým nápisem „NE". Našla jsem taky světlemodré kalhoty s vyšívanými beruškami po celé délce nohavic a kšiltovku s logem NASA. A taky velkou džínovou bundu, která měla na zádech obrázek slona Babara.

„Ty mi... prohlížíš oblečení?"

Pomalu jsem se otočila a uviděla Aleda, jak stojí ve dveřích s limonádou v ruce. Tvářil se trochu překvapeně, ale ne naštvaně.

„Proč nic z tohohle nenosíš?" zeptala jsem se omráčeně, protože tenhle šatník by stejně dobře mohl být můj.

Aled se zahihňal a sklopil zrak k tomu, co měl na sobě, modrým džínám a šedému tričku. „Já ani nevím. Dan – Daniel si myslí, že jsem fakt divnej."

Vzala jsem do ruky džísku s Babarem, králem slonů, oblékla si ji a prohlédla se v zrcadle. „Tohle je doslova nejlepší bunda, co jsem kdy viděla. Přesně tahle. Dokázal jsi to. Vlastníš nejlepší kus oblečení v celým širým vesmíru." Otočila jsem se k němu a udělala pózu. „Nejspíš ti ji ukradnu. Jen abys věděl." Začala jsem se prohrabovat jeho svršky. „Tohle je... tohle všechno vypadá jako moje oblečení. Když jsme se o tom bavili na Facebooku, nevěděla jsem, jestli si ze mě jen neutahuješ, jinak bych si dneska vzala něco lepšího. Ale fakt jsem to nevěděla. Mám třeba legíny s obrázkama z *Příšerky s.r.o.* Napadlo mě, že bych si je vzala, ale to, no... nevěděla jsem... Musíš mi říct, odkud máš tyhle kalhoty, protože jsou fakt... nikdy jsem nic takovýho neviděla..."

Jen jsem mlela páté přes deváté, nepamatovala jsem si, kdy se mi naposled takhle rozvázal jazyk před někým jiným než před mámou. Aled se na mě díval, do tváře mu oknem dopadaly sluneční paprsky a já nedokázala odhadnout, co si myslí.

„Já jsem si fakt myslel," hlesl, když jsem konečně zmlkla, „že jsi... prostě jen tichá, do učení zabraná šprtka. Ne že by na tom bylo něco špatnýho, ale, ehm. Já nevím. Prostě... jsem si myslel, že jsi fakt nudná. A to nejseš."

Prohlásil to tak upřímně, že jsem skoro zčervenala. Skoro.

Zavrtěl hlavou a sám sobě se zasmál. „Sorry, v mém mozku to znělo mnohem míň rejpavě."

Pokrčila jsem rameny a sedla si zpátky na postel. „Upřímně, já jsem si taky myslela, že jsi nudnej. A pak jsem zjistila, že jsi stvořil to, co mám na celým světě nejradši."

Aled se stydlivě uculil. „*Universe City* je to, co máš na celým světě nejradši?"

Odmlčela jsem se a přemítala, proč jsem to řekla a jestli je to vážně pravda. Teď už jsem to ale nemohla vzít zpátky.

„Ehm, jo," zasmála jsem se.

„To je... to je moc milý, že to říkáš."

Začali jsme znova řešit *Universe City*, ale když jsem si procházela jeho iTunes, rozptýlilo mě zjištění, že se nám oběma líbí M.I.A., takže jsme si na YouTube pustili její koncert. Seděli jsme na posteli, nohy přikryté dekou, a upíjeli limonádu. Odrecitovala jsem mu celý rap ze skladby „Bring the Noize" a Aled na mě jen náležitě užasle zíral. Nejdřív jsem se u toho trochu styděla, ale asi v půlce začal přikyvovat do rytmu. Potom jsme si řekli, že bychom se asi měli vrátit k *Universe City*, ale když Aled řekl, že už je trochu unavený, navrhla jsem, že se můžeme podívat na nějaký film. Pustili jsme si *Ztraceno v překladu*, protože jsem to ještě nikdy neviděla. Aled během filmu usnul.

Druhý den jsme se sešli znovu. Dojeli jsme vlakem do města a vyrazili do Creams, kavárny, kde dělali dobré milkshaky, pod záminkou, že budeme dál probírat *Universe City*, ale místo toho jsme se hodinu bavili o seriálech, na které jsme koukali jako malí. Zjistili jsme, že nás oba bere anime seriál *Digimon*, a dohodli se, že až se vrátíme domů, pustíme si film. Já jsem na sobě měla legíny s obrázky z *Příšerek s.r.o.* a Aled svoji bundu s Babarem.

2. LETNÍ PRÁZDNINY

a)

KRESLÍŠ FAKT KRÁSNĚ

„Hele, mluvíš si někdy jen tak sama pro sebe?“ zeptal se mě zničehonic Aled.

Byl konec července, letní prázdniny a my jsme spolu byli v mém pokoji. Seděla jsem na zemi a kreslila na notebooku vizuály k první epizodě *Universe City*, na níž jsem se měla podílet. Nosila jsem si notebook i k němu, protože Aled neměl rád, když mu někdo sahal na počítač. Tvrdil, že mu ho máma kontroluje, když je ve škole, a proto je paranoidní. Řekl to jako vtip, ale mně to připadalo fér – taky bych nechtěla, aby se mi někdo probíral historií vyhledávání, i kdyby to byl jen Aled. Některé věci by si člověk vážně měl nechat jen pro sebe.

Aled seděl na mojí posteli a psal scénář. Z rádia hrála hudba a na koberec dopadal pruh slunečního světla.

„No, někdy jo,“ opáčila jsem. „Jo, když jsem sama. Ale dělám to úplně bezděky.“

Nic na to neřekl, a tak jsem se zeptala: „Proč?“

Přestal psát a podíval se na mě, bradu si podepřel rukou. „Jen mě tak nedávno napadlo... že já nikdy sám na sebe nemluvím. Ne nahlas. A myslel jsem, že je to normální, ale teď si říkám, jestli to není spíš divný.“

„Já si myslím, že divný je spíš trpět samomluvou," odporovala jsem. Máma mě u toho párkrát načapala a pak se mi smála.

Vyměnili jsme si pohled.

„Takže kdo z nás je divnej?" zazubila jsem se.

„Nevím," pokrčil rameny Aled. „Občas mám dojem, že kdyby na mě už nikdy nikdo nepromluvil, prostě přestanu mluvit úplně."

„To zní smutně."

Aled zamrkal. „Jo, to jo."

S Aledem bylo všechno super nebo zábavné. Obvykle obojí. Uvědomili jsme si, že je jedno, co podnikneme, protože pokud u toho budeme spolu, oba si to užijeme.

Přestávala jsem se stydět za všechny podivnosti, co jsem dělala, jako že občas zničehonic propukám v zpěv s ničím nesouvisejících písniček, nebo že mám nepřeberné znalosti nahodilých encyklopedických údajů, nebo když jsem jednou odstartovala čtyřhodinovou online konverzaci o tom, proč je sýr potravina.

Utahovala jsem si z jeho dlouhých vlasů, dokud jednoho dne poměrně kategoricky neprohlásil, že je chce mít dlouhé, tak jsem toho nechala.

Hráli jsme spolu počítačové hry nebo deskovky, dívali jsme se na videa na YouTube nebo na seriály a filmy, pekli jsme dorty a sušenky a objednávali si dovážku jídla. U něj doma jsme mohli být, jen když tam nebyla jeho máma, takže jsme většinu času trávili u mě. Pustili jsme si *Moulin Rouge* a Aled trpělivě snášel moje hlasité vyřvávání všech muzikálových čísel a pak jsme si pustili *Návrat do budoucnosti* a já trpělivě snášela jeho odříkávání všech replik. Pokusila jsem se naučit hrát na jeho kytaru, ale nechala jsem toho, protože mi to vůbec nešlo. Pak mi Aled pomohl namalovat na jednu stěnu v mém pokoji obrázek siluety města v noci. Zhlédli jsme čtyři série *Kanclu*. Sedávali jsme v jeho nebo v mém pokoji s notebooky v klíně. Aled občas přes den zničehonic usnul, já se ho občas snažila přesvědčit, že zahrát si *Just Dance* je super nápad, taky jsme zjistili, že nás oba berou Monopoly. Když jsem byla s ním, neučila jsem se a on si nenačítal nic ze seznamu povinné četby na univerzitu.

Ale centrem všeho bylo *Universe City*.

Začali jsme plánovat vizuály do videí a kreslit je na papíry, které jsme pak lepili u mě na zeď, ale měli jsme tolik nápadů, že trvalo celé věky se pro něco rozhodnout. Aled se mě začal ptát na názor při psaní námětů pro budoucí epizody a občas se podělil o nějaký spoiler a já měla pocit, že si to vůbec nezasloužím, až jsem mu málem řekla, ať toho nechá. Ale jen málem.

„Takhle to podle mě nejde," prohlásila jsem jednou, když jsme spolu mlčky kreslili a psali. Aled zvedl hlavu a já mu ukázala, co jsem právě nakreslila ve Photoshopu – byla to městská krajina Universe City, temné uličky a pableskující světla. „Ty tvary jsou úplně špatně. Je to moc špičatý a hranatý a působí to ploše."

„Hm," udělal Aled. Dumala jsem, jestli ví, o čem mluvím. Často jsem se přistihla, že před ním říkám věci, které nedávají moc smysl, a myslím, že občas jen předstíral, že tomu rozumí. „Jo, asi jo."

„Prostě si nejsem jistá..." odmlčela jsem se.

A rozhodla se.

Předklonila jsem se, sáhla pod postel a vytáhla skicák. Otevřela jsem ho a nalistovala stránku, kterou jsem hledala – byla to taky kresba města, ale vypadala úplně jinak. Byl to spíš pohled z výšky, budovy byly oblé a měkké, jako by se komíhaly ve větru.

Ještě nikdy jsem žádný ze svých skicáků nikomu neukázala.

„Co třeba něco takovýho?" ukázala jsem Aledovi obrázek.

Aled si ode mě skicák pomalu vzal a chvíli do něj jen třeštil oči. „Kreslíš fakt krásně," vydechl.

Vágně jsem si odkašlala.

„Dík," hlesla jsem.

„Něco takovýho by bylo vážně super," pokračoval.

„Jo?"

„Jo."

„Tak dobře."

Aled dál zíral na můj skicák. Přejel palcem po okrajích listů a pak se ke mně otočil. „Tohle jsou všechno kresby k *Universe City*?"

Zaváhala jsem, ale pak jsem kývla.

Vrátil se pohledem ke skicáku. „Můžu si ho prolistovat?"

Věděla jsem, že se na to zeptá, a připadala jsem si hloupě nervózní z toho, že bych mu to měla dovolit, ale nakonec jsem stejně řekla: „Jo, jasně!"

ANDĚL

O pár dní později dostal Aled chřipku, ale dál jsme počítali s tím, že první díl podcastu s mými ilustracemi vyjde 10. srpna, a tak jsem za ním chodila, i když byl nemocný. Taky jsem si už zvykla na to, že se s ním vídám každý den, a připadala jsem si bez něj osaměle. Kamarádi ze školy se mi už nějakou dobu neozvali.

Aledova máma podle všeho doma skoro nebyla. Zeptala jsem se ho, jak to, a on opáčil, že má dlouhou pracovní dobu. Věděla jsem o ní jen to, že je přísná – Aled musel být každý večer do osmi doma –, ale jinak nic.

Jednou odpoledne, když se choulil pod svým přehozem s obrázkem nočního města a třásl se jako osika, zničehonic prohodil: „Nechápu, proč sem pořád chodíš."

Nebyla jsem si jistá, jestli myslí, proč za ním chodím, když je nemocný, nebo obecně.

„Jsme kámoši," pokrčila jsem rameny. „A já jsem sice veselá kopa, ale taky umím mít o lidi starost."

„Ale tohle tě nemůže bavit," zasmál se ochable. „Vždyť jsem marod." Mastné vlasy mu trčely v chomáčích kolem hlavy. Seděla jsem na podlaze a vyráběla mu sendvič z přísad, které jsem si v piknikové ledničce dotáhla z domu.

„To neva, kdybych zůstala doma, byla bych tam sama. A to mě baví ještě míň.“

Aled zamručel. „Já to prostě jen nechápu.“

„Tohle přece kamarádi dělají, ne?“ zasmála jsem se. Ale pak mi došlo, že to vlastně s jistotou nevím. Pro mě ještě nikdy nikdo nic takového neudělal. Bylo tohle chování divné? Bylo to přes čáru? Narušovala jsem mu osobní prostor? Možná jsem na něm až moc visela…

„Já… nevím,“ zamumlal.

„No, ty jsi ten, kdo má z nás dvou nejlepšího kamaráda.“ Zalitovala jsem svých slov hned, jak jsem je vyřkla, ale nedalo se popřít, že je to pravda.

„Dan by za mnou nepřišel, dokud jsem nemocnej,“ odpověděl Aled. „Je to zbytečný, stejně je se mnou nuda.“

„Já se nenudím,“ namítla jsem, protože to byla pravda. „Můžu si s tebou povídat. A hlavně ti musím udělat sendvič.“

Aled se znovu zasmál a schoval hlavu pod peřinu. „Proč jsi na mě tak hodná?“

„Protože jsem anděl.“

„To jo.“ Natáhl ruku a poplácal mě po hlavě. „A já jsem do tebe platonicky zamilovanej.“

„To je v podstatě heterosexuální verze ‚no homo‘, ale i tak si toho vážím.“

„Dáš mi už ten sendvič?“

„Ještě ne. Potřebuju vybalancovat poměr mezi sýrem a chipsy.“

Aled se najedl a potom usnul, takže jsem mu na tabuli nechala vzkaz („BRZY SE UZDRAV“) s obrázkem sebe za volantem sanitky a pak jsem se vrátila domů a došel mi naprosto nezpochybnitelný fakt: totiž že ani v nejmenším nevím, jak se ve skutečnosti chovat před kamarády.

FAKT BLBÁ

Dlouho jsem nerozuměla tomu, proč se se mnou Carys baví, ale pak jsem si uvědomila, že se s ní nikdo jiný kamarádit nechce, takže jsem v zásadě byla její jediná možnost. Trochu mě to rozesmutnilo, protože mi bylo jasné, že kdyby si mohla vybrat, nejspíš by si vybrala někoho jiného. Se mnou se bavila jen proto, že jsem ji poslouchala.

Když naše škola vyhořela a my musely přejít na Akademii, přestala mluvit o svých kámoších, a ačkoli mi nikdy nevysvětlila proč, došlo mi, že mi zkrátka nemá co říct, protože není o kom.

„Proč se se mnou každej den bavíš?" zeptala se mě jednou na jaře cestou do školy.

Váhala jsem, jestli říct, že protože se se mnou každý den baví *ona*, nebo protože nemám nikoho jiného, nebo protože jsem do ní zabouchnutá.

„Proč ne?" zazubila jsem se.

Carys pokrčila rameny. „Existuje hromada důvodů."

„Jaký třeba?"

„No, jsem trochu otravná, ne?" opáčila. „A ve srovnání s tebou taky fakt blbá."

Známky měla příšerné, to jsem věděla. Ale nikdy jsem ji kvůli tomu nepovažovala za podřadnou. Spíš jsem měla pocit, že je nad věcí – školu neřešila a neměla potřebu ji řešit.

„Nejsi ani otravná, ani blbá," prohlásila jsem.

Fakt jsem věřila, že se z toho celého vyklube nějaká úžasná romance. Myslela jsem si, že se Carys jednoho dne vzbudí a uvědomí si, že to, co chce, má přímo před sebou. Že ji políbím a ona si uvědomí, že ji mám radši než všechny lidi na světě a vždycky ji podržím.

Takové bludy. Žila jsem v naprostém bludu. Vůbec jsem ji nepodržela.

„Myslím, že by sis rozuměla s mým bráchou," prohodila.

„Jak to?"

„Oba jste až moc hodný." Sklopila hlavu a pak se podívala ven z okna a do očí jí svítilo slunce.

UNIVERSE CITY: Ep. 15 – pOčít4čOvá m4g1e

UniverseCity 84 375 zhlédnutí

O důležitosti Magie v Potrubí Pod Námi

Transkript níže >>>

[...]

Špetka počítačové magie. To je všechno, co je potřeba, přátelé. Když žijete v tak velkém městě, jako je tohle, jak jinak spolu chcete komunikovat než za použití počítačové magie? Guvernátoři v poslední době opravili veškeré potrubí – jedna z mála věcí, které pro nás udělali. Přísahám, že z nich vyzařuje cosi zlého, ale co člověk neví, to ho nemusí trápit. Asi.

Mám kontakty všude. Jsou vlastně ještě užitečnější než přátelé. Mám oči a uši všude, vidím a slyším všechno. Ať už pro mě chystají cokoli, nerozhodí mě to. A vím, že na mě něco chystají, vídám to ve snech a ve svém věšteckém zrcadle. Už teď je mi to jasné, nad slunce jasnější. Něco se chystá.

Já mám ale na své straně počítačovou magii. Mám přátele – ne, mám *kontakty*. Ty jsou mnohem cennější, starý brachu, to ti povídám. Máme magii i pod nohama, nejen v očích.

[...]

TO JE FAKT

„Frances, zlatíčko, co se děje?"

Máma si propletla prsty a s lokty opřenými o stůl se ke mně naklonila.

„Cho?" hekla jsem s plnou pusou müsli.

„Od začátku léta jsi neudělala jediný domácí úkol ani ses nezačala učit na přijímačky na Cambridge." Máma povytáhla obočí a pokusila se zatvářit přísně, což ale moc nefungovalo, protože na sobě měla svůj jednorožčí overal. „A taky se bavíš s Aledem asi tak o pět set procent víc než se svými obvyklými kamarády."

Polkla jsem. „To... je fakt."

„A nosíš víc rozpuštěné vlasy. Myslela jsem, že to nemáš ráda."

„Už mě otravuje si je pořád vyčesávat."

„Já jsem si myslela, že je máš radši vyčesané nahoru."

Pokrčila jsem rameny.

Máma se na mě zadívala.

Já jí pohled opětovala.

„V čem je problém?" zeptala jsem se.

Máma taky pokrčila rameny. „Žádný problém není, jen mě to zajímalo."

„Proč?“

„Je to jiné a neobvyklé.“

„No a?“

Máma znova pokrčila rameny. „Nevím.“

Do té doby mě to nenapadlo, ale máma měla v něčem pravdu. Dřív jsem většinou letní prázdniny trávila učením, vypracováváním domácích úkolů, nepovinnými stážemi nebo občasnou příšernou brigádou v nějaké restauraci nebo prodejně oblečení ve městě.

Letos jsem ani na jedno z toho ani nepomyslela.

„Nejsi ve stresu nebo tak něco, že ne?“ zeptala se mě.

„Ne,“ zavrtěla jsem hlavou. „Ani trochu.“

„A to… je fakt?“

„To je fakt.“

Máma pomalu přikývla. „Dobře. Jen jsem se tě na to chtěla zeptat. Už nějakou dobu jsem ani nezahlédla školní Frances.“

„Školní Frances? Co tím myslíš?“

Máma se usmála. „Ále, jen něco, cos kdysi říkala. Nedělej si s tím hlavu.“

SMÁT SE A UTÍKAT

Až první týden v srpnu mi došlo, že Aled se aktivně snaží zabránit tomu, abych se potkala s jeho mámou.

O Carol Lastové jsem toho věděla jen málo. Byla členkou rodičovské rady na naší škole a jako máma byla hodně přísná. Kdykoli se s mojí mámou potkala na poště, dávala se s ní do řeči. Když byla doma, Aled prohlásil, že musíme být u mě nebo jít někam ven, protože podle všeho neměla ráda návštěvy.

Což znělo úplně uvěřitelně, dokud jsem se s ní jednou fakt nepotkala.

Toho dne jsem měla v plánu jít k Aledovi. Oba jsme si dopoledne rádi přispali, takže jsme se obvykle scházeli až tak ve dvě. Od té návštěvy v kavárně Creams jsme oba nosili naše divné oblečení – já něco ze své pestré kolekce podivně vzorovaných legín a příliš velkých svetrů a bund, on pruhované kraťasy a obří kardigany a pytlovitá trička a svoje limetkově zelené kecky. Ten den na sobě měl černé šortky a černou oversize mikinu s velkou bílou číslovkou 1995 vepředu. Vlasy mu narostly už dost na to, aby si je mohl uprostřed rozdělit pěšinkou.

Vždycky jsem měla pocit, že vypadá víc cool než já, a on vždycky tvrdil, že já vypadám víc cool než on.

Obvykle jsem u Aleda musela zazvonit, ale tentokrát seděl přede dveřmi a už na mě čekal. Jeho stárnoucí labrador Brian dřepěl trpělivě na chodníku, ale jakmile mě zmerčil, jak vycházím z domu, doklusal ke mně. Byl do mě blázen, což rozhodně prospívalo mému sebevědomí.

„Nazdárek," prohodila jsem, když jsem přešla ulici.

Aled se usmál a vstal. „Máš se?"

Tou dobou jsme se objímali jen při loučení. Myslím, že to pro nás oba bylo díky tomu vzácnější.

Jako první jsem si všimla, že před domem stojí auto Aledovy mámy. A hned mi bylo jasné, co z něj vypadne.

„Myslel jsem, že bysme mohli vzít Briana na procházku," řekl a stáhl si rukávy přes ruce.

Asi v půlce ulice jsem na to zavedla řeč.

„Já jsem vlastně s tvojí mámou nikdy pořádně nemluvila. Divný."

Rozhostilo se významné ticho.

„Je to divný?" zeptal se Aled, ale hlavu nechal skloněnou.

„Jo, jako víš co, ani jsem se s ní nepotkala. Tys s mojí mámou mluvil už mockrát." Říkala jsem si, že už jsme si dost blízcí na to, abych se prostě bez okolků ptala i na nepříjemné věci. Poslední týden jsem to dělala docela často. „Copak tvojí mámě nějak vadím?"

„Jak to myslíš?"

„Už jsem u tebe doma byla tak, já nevím, dvacetkrát, a ani jednou jsem se s ní neviděla." Strčila jsem ruce do kapes. Aled nic neřekl, jen přešlapoval z nohy na nohu. „Řekni mi pravdu. Ona je rasistka nebo tak něco?"

„Ne, panebože, to ne..."

„Dobře," kývla jsem a čekala, že bude pokračovat.

Aled se zastavil a pootevřel pusu, jako by se chystal něco říct. Ale zdálo se, že se fakt nedokáže vymáčknout.

„Ona… ona mě nějak nenávidí nebo něco?“ zeptala jsem se a trochu se zasmála ve snaze tu otázku odlehčit.

„Ne! Tebou to není, přísahám!“ vyhrkl Aled spěšně a vytřeštil oči, takže jsem věděla, že nelže. Došlo mi, že se chovám fakt divně.

„To nic, to nic.“ Ucouvla jsem a potřásla hlavou, doufala jsem, že nonšalantně. „Nemusíš mi nic říkat, jestli nechceš. To je dobrý. Jen jsem trapná.“ Sklopila jsem hlavu. Brian na mě oddaně hleděl, a tak jsem si dřepla a pohladila ho po srsti.

„Allie?“

Aled sebou trhnul a oba jsme zvedli hlavu. Byla tam. Carol Lastová se vykláněla z okénka svého auta. Ani jsem neslyšela vrčení motoru, natož že by vedle nás zastavila.

Naháněla hrůzu takovým tím způsobem bílé středostavovské paničky. Nakrátko ostříhané obarvené vlasy, trochu zakulacená, úsměv, který říkal „uvařím ti šálek čaje“, k tomu pohled, který říkal „spálím všechno, co miluješ, na troud“.

„Jdeš někam ven, broučku?“ povytáhla obočí.

Aled k ní stál čelem, takže jsem neviděla, jak se tváří.

„Jo, jen jdeme s Brianem na procházku.“

Potom dopadly její oči na mě.

„Ahoj, beruško.“ Mávla na mě a usmála se. „Už jsem tě nějakou dobou neviděla, Frances, jak se máš?“

Věděla jsem, že obě myslíme na Carys.

„Ehm, jo, no, mám se dobře, děkuju,“ odpověděla jsem.

„Jak ti vyšly písemky? Všechno podle plánu?“

„To doufám!“ Nuceně jsem se zasmála.

„To doufáme všichni!“ zahihňala se ona. „Aled potřebuje dostat co nejlepší známky, aby se dostal na tu svoji univerzitu, že jo?“ obrátila se na svého syna. „Ale opravdu poctivě se učil, takže jsem si *jistá*, že mu to vyjde.“

Na to Aled nic neřekl.

Carol opět upřela pohled na mě a pousmála se. „Hodně se snažil. Jsme na něj všichni tak hrdí, celá rodina. Už od batolete jsme věděli, že z něj vyroste chytrý chlapec.“ Znovu se zachichotala a zvedla oči k nebi, jako by si v duchu přehrávala nějakou vzpomínku. „Ještě ani nenastoupil do první třídy a už četl knihy. Náš Allie je zkrátka talent od přírody. Vždycky jsme věděli, že půjde na vysokou.“ S povzdechem se na něj otočila. „Ale všichni víme, že když něco chceš, musíš se *hodně snažit*, že?“

„Mhm,“ udělal Aled.

„Nesmíš se nechat rozptylovat, že?“

„No jo.“

Carol se odmlčela a probodla ho pohledem. Trochu ztišila hlas. „Nezdržíš se, že ne, Allie? Ve čtyři přijde babička, říkal jsi, že budeš doma.“

„Do čtyř budu doma,“ odpověděl Aled, jeho hlas zněl podivně monotónně.

„Tak výborně,“ zatrylkovala Carol a trochu se zasmála. „Dej pozor, aby Brian zas nežral slimáky!“

A odjela.

Aled okamžitě zase vyrazil. Musela jsem popoběhnout, abych ho dohnala.

Chvíli jsme kráčeli mlčky.

„Takže...“ prohodila jsem, když jsme došli na konec ulice. „Nenávidí mě teda, nebo ne?“

Aled odkopl z cesty kamínek. „Ne, to ne.“

Zabočili jsme doleva a přelezli plůtek, který odděloval naši vesnici od polí a lesa za nimi. Brian už byl na druhé straně, a protože trasu znal, vydal se napřed čenichat v trávě.

„Tak to mi spadl kámen ze srdce!“ zasmála jsem se, ale něco mi na tom stejně nehrálo.

Šli jsme dál, dokud jsme nedorazili na pěšinu mezi kukuřičnými poli. Kukuřice už narostla do takové výšky, že jsme přes klasy neviděli.

„Já jen..." pronesl Aled o pár minut později. „Fakt jsem nechtěl, aby ses s ní potkala."

Vyčkávala jsem, ale vysvětlení nepřišlo. Nedokázal to, nebo nechtěl. „Proč? Přišla mi v pohodě..."

„Jo, to jo, ona *působí* v pohodě," sykl Aled, z hlasu mu přímo odkapávala zahořklost. Takhle jsem ho nikdy mluvit neslyšela.

„Ale... není v pohodě?" zeptala jsem se.

Aled se mi vyhýbal pohledem. „Je to v pohodě."

„Dobře."

„Dobře."

„Alede." Zastavila jsem se a Aled po pár krocích taky a otočil se na mě. Brian pobíhal někde před námi, z kukuřice se ozývalo jeho frkání.

„Jestli se cítíš blbě," zopakovala jsem mu slovo od slova, co mi napsal tu noc, kdy mě za jednu hodinu naučil pořádný kus matematiky, „je lepší si o tom s někým promluvit."

Aled zamrkal a pak se zazubil, jako by se nemohl ubránit úsměvu. „Já fakt nevím. Promiň."

Zhluboka se nadechl.

„Jen prostě svoji mámu nemám moc rád. To je celý."

A mně zničehonic došlo, proč pro něj bylo tak těžké mi to říct. Protože to zní tak dětinsky. Tak puberťácky. *Ech, nenávidím svoje rodiče*, takové klišé.

„Je na mě pořád strašně zlá," pokračoval. „Vím, že to tak teďka neznělo. Ona je – ona – obvykle se takhle nechová." Zasmál se. „Zní to jako blbost."

„Ne," oponovala jsem. „Zní to, jako že to máš doma hrozný."

„Jen jsem vás prostě chtěl udržet oddělený." Slunce zašlo za mrak a já ho konečně zas pořádně viděla. Vánek mu zvedal z čela vlasy. „Jakoby... když se spolu bavíme, nemusím myslet na ni ani na naši rodinu nebo... na práci. Můžu se prostě uvolnit. Ale pokud tě pozná, tak se... ty dva světy tak jako zkříží." Udělal gesto rukama a znovu se zasmál, ale znělo to smutně. „Je to fakt blbost."

„Není."

„Já jen..." konečně se mi podíval do očí. „Jen s tebou fakt rád trávím čas a nechci, aby to něco pokazilo."

Nevěděla jsem, co na to říct.

A tak jsem ho jen objala.

A on hekl stejně jako tehdy, když jsem ho objala poprvé.

„Doslova bych si radši uřízla nohu, než abych dovolila, aby nám tohle něco pokazilo," prohlásila jsem a opřela se mu bradou o rameno. „To si nedělám srandu. Klidně se na rok vzdám internetu. Spálím svoje dývýdýčka s *Odborem městské zeleně*."

„Sklapni," frkl Aled, ale objal mě rukama v pase.

„Ale fakt, beze srandy," řekla jsem a zmáčkla ho ještě víc. Nedovolím, aby nám tohle něco pokazilo. Ani hrozní rodiče, ani škola, ani vzdálenost, prostě nic. Celá tahle konverzace zní tak směšně, skoro hloupě. Ale... Nevím, nevím, čím to bylo. Nevím, proč jsem se tak cítila, ačkoli jsem ho znala jen dva měsíce. Možná proto, že jsme měli rádi stejnou hudbu? Nebo proto, že jsme měli stejný vkus na oblékání? Nebo proto, že se mezi námi nikdy nerozhostilo rozpačité ticho, nikdy jsme se nehádali, že mi pomohl, když mi nikdo jiný nepomohl, a já mu pomohla, když na něj jeho nejlepší kamarád neměl čas? Nebo proto, že jsem zbožňovala příběh, který psal? Nebo že jsem zbožňovala *jeho*?

Nevím. Je mi to jedno.

Když jsem se kamarádila s Aledem, měla jsem pocit, že jsem ještě nikdy předtím žádného opravdového kamaráda neměla.

O půl hodiny později jsme tlachali o nadcházejícím dílu *Universe City*. Aled si nebyl jistý, jestli by Radio měl zabít svého momentálního parťáka Atlase, nebo jestli by se Atlas měl pro Radia obětovat. Aledovi se líbila představa obětování, ale já jsem trvala na tom, že když ho Radio zabije, bude to smutnější, a tím pádem lepší, protože byli parťáci už víc než tři měsíce. Docela jsem si k Atlasovi vytvořila vztah a chtěla jsem mu dopřát dobrou smrt.

„Mohlo by to být něco se zombíky," navrhla jsem. „Jako že ho Radio musí zabít, než se z něj stane běsnící lidožravé monstrum. To vždycky pořádně zadrnká na city."

„Ale je to hrozný klišé," namítl Aled a prohrábl si rukou vlasy. „Mělo by to být něco originálního, protože k čemu by to jinak bylo?"

„Dobře, tak zombie ne. Tak draci. Ne zombie, ale draci."

„Radio ho musí zabít, než se promění v *draka*."

„Upřímně řečeno mě celkem překvapuje, žes do *Universe City* ještě žádný draky nedal."

Aled si přitiskl dlaň na srdce. „No dovol."

„Draci jsou lepší než zombíci. Vždycky."

„Draci ale nejsou tak smutný jako zombíci. Atlas by klidně mohl žít šťastným dračím životem."

„Možná by *měl* žít šťastným dračím životem!"

„Cože, takže by *neumřel*?"

„Ne, jen se promění v draka a odletí. Pořád je to smutný, ale je v tom naděje. Lidi milují smutný konce plný naděje."

Aled se zamračil. „Naděje... na šťastnej dračí život."

„Jo. Může třeba hlídat nějakou princeznu ve věži. Nebo bojovat s rytíři v krizi středního věku."

„*Universe City* se odehrává po roce 2500. Tohle už by bylo jako něco z alternativního vesmíru."

Došli jsme na louku, ani jsme si nevšimli, že se zatáhlo. A pak se rozpršelo. Musela jsem zvednout nataženou dlaň, abych se ujistila, že se to vážně děje – bylo léto, asi dvaadvacet stupňů, a ještě před pěti minutami svítilo sluníčko.

„Nééééé." Otočila jsem se na Aleda.

Aled mžoural na oblohu. „No teda."

Rozhlédla jsem se kolem. Tak dvě stě metrů před námi začínal les – mohli jsme se tam schovat.

Ukázala jsem na stromy a pak se podívala na Aleda. „Proběhnem se?"

„Haha, cože?“

Ale já už jsem se rozběhla – sprintovala jsem trávou ke stromům, déšť zhoustl natolik, že mě v očích pálila voda. Brian pádil vedle mě a po chvíli jsem zaslechla, že za mnou běží i Aled, ohlédla jsem se a natáhla k němu ruku. „No tak, poběž!“ houkla jsem na něj a on mě dostihl, chytil mě za ruku a takhle jsme v dešti běželi po louce a on se rozesmál, připomínalo mi to dětský smích, a já zalitovala, že se lidi nemůžou vždycky takhle smát a utíkat.

RADIO

Moje první epizoda *Universe City* vyšla v sobotu 10. srpna.

Dohodli jsme se, že pro každý díl vytvořím krátkou animaci, jen něco malého, co se bude těch dvacet minut ve smyčce opakovat. Takový čtyřvteřinový gif. Pro tenhle díl jsem nakreslila město – Universe City –, budovy vyrůstající ze země a nebe s poblikávajícími hvězdami. Když se na to dívám zpětně, není to nic moc, ale tehdy se nám kresba oběma líbila, a na tom záleží nejvíc, aspoň myslím.

Večer předtím jsem Aleda poslouchala, jak nahrává. Šokovalo mě, že mi to dovolil. Věděla jsem, že je spíš uzavřený a ostýchavější než já, i když jsme ten týden spolu hráli *Just Dance: Muzikál ze střední*, a „vystupování", pokud se to tak dalo nazvat, mi nepřipadalo jako něco, u čeho by chtěl mít svědky. Nahrávání epizody *Universe City* bylo osobnější než cokoli, co jsem ho do té doby viděla nebo slyšela dělat, a to včetně půlnoční diskuze o vyměšování.

Ale z nějakého důvodu mu to nevadilo.

Byli jsme u něj v pokoji a Aled zhasl, takže světýlka pod stropem zářila jako hvězdičky a konečky vlasů se mu zbarvily odlesky různých barev. Svezl se na židli ke stolu a chvíli šteloval svůj suprový mikrofon, který ho musel stát majlant. Já jsem seděla na sedacím vaku zachumlaná v jeho dece s obrázkem města, protože u něj doma byla pořád kosa. Byla jsem unavená, v pokoji bylo temně modravé přítmí, klidně bych usnula –

„Ahoj. Doufám, že mě někdo poslouchá…"

Scénář měl Aled napsaný v počítači. Když se někde přeřekl, nahrál celou větu znova. Jak mluvil, na monitoru běhaly nahoru a dolů vizualizované zvukové vlny. Jako bych poslouchala úplně jiného člověka – ne, ne jiného, jen *víc* Aleda. Stoprocentního Aleda. Aleda, který byl sám sebou. Jako bych poslouchala přímo jeho mozek.

Úplně jsem vypnula, jako obvykle jsem se ponořila do příběhu a všechno ostatní pustila z hlavy.

Každý díl podcastu zakončuje písnička. Pokaždé stejná – třicetivteřinová rocková vypalovačka jménem „Nic nám nezbývá", kterou napsal Aled sám –, ale pokaždé zahraná naživo a trochu jinak.

Nedošlo mi, že ji Aled taky nahraje teď a tady, dokud nesáhl po své elektrické kytaře a nezapojil ji do zesilovače. Z repráků začal hrát playback bicích a basové kytary, a když Aled hrábl do strun, bylo to tak hlasité, že jsem si zakryla uši dlaněmi. Písnička zněla stejně jako vždycky, ale naživo ještě líp, jako tisíc kytar a motorová pila a hřmění hromu v jednom, basa duněla, až se mi za hlavou otřásala zeď, a pak začal Aled zpívat, nebo spíš křičet, a já bych klidně mohla zpívat s ním, chtěla jsem zpívat s ním, ale neudělala jsem to, protože jsem mu to nechtěla pokazit. Znala jsem melodii i slova nazpaměť.

Nic už tu pro nás není
Proč neposloucháš?
Proč mě neposloucháš?
Nic nám nezbývá.

Když dozpíval, otočil se na mě od stolu a bylo to, jako bych procitla ze sna. Stejně tiše jako obvykle se mě zeptal: „Tak jakej hlas? Vysokej, hlubokej, nebo něco mezi?"

Bylo deset večer. Strop jeho pokoje vypadal jako galaxie. Vyprávěl mi, že si ho tak vymaloval, když mu bylo čtrnáct.

„Vyber ty," řekla jsem.

Přetáhl si rukávy přes ruce. Už jsem začínala chápat, co to znamená.

„Tohle je nejlepší den mýho života," řekla jsem.

Aled se zakřenil. „Kecáš." Otočil se zpátky k notebooku, proti jasu monitoru se rýsovala tmavá silueta jeho trupu. „Tak něco mezi," pronesl. „Androgynní Radio je nejlepší."

FEBRUARY FRIDAY

Za jeden den jsem na Tumblru měla přes tisíc nových sledujících. Zaplavila mě lavina asků, o tom, jak moc se jim líbí moje obrázky, gratulace k tomu, že můžu spolupracovat s podcastem, kterým jsem tak dlouho posedlá.

A taky pár komentářů o tom, jak moc se jim nový vizuál nelíbí a jak moc mě nenávidí.

Pod tagem *Universe City* jsem na celém Tumblru byla já – moje tvorba, můj blog, můj Twitter, *já*. Ale doopravdy o mně nikdo pořád nic nevěděl, za což jsem byla vděčná. Anonymita na internetu může být občas hodně dobrá věc.

To, že o mojí identitě ilustrátorky Toulouse věděl Aled, bylo v pohodě, ale představa, že by na to přišel ještě někdo další, mě dosud děsila.

A jakmile bylo moje zapojení do podcastu veřejné, začala jsem na Twitteru i na Tumblru dostávat otázky, kdo ho tvoří. Čekala jsem to, ale to neznamenalo, že jsem z toho nebyla ve stresu. Pár dní po vydání té epizody jsem nemohla na internet pořádně nic dát, aniž by mě další lidi nezačali bombardovat dotazy, kdo jsem a kdo je Tvůrce.

Jakmile jsem ty zprávy ukázala Aledovi, zpanikařil.

Seděli jsme u nás v obýváku na gauči a pouštěli si *Cestu do fantazie*. Aled si pročítal zprávy v mém inboxu na Tumblru a přitiskl si dlaň na čelo. Potom si pro sebe začal mumlat: „Ale ne, ale ne, panebože, to ne."

„To nic, já to přece nikomu nepovím..."

„Nikdo to nesmí zjistit."

Moc jsem nechápala, proč chce Aled utajit, že je autorem *Universe City*. Myslela jsem, že hlavně proto, že mu záleží na jeho soukromí, nechtěl mít svůj ksicht všude po internetu. Ale přišlo mi moc vlezlé se ho na to ptát.

„Jasný," kývla jsem.

„Mám nápad," prohlásil.

Otevřel si v prohlížeči na notebooku Twitter a napsal tweet.

RADIO @UniverseCity
February Friday – pořád věřím, pořád naslouchám.

„February Friday," vydechla jsem. „Jo, to je dobrej nápad."

February Friday neboli segment „Dopisy pro February" jsou mezi fanoušky a fanynkami podcastu *Universe City* v podstatě největším zdrojem konspiračních teorií.

Jejich wiki to vysvětluje docela dobře.

February Friday a fanouškovské teorie

Ve fandomu Universe City se všeobecně má za to, že celá série je vlastně darem anonymního Tvůrce pro člověka, do kterého je/byl zamilovaný.

Naprostá většina raných dílů (2011) a asi polovina pozdějších (od roku 2012 dál) obsahuje pasáž, obvykle ke konci epizody, zaměřenou na postavu February Friday, která se v podcastu dosud nikdy neobjevila ani nemá v rámci děje žádný vlastní příběh. Radio Silence v těchto segmentech obvykle lituje, že s February

Friday nemůže komunikovat, a jeho monolog je protkán abstraktními a nerozluštitelnými metaforami.

Většina těchto segmentů nedává v rámci podcastu velký smysl, což vede fandom k domněnce, že se jedná do značné míry o soukromé vtipy, které anonymní Tvůrce sdílí se skutečnou osobou, jíž v podcastu reprezentuje February Friday. K ději podcastu tyto segmenty ničím nepřispívají a jako takové žádný děj nemají, tudíž převládá teorie, že mají význam především pro Tvůrce.

Proběhlo už mnoho snah o dešifrování významu těchto segmentů, nyní známých pod souhrnným označením Dopisy pro February, ale jedná se dosud jen o dohady a objektivní analýzy.

Takže fakt, že Radio poslal do éteru tweet o February Friday, způsobil ve fandomu smršť. Krátkou a bez vyústění, ale nepopiratelnou.

A odvedlo to pozornost ode mě, takže mi už nechodily zprávy s otázkami na to, kdo jsem a kdo je Radio.

Od té doby, co jsem Aleda líp poznala, jsem o konspiracích týkajících se February Friday taky hodně přemýšlela. Kdo by to mohl být, jestli je to vážně někdo skutečný, někdo, koho Aled zná. Jako první mě napadla Carys, ale to jsem zavrhla, protože Dopisy pro February zněly tak romanticky. V jednu chvíli jsem si pohrávala i s myšlenkou, že bych to mohla být já, ale pak mi došlo, že když Aled začal tvořit *Universe City*, ještě mě ani neznal.

Jasně, to, že jsem se teď s Aledem kamarádila, znamenalo, že jsem se ho na February Friday mohla kdykoli zeptat.

A tak jsem to udělala.

„No, takže..." Překulila jsem se na gauči tak, abych k němu byla čelem. „Prozradíš mi už konečně tajemství February Friday?"

Aled se kousl do rtu a zdálo se, že nad tím upřímně dumá.

„Hmmm…“ Přetočil se tak, aby ke mně taky byl čelem. „Hele, neuraž se, ale myslím, že by to mělo zůstat jako ultimátní tajemství.“

A já si řekla, že to je fér.

UNIVERSE CITY: Ep. 32 – kosmický hluk

UniverseCity 110 897 zhlédnutí

Ještě pořád posloucháš?

Transkript níže >>>

[...]
Myslím, že jsme se odcizili, February, touhle dobou už spolu „nejsme ve styku", jak se říká. Ne že bychom se vůbec někdy třeba jen dotkli, natož stýkali. Já koneckonců stále jen hledím tam, kam už hleděly tvé oči, chodím po cestách, jimiž už šly tvé kroky, dopadá na mě tvůj temně modrý stín a ty se ne a ne otočit, takže mě za sebou nevidíš.
Občas přemítám, jestli už nejsi po výbuchu, jako když exploduje hvězda, a to, co vidím, je v minulosti vzdálené tři miliony let, a ty už tu dávno nejsi. Jak spolu můžeme být tady a teď, když jsi tak strašlivě daleko? Když jsi tak strašlivě dávno? Křičím z plných plic, ale ty se nikdy neotočíš a nepodíváš se na mě. Možná že ve skutečnosti už jsem po výbuchu já.
Každopádně však vesmíru přineseme přenádherné věci.
[...]

V KONEČNÉM DŮSLEDKU

Ve čtvrtek 15. srpna jsme si šli do školy pro oficiální výsledky ročníkových zkoušek. Ten samý den slavil Aled osmnácté narozeniny.

Naše přátelství teď vypadalo takhle:

(00:00) **Frances Janvierová**
VŠECHNO NEJLEPŠÍ DOUFÁM ŽE TOTÁLNĚ SLAVÍŠ
LOVÍSKUJU TĚ TY MŮJ KRASAVČE
NEMŮŽU UVĚŘIT ŽE MŮJ MALEJ KAMARÁDÍČEK UŽ JE PLNOLETEJ
BEZE SRANDY BREČÍM

(00:02) **Aled Last**
proč mě mučíš takovýma cringe zprávama

(00:03) **Frances Janvierová**
¯_(ツ)_/¯

(00:03) **Aled Last**
No teda
díkeček taky tě lovískuju (♡ ✿ ♡)

(00:04) **Frances Janvierová**
Tak TOHLE ale bylo fakt cringe kámo

(00:04) **Aled Last**
to máš za to

Byla jsem z těch výsledků dost vystresovaná, protože taková prostě jsem. Taky jsem byla ve stresu z toho, že jsem se už bezmála tři týdny neviděla ani jsem nemluvila se svými kamarády ze školy. Když budu mít štěstí, povede se mi prostě nakráčet do školy, vyzvednout si výsledky a vzít roha dřív, než mi někdo položí obávanou otázku: „Tak jak jsi dopadla?"

„Určitě se ti to povedlo, Frances," snažila se mě uklidnit máma, když za sebou zavírala dveře auta. Zrovna jsme zaparkovaly před školou a já se pekla ve své uniformě. „Bože můj, promiň, to ti nejspíš nepomůže. Horší věc jsem asi plácnout nemohla."

„To jo no," hlesla jsem.

Prošly jsme přes parkoviště do budovy šesťáku a pak po schodech do CNS. Máma po mně celou cestu pokukovala, měla jsem pocit, že mi chce něco říct, ale upřímně, když si máte přečíst čtyři čísličkа, která ovlivní celou vaši budoucnost, moc se toho říct nedá.

V místnosti bylo narváno, protože jsme přišly trochu pozdě. U stolů seděli učitelé a rozdávali hnědé obálky. Na jednom stole vzadu byly pro rodiče vyskládané skleničky s vínem. Sotva pět metrů od nás brečela jedna holka, co se mnou chodila na dějepis, a já se ze všech sil snažila se na ni nedívat.

„Donesu ti víno," řekla máma. Otočila jsem se k ní a ona mě probodla pohledem. „Je to jen škola, ne?" prohodila.

„*Je to jen škola*," zavrtěla jsem hlavou. „Nikdy to není *jen škola*."

Máma vzdychla. „Ale vždyť na tom zas až tolik nesejde. V konečném důsledku."

„Když to říkáš." Protočila jsem panenky.

Dostala jsem samé jedničky. Nejlepší známky, co se dají získat. Čekala jsem, že z toho budu mít radost. Čekala jsem, že budu poskakovat a brečet samým štěstím.

Ale nic z toho se nestalo. Necítila jsem nic. Hlavní bylo, že jsem necítila zklamání.

Když jsem byla v desátém ročníku, dostali jsme výsledky testů den předtím, než Carys utekla z domova. Ona ten den dostala známky za jedenácťák, které jsou hodně důležité, protože už se počítají do přijímaček na univerzity. Věděla jsem, že obvykle moc dobré známky nemívá, ale tohle byl jediný den, kdy ji to rozrušilo.

Já jsem dostala i výsledky z testu z přírodních věd, který jsem si dělala o rok dřív. Dostala jsem jedna plus, zrovna jsem s mámou po boku vycházela právě z téhle místnosti – našeho CNS – a zírala na čísílko a malé plusko za ním, první z mnoha jedniček, které ještě měly přijít. Sešly jsme s mámou po schodech a zamířily k východu, když se kolem nás k otevřeným dveřím na parkoviště prosmýkly Carys a Carol Lastovy.

Zaslechla jsem slova „opravdu ubohé“ a nejspíš je pronesla Carol, ale dodnes si tím nejsem jistá.

Carys se po tvářích valily slzy jako hrachy a máma ji držela za paži tak silně, že ji to muselo bolet.

Víno, které pro mě máma tajně vzala, jsem vypila v podstatě na ex, radši jsem u toho stála čelem ke zdi, aby mě neviděl někdo z učitelského sboru. Potom jsme s mámou minuly ředitelku Afolayanovou, která se snažila zachytit můj pohled, vyšly jsme ze třídy a zamířily po schodech dolů a ven z budovy, do oslepujícího slunce. Svírala jsem obálku s výsledky tak křečovitě, že jsem ji zmačkala a moje jméno na ní se rozmazalo.

„Není ti nic?“ zeptala se máma. „Nepřipadá mi, že bys měla radost.“

Měla pravdu, ale já jsem nevěděla, co se děje.

„Frances!"

Otočila jsem se a doufala, že to není některá z mých kámošek, ale marně. Volala na mě Raine Senguptová. Opírala se o zábradlí před školou a bavila se s někým, koho jsem neznala. Došla ke mně. Pravou polovinu hlavy měla čerstvě vyholenou.

„Dobrý, kámo?" zeptala se a kývla směrem k mojí obálce.

„Jo!" usmála jsem se. „Jo, samý jedničky."

„No do prdele, dobrá práce!"

„Dík. Jo, jsem fakt ráda."

„Takže jdeš v klídečku na Cambridge, jo?"

„Jo, mělo by to vyjít."

„Super."

Rozhostilo se krátké ticho.

„Co ty?" zeptala jsem se.

Raine pokrčila rameny. „Dvě trojky, jedna čtyřka a jedna pětka. Nic moc, ale myslím, že když si udělám reparát, Afolayanová mě nechá prolízt dál."

„Aha..." Nevěděla jsem, co na to říct, a Raine to na mně podle všeho poznala.

Zasmála se. „To je dobrý. Skoro jsem se neučila a moje portfolio na výtvarku stálo za absolutní *hovno*."

Rozpačitě jsme se rozloučily a já s mámou jsme šly dál.

„Kdo to byl?" zeptala se máma, když jsme nasedly do auta.

„Raine Senguptová."

„Mám pocit, že ses o ní nikdy nezmínila."

„Je to jedna holka z naší party. Zas tak blízký kámošky nejsme."

Zavibroval mi mobil. Přišla mi zpráva od Aleda a stálo v ní:

Aled Last

čtyřikrát za 1+! je to v kapse.

Máma si sklopila stínítko. „Tak jedeme domů?" zeptala se a já řekla: „Jo."

KRUH ZLÝCH POHLEDŮ

Na ten samý den byla taky naplánovaná velká povýsledková kalba u Johnnyho a pozvánku na facebookovou událost dostali všichni ze šesťáku, ale mně se tam moc nechtělo. Za prvé proto, že se tam beztak všichni jen opijí, a opít jsem se mohla i v klidu u sebe doma v obýváku a pouštět si u toho videa na YouTube, místo abych se stresovala, jestli stihnu poslední vlak, nebo se bála, že se mě někdo pokusí znásilnit. Za druhé proto, že jsem v poslední době pořádně nemluvila s žádným ze svých kamarádů s výjimkou Raine, a kdybychom byli v *The Sims*, náš ukazatel přátelství by už byl zase skoro na nule.

Věděla jsem, že Aled slaví svoje narozeniny s Danielem, což mi připadalo trochu zvláštní, protože jsem neměla dojem, že by spolu poslední dobou trávili moc času, ale reálně byl Daniel jeho dlouholetý nejlepší kamarád, takže jsem neměla co říkat. Máma koupila sekt a navrhla, že si objednáme pizzu a zahrajeme si vědomostní deskovku *Trivial Pursuit*. Dárek Aledovi předám až zítra.

Rozhodně jsem tedy nečekala, že mi ve 21:43 Daniel Jun zaklepe na dveře.

Byla jsem už celkem připitá, ale asi bych se rozchechtala i za střízliva. Daniel měl na sobě uniformu svojí bývalé střední školy, kam chodil, než do šesťáku přestoupil na Akademii. Teoreticky byla úplně normální – černé kalhoty a sako a jednoduchá námořnicky modrá vázanka, znak se zlatě vyšitým „T" –, ale Daniel Jun se minulý rok hodně vytáhl, takže mu teď kalhoty sahaly sotva nad kotníky a sako mu bylo tak těsné a rukávy měl tak krátké, že vypadal naprosto směšně.

Jen tak stál se zvednutým obočím, zatímco já se smíchy popadala za břicho.

„Panebože, vypadáš jako Bruno Mars!" Do očí mi vhrkly slzy.

Daniel se zamračil. „Bruno Mars je portorického a filipínského původu, ne korejského. To bylo hodně urážlivý."

„Mluvím o těch krátkých kalhotách. Jdeš dělat konkurz do *Jersey Boys*?"

Daniel zamrkal. „Jo. Jo, hrát v muzikálu je můj hlavní životní cíl. Napsal jsem to i do dotazníku při vybírání vysokých škol."

„Mimochodem, tvoje znalosti o Brunovi Marsovi jsou obdivuhodný." Opřela jsem se o zárubeň. „Nechceš si zahrát *Trivial Pursuit*? Zrovna to máme rozehraný."

„Jistě, kvůli čemu jinýmu bych tu asi tak byl, Frances?"

Vyměnili jsme si pohled.

Oba jsme se odmlčeli.

„No, tak kvůli čemu tady jsi?" zeptala jsem se. „Neměl bys být s Aledem?"

Daniel znovu pozdvihl obočí. „Vlastně jsme měli jít na tu kalbu u Johnnyho, jenže Aledovi se nechtělo, a taky říkal, že by bylo fajn, kdybyste se mohli vidět, když už má ty narozeniny."

„Myslela jsem, že budete slavit spolu."

„To taky slavíme."

„Beze mě."

„Až doteď jo."

„Takže bych byla ultimátní pátý kolo u vozu."

Daniel se rozesmál. „No že jo!"

Měla jsem sto chutí mu zabouchnout dveře před nosem.

„Tak jdeš, nebo ne?"

„Když půjdu, budeš se ke mně celej večer chovat jako kokot?"

„Asi jo."

Aspoň nelhal.

„No tak dobře," svolila jsem. „Ale mám dvě otázky. Za prvý, proč máš na sobě svoji starou uniformu?"

„To měl být kostým na tu akci u Johnnyho." Vrazil ruce do kapes. „Ty sis na tý facebookový události nepřečetla popis?"

„Jen jsem ho tak prolítla."

„Jasný."

„A za druhý, proč tu není Aled?"

„Řekl jsem mu, že se jdu vychcat."

„On si myslí, že jsi na záchodě?"

„Jo."

Nevěřícně jsem na něj zírala. Takže tohle celé byl jeho nápad. Daniel se pro jednou rozhodl udělat pro někoho něco hezkého. Jasně, když už měl někdy pro někoho udělat něco hezkého, nemohl to být nikdo jiný než Aled, ale stejně. To bylo... fakt něco.

„No tak jo," kývla jsem. „Super. Ale bude to megarozpačitý, protože mě doslova nenávidíš."

„Doslova ne," frkl Daniel. „Nebuď tak melodramatická."

Napodobila jsem jeho upjatý přízvuk. „Ach, pardon. Chtěla jsem říct, že si příliš nerozumíme."

„To jen proto, že na mě pořád vrháš zlý pohledy."

„No dovol, to ty na mě pořád vrháš zlý pohledy!"

Zírali jsme na sebe.

„Paradox zla," pokračovala jsem. „Kruh zlých pohledů. Zlo na druhou."

„To jako půjdeš v tomhle?" zeptal se mě Daniel.

Sklopila jsem oči. Měla jsem na sobě svůj overal s Batmanem.

„Jo," potvrdila jsem. „Máš s tím problém?"

„Hned několik," řekl a otočil se. „Strašně moc problémů."

Vrátila jsem se dovnitř a řekla mámě, že jdu k Aledovi, a máma opáčila, že to je v pohodě, protože potřebuje dokoukat poslední díl *MasterChefa*, a hlavně ať nedělám moc velký rámus, až se vrátím. Vzala jsem ze stolu v kuchyni přáníčko a dárek pro Aleda a z misky na botníku svoje klíče, obula jsem se a ještě naposledy se na sebe podívala do zrcadla. Make-up už se mi na obličeji trochu rozmazal a z drdolu se mi začaly uvolňovat pramínky vlasů, ale to mi bylo poměrně jedno. Co asi tak budeme dělat, chlastat u Aleda v obýváku? Nic jiného zjevně v plánu nebylo. Nevím. Jo, no, takže chlastat, super, nebo nevím.

SVĚTLA MĚSTA

„Nevím, jestli to víš," pronesla jsem, když Daniel vykročil zcela opačným směrem, než byl Aledův dům, „ale tudy se k Aledovi nejde."

„Ty jsi tak úžasně inteligentní," utrousil Daniel. „Cos dostala za výsledky, samý jedničky?"

„Jo. A ty?"

„Jo."

„Super." Potřásla jsem hlavou. „Takže kam teda jdeme? Nejsem zrovna oblečená na ven."

Daniel šel pár kroků přede mnou. Otočil se a začal couvat, upíral na mě pohled a do tváře mu dopadalo světlo pouličních lamp.

„Napadlo nás, že se utáboříme na louce," vysvětloval.

„Není to nelegální?"

„Asi je."

„Jé, ty porušuješ pravidla! Jsem na tebe tak hrdá."

Daniel se ke mně zase jen otočil zády. K popukání.

„Tohle léto jsem vás s Aledem moc pohromadě neviděla," prohodila jsem.

Ani se na mě nepodíval. „No a?"

„No a nevím, tys byl někde na prázdninách?"

Daniel se zasmál. „Kéž by."

„Říkal jsi, že se moc nevídáte."

„Kdy?"

„Ehm." Začínala jsem mít pocit, že se pouštím na tenký led. „No víš kdy, přišel jsi za mnou před testem z dějepisu a ptal ses..."

„Jo tak. Ne, jen jsme oba měli moc práce. Já mám tak pět dní v týdnu brigádu ve městě, ve Frankie & Benny's. A víš, že Aled občas úplně neodpovídá na zprávy."

Mně vždycky na zprávy odpovídal, ale to jsem neřekla.

„Jak to, že jste se vůbec tolik skamarádili?" zeptal se mě zamračeně.

„Zachránila jsem ho z nočního klubu," odtušila jsem a na to už nic neřekl. Uhnul pohledem a strčil si ruce do kapes.

Nebe ještě nebylo úplně černé, spíš temně modré a lehce zamlžené, ale už bylo vidět měsíc a hrstku hvězd, což bylo asi fajn. Přelezli jsme plůtek na prázdnou louku za vesnicí a mě překvapilo, jaké je tu ticho. Nebylo slyšet foukání větru ani auta, nic. Měla jsem pocit, že jsem nikdy v životě na tak tichém místě nebyla, i když jsem tady na venkově žila už od narození.

Uprostřed louky bylo na kusu suché země malé ohniště a velký stan a vedle něj Aled Last. Jeho tělo vypadalo ve světle plamenů jako ze zlata. Měl na sobě školní uniformu, která mu nebyla malá, jelikož ji ještě před pár měsíci normálně nosil, ale stejně na něm vypadala trochu divně, nejspíš protože jsem si ho zvykla vídat v různobarevných šortkách a příliš velkých svetrech.

Jak to, že už mu bylo osmnáct? Jak mohlo někomu, koho jsem znala, být osmnáct?

Oběhla jsem Daniela v těch jeho směšně krátkých kalhotách, prohnala se trávou a zřítila se přímo na Aleda.

O hodinu později jsme v sobě měli tři čtvrtě lahve vodky, což pro mě nevěstilo nic dobrého, protože po alkoholu obvykle prostě jen usínám.

Aled si otevřel můj dárek – radiopřijímač ve tvaru mrakodrapu. Okénka se rozsvěcovala v rytmu hudby, která z něj hrála. Aled tvrdil, že je to ta nejlepší věc, co kdy v životě viděl, což byla nejspíš lež, ale byla jsem ráda, že se mu dárek líbí. Rádio bylo na baterky, a tak jsme si jako kulisu naladili stanici Radio 1, kde zrovna běžel nějaký pořad věnovaný elektronické hudbě, samé měkké synťáky a tiše dunivé basy. V dálce poblikávala světla města a místní elektrárny.

Danielovi stačil jediný pohled. „Ježíšikriste. Ty vole, ty víš o *Universe City*, že jo."

Opilý Daniel byl ještě sarkastičtější a mluvil víc sprostě a blahosklonně než střízlivý Daniel, ale z nějakého důvodu bylo takhle jednodušší se mu smát a neměla jsem jen chuť dát mu pěstí přímo do ksichtu.

„Ehm," udělala jsem.

„Ehm," udělal Aled.

„To svoje *ehm* si nechte od cesty, já vás mám prokouknutý." Zaklonil hlavu a rozchechtal se. „No, stejně byla jen otázka času, než na to někdo přijde." Naklonil se ke mně. „Jak dlouho už posloucháš? Zachytila jsi, když jsem ještě hrál ve znělce na basu?"

Zasmála jsem se. „Ty hraješ na basu?"

„Už ne."

Než jsem stihla odpovědět, vložil se mezi nás Aled. Poslední půl hodiny si v ohni opakovaně zapaloval klacík a pak plamínkem kreslil do vzduchu tvary, jako by to byla prskavka. „Frances je nová ilustrátorka."

Daniel se zamračil. „Ilustrátorka?"

„Jo, udělala ten gif do poslední epizody."

„Aha." Daniel ztišil hlas. „Tu jsem si ještě nepouštěl."

Aled se zakřenil. „Ty jsi hovno fanoušek."

„Sklapni, jasně že jsem fanoušek."

„Prdlajs."

„Jsem, vždyť jsem byl úplně první člověk, co tě začal odebírat."

„Prdlajs."

Daniel na Aleda hodil hrst hlíny a Aled se zasmál a odkulil se, aby se spršce vyhnul.

Celý tenhle večer byl k smíchu. Vůbec jsem nechápala, proč ho spolu trávíme. Aled nebyl ani v mém ročníku, a navíc chodil na jinou školu. Daniel mě nikdy neměl rád. Co to bylo za partičku, dva kluci a jedna holka?

Daniel s Aledem začali mluvit o výsledcích testů.

„Já jsem... jen se mi fakt ulevilo," říkal právě Daniel. „Jít studovat biologii na dobrou vejšku... je můj sen už snad šest let. Kdybych si to teď podělal, fakt bych se naštval."

„Mám z tebe fakt radost," řekl Aled. Ležel na boku a dál dloubal klacíkem do ohně.

„Musíš mít ale radost i ze svých výsledků, ne?"

„Haha, jo, já nevím," odpověděl Aled. Moc jsem to nechápala. Proč by neměl radost ze svých výsledků? „Jo, je to dobrý, jen mám pocit, že není nic, na čem by mi *až tak* záleželo."

„Záleží ti na *Universe City*," ozvala jsem se.

Aled ke mně zalétl pohledem. „Ehm, jo. Jasně. To je pravda."

Cítila jsem, jak mě zmáhá únava, klížily se mi oči. Na mysli mi zničehonic vytanula Carys – přesně takhle jsme se opily v tenhle den před dvěma lety, v den, kdy se rozdávaly výsledky, na jedné kalbě u někoho doma. Byl to hodně špatný večer.

Kdy přesně se Aleda zeptám na Carys?

„No, já jsem dneska potkal hodně lidí, co svoje výsledky obrečeli, takže podle mě bys to měl oslavit," prohlásil Daniel. Podal Aledovi lahev vodky a colu. „Cvakni si, oslavenče."

Bylo mi jasné, že už za chvíli postoupím na tu úroveň opilosti, kdy říkám věci, kterých později lituju. Možná ještě předtím usnu, ale možná taky ne. Vytrhla jsem ze země trs trávy a začala stébla sypat do plamenů.

KANYEMU BY SE TO NELÍBILO

Byli jsme na louce a pak jsme tam najednou nebyli a pak zase jo – cestou jsem někde splašila deku a zpívali jsme s Aledem písničku od Kanyeho Westa. Aled znal nazpaměť celý rap, ale já ne, takže nám pod hvězdami udělal rapovou performanci. Bylo teplo a nebe bylo nádherné. Kanyemu by se to nelíbilo.

Byli jsme ve stanu a Daniel zvracel v pichlavém roští, a když se dopotácel zpátky, měl ohromný škrábanec přes celou paži a pak usnul a Aled říkal, Aled říká: „Na jednu stranu jako jo, je to důležitý, musím mít dobrý známky a dostat se na vysokou, ale na druhou stranu můj mozek je jakože, já nevím, prostě mi to je fuk, nakonec to všechno dobře dopadne nebo tak něco, jako už je to skoro tak daleko, že prostě nic nedělám, pokud fakt nemusím, dělám jen věci, co musím, ale jsou mi ukradený, víš? Já nevím, asi to nedává smysl…“ Z nějakého důvodu jen přikyvuju a usmívám se a opakuju: „Jo, jo.“

„Kdo je February Friday?“ ptám se Aleda.

Ale on říká: „To ti nemůžu prozradit!“

A já říkám: „Ale vždyť jsme kámoši!“

A on říká: „To s tím nesouvisí!“

„Jsi do ní zamilovanej? Nebo do něj? Jak to tvrdí fanoušci?“

Aled se zasměje a neodpoví.

Stojíme uprostřed louky a zkoušíme, kdo z nás dokáže zařvat nejhlasitěji.

Fotíme si rozmazané noční fotky a dáváme je na Twitter a já přemítám, jestli to je dobrý nápad, i když je jasné, že naše obličeje z těch fotek nikdo nepozná, ale nějak s tím nemůžu nic dělat.

RADIO @UniverseCity
@touloser toulouse na momentce [rozmazaná fotka Frances s dvojitou bradou]

toulouse @touloser
@UniverseCity Radio – odhalení [rozmazaná fotka Aledových bot]

Ležíme v trávě.

„Myslím, že slyším lišku," říkám.

„Hlas v mojí hlavě je hlas Radia," říká Aled.

„Jak to, že ti není zima?" ptám se já.

„Už dávno jsem přestal cokoli cítit," odpovídá Aled.

Ležíme ve stanu.

„Dřív jsem mívala strašný noční můry, říká se jim noční děsy, takový, co se při nich probudíš, ale pořád jsi v tom zlým snu," vyprávím.

„Mě každou noc bolí na hrudi a jsem si jistej, že umřu," vypráví Aled.

„Jakmile je člověk v pubertě, už by je mít neměl," říkám.

„Noční děsy, nebo bolesti na hrudi?" ptá se Aled.

Už deset minut se snažíme natočit další díl *Universe City*, ale zatím to probíhá tak, že já a Aled hrajeme na honěnou, což vyústí v to, že se na něj zase zřítím (tentokrát neúmyslně). Několik minut předstírám, že jsem postava, kterou jsem si právě vymyslela a pojmenovala ji „Toulouse“, stejně jako můj nick na internetu, a teď zas všichni tři hrajeme hru Nikdy jsem.

„Nikdy jsem...“ Aled si klepe na bradu. „Nikdy jsem si neuprdnul a nesvedl to na někoho jinýho.“

Daniel zaúpí a já se zasměju a oba se napijeme.

„Tys to fakt nikdy neudělal?“ ptám se Aleda.

„Ne, já mám totiž úroveň. Dokážu nést zodpovědnost za svoje činy.“

„Fajn. Nikdy jsem...“ Těkám mezi nimi očima. „Nepřišla domů později, než jsem měla přikázaný.“

Daniel se zasměje. „Chabý,“ utrousí a napije se, ale Aled po něm střelí pohledem a prohlásí: „Tak to jsem taky chabej,“ a Daniel okamžitě nasadí provinilý výraz.

„Nikdy jsem...“ Daniel poklepe na lahev. „Neřekl *miluju tě* a nemyslel to upřímně.“

„Júúúúú,“ zahučím. Aled pozvedne kelímek, jako by se chtěl napít, ale pak jako by si to rozmyslel, jen si promne oko. Možná si fakt potřeboval jen promnout oko. Nikdo z nás se nenapije.

„Tak dobře. Nikdy jsem...“ Aled se odmlčí a v očích se mu objeví skelný pohled. „Nikdy jsem nechtěl jít na univerzitu.“

Daniel a já chvíli jen mlčíme a pak se Daniel zasměje, jako by to byl vtip, a Aled se zasměje, jako by to byl vtip, ale já nevím, co si počít, protože nemám pocit, že by to Aled myslel jen jako vtip.

Chvíli potom vytuhnu ve stanu, a když se vzbudím, Daniel leží vedle mě a spí, ale po Aledovi není nikde ani stopy, a tak se vykulím ze stanu a najdu ho, jak rázuje v kruhu po louce s telefonem u pusy a mumlá něco, co pořádně neslyším. Doploužím se k němu a vyhrknu: „Co to povídáš?“ a Aled zvedne hlavu a trhne sebou a řekne: „Kristepane, vůbec jsem tě neslyšel přijít,“ a pak oba zapomeneme, o čem jsme to mluvili.

Daniel se probudí a zazpívá s námi „Nic nám nezbývá“. Vizuál jsou jen rozmazané šmouhy – my tři, jak běžíme tmou, záblesky očí, záblesky těl. Nahrajeme celou epizodu na YouTube, než si to stihneme rozmyslet.

Ležíme s Danielem vedle sebe. „Jednou, když mi bylo pět," vypráví, „si jedna holka utahovala z mýho pravýho jména, fakt snad *celej den*. Prostě jen pobíhala po hřišti a vřískala DAE-SUNG, DAE-SUNG, DAE-SUNG, DAE-SUNG MÁ BLBÝ JMÉNO takovým fakt směšným hlasem a já jsem to nevydržel, rozbrečel jsem se a učitelka musela zavolat mojí mámě, aby si pro mě přišla. A když přišla, pořád jsem ještě brečel. Moje máma je ta nejhodnější paní na světě, takže když mě odvedla domů, řekla: ‚Tak co kdybychom ti dali opravdové anglické jméno, co? Žijeme v Anglii a z tebe je teď anglický chlapec.' Tehdy jsem z toho měl fakt radost. A tak ve škole oznámila, že mají moje jméno v třídnici a na seznamu žáků změnit na Daniel. A bylo to."

Pokývám hlavou. „Byl bys radši, kdyby ti lidi říkali Dae-Sung?"

„Jo. Vím, že máma to myslela dobře, ale mám pocit, že ‚Daniel' je lež. Možná si to změním zpátky, až nastoupím na vysokou..."

„Taky bych si občas přála mít etiopský jméno," vzdychnu. „Nebo aspoň východoafrický... Obecně bych chtěla mít blíž ke svým kořenům a svojí etnicitě."

Daniel ke mně otočí hlavu. „A co tvoji rodiče? Oni nejsou...?"

„Máma je běloška. Táta je z Etiopie, ale rozvedli se, když mi byly čtyři, a on teď žije ve Skotsku a má novou rodinu. Pořád si celkem často telefonujeme, ale vídám se s ním jen párkrát do roka, a prarodiče a tety a strejdy a bratrance a sestřenice z jeho strany nevídám skoro vůbec. Jen bych k nim chtěla mít blíž... občas mám pocit, že jsem jediná černoška, kterou znám. A můj táta se příjmením jmenuje Mengesha. Chtěla bych být Frances Mengesha."

„Frances Mengesha. To zní cool."

„Jo, že jo."
„Měla bys iniciály FM. Jako FM rádio."
Pořád slyšíme tu lišku. Zní to, jako by někoho brutálně vraždili.

Aled si lehne vedle mě a zavře oči a Daniel se překulí a klekne si, opře se rukama z obou stran Aledovy hlavy a nakloní se nad něj. Aled otevře oči, ale nedokáže udržet jeho pohled. Zamžourá a rozesměje se a pak se převalí a odstrčí Daniela pryč.

Jdu se podívat za tou liškou, mířím za tím zvukem, směrem k přírodovědné stezce, která vede skrz les, a člověk by čekal, že se budu bát nebo tak něco, sama potmě v noci v lese, ale já se nebojím.

Už jsem skoro tam, když vtom se naproti mně objeví postava, a já se leknu, jsem vyděšená k smrti. Málem sebou šlehnu, chci se otočit a vzít nohy na ramena, ale pak si na toho člověka posvítím mobilem a je to Carys Lastová, jako fakt, bloumá tu ve tmě uprostřed noci a já na ni:

„Ježíšikriste."

Ne – počkat. Není to ona. Je to jen sen.

Nebo počkat, spím, nebo ne?

„Ten tu není," prohlásí Carys. „Jen já." Ale nepřekvapilo by mě, kdyby byla Ježíš, protože vypadá, jako by sem přišla přímo z nebe, nebo je to možná tím, jak na její kůži a platinové vlasy dopadá světlo mojí baterky.

Nezdálo se mi to. Tohle se doopravdy stalo, před dvěma lety, v den, kdy se rozdávaly výsledky testů.

Proč jsem si na to vzpomněla zrovna teď?

„Ty jsi něco jako... liškodlak?" ptám se jí.

„Ne, jen mám ráda přírodu," opáčí ona. „V noci."

„Neměla by ses tu toulat takhle potmě."

„Ty taky ne."

„Sakra, tak tos mě dostala."

Možná se nic nedělo.

Hodně jsme toho vypily. Hlavně já. A předtím jsme byly na několika kalbách. Už jsem si zvykala na to, jak lidi jeden po druhém odpadali a usínali nebo zvraceli do květináčů. Už jsem si zvykala na partičku kluků, co si vždycky sedli na zahradě a hulili trávu, protože, no, vlastně nevím, proč to dělali. Zvykala jsem si na to, jak se po sobě lidi bez přemýšlení vrhali a líbali se, i když mi připadalo nechutné se na to třeba jen dívat.

Vrátily jsme se spolu na kalbu. Byly dvě ráno, nebo možná tři.

Prošly jsme zadní brankou do zahrady, minuly několik lidí ležících v trávě.

Byla ten den tak zamlklá. Zamlklá a smutná.

Sedly jsme si do obýváku na gauč. Byla tam taková tma, že jsme na sebe skoro neviděly.

„Děje se něco?" zeptala jsem se.

„Ne," odpověděla.

Netlačila jsem na ni, ale Carys po chvíli pokračovala.

„Závidím ti," řekla.

„Cože? Proč?"

„Jak to, že jen tak... *proplouváš* životem? Kámoši, škola, rodina..." Potřásla hlavou. „Jak tím vším dokážeš jen tak proplouvat a nikdy nic nepodělat?"

Otevřela jsem pusu, chtěla jsem něco říct, ale nevyšla ze mě ani hláska.

„Máš mnohem větší moc, než si myslíš," mluvila dál. „Ale jen jí mrháš. Děláš jen to, co ti kdo řekne."

Pořád jsem neměla tušení, o čem mluví, a tak jsem jen hlesla: „Na to, že ti je patnáct, zníš fakt divně."

„Ha. A ty zníš dospěle."

Zamračila jsem se. „To ty mi tady vykládáš nějaký posraný blahosklonný moudra."

„Když se opiješ, mluvíš sprostě."

„V duchu mluvím sprostě pořád."

„Každej je jinej ve svý hlavě než navenek."

„Ty jsi tak…“

Najednou jsme u ohně a Aled spí vedle Daniela ve stanu a čas pořád přeskakuje. Jak jsme se sem dostali? Je tu Carys doopravdy, nebo ne? Ve zlatavé záři plamenů vypadá démonicky. „Proč jsi taková?“ ptám se jí.

„Já chci…“ V ruce drží kelímek s pitím, kde ho vzala? Tohle se doopravdy neděje. Tohle se doopravdy nestalo. „Jen chci, aby mě někdo poslouchal.“

Nepamatuju si, kdy odešla, nebo co dalšího řekla, jen to, že o dvě minuty později se zvedla a prohlásila: „Nikdo mě neposlouchá.“

HROMADA DEK

Leželi jsme u Aleda v obýváku na zemi. Spát ve stanu nebyl dobrý nápad – byla zima, došla nám voda a nikomu z nás se nechtělo čurat venku –, a tak jsme se dopotáceli k Aledovi domů. Asi. Nejspíš. Nepamatuju si to. Pamatuju si jen, jak Aled mumlá cosi o tom, že je jeho máma na pár dní pryč, na návštěvě u příbuzných, což bylo divné, protože když má váš syn narozeniny, měli byste být s ním, ne?

Daniel usnul na gauči a já s Aledem jsme se uvelebili na koberci. Přehodili jsme přes sebe deky, v celém domě bylo zhasnuto a já viděla jen Aledovy bledé oči a slyšela tiché synťákové dunění z rádia ve tvaru mrakodrapu. Nemohla jsem uvěřit, jak strašně moc miluju Aleda Lasta, i když ne tím ideálním, společensky přijatelným způsobem, který by nám umožnil spolu žít až do smrti.

Aled se překulil na bok, aby na mě viděl.

„Bavila ses s Carys hodně?" zeptal se, jeho hlas byl sotva víc než zašeptání. „Kromě těch cest vlakem."

Ještě nikdy jsme spolu o Carys nemluvili.

„Upřímně, my jsme se doopravdy nekamarádily," zalhala jsem. „Bavily jsme se, když jsem byla v desátým ročníku, ale nebyly jsme doopravdy kámošky."

Aled na mě dál upíral pohled. V obočí mu sotva znatelně zacukalo.

Chtěla jsem se ho zeptat, proč se ségrou vždycky seděli ve vlaku každý jinde. Chtěla jsem se ho zeptat, jestli o mně Carys to léto, co nám bylo patnáct, někdy mluvila. Chtěla jsem se zeptat, co řekla, když přišla domů ten večer, kdy jsem ji políbila, jestli na mě pořád byla naštvaná, jestli mu vyprávěla, jak na mě křičela, jestli řekla, že mě nenávidí, jestli mě nenáviděla odjakživa.

Chtěla jsem se zeptat, jestli se mu ozvala, ale nemohla jsem, a tak jsem se nezeptala. Chtěla jsem mu říct, že to já můžu za to, že je jeho sestra pryč.

Chtěla jsem mu říct, že jsem do ní byla zamilovaná a jednou, když byla smutná, jsem jí dala pusu, protože jsem si myslela, že to všechno spraví, ale šeredně jsem se spletla.

„Víš…" Aledův hlas se vytratil do ticha a pak dobrou půl minutu nepromluvil. „Máma mi nechce říct, kde Carys je. Nebo jak se má."

„Cože? Proč?"

„Nechce, abych se s ní viděl. Moje máma ji nenávidí. Jako doopravdy nenávidí, není to jen nějaká rodičovská nespokojenost nebo tak něco. Máma ségru už nikdy v životě nechce vidět."

„To je fakt… strašný."

„Mhm."

Občas mě zavalila tíha všeho, co jsem nevěděla, nejen o Carys, ale o všech a o všem. Jaké to je mít rodiče, kterého nemáte rádi, který nemá rád vás? Jaké to je utéct z domova? Nevím, a nikdy se to nedozvím. A vždycky se budu cítit hrozně, že to nevím.

„Myslím, že je to možná moje vina," špitla jsem.

„Co?"

„Že Carys utekla."

Aled se zamračil. „Cože? Jak tě to napadlo?"

Musela jsem mu to říct.

„Políbila jsem ji," přiznala jsem. „Pokazila jsem naše kamarádství."

Aled zaskočeně zamrkal. „Co – cože jsi?"

Přikývla jsem a vydechla a měla jsem pocit, jako bych právě vyskočila z oceánu.

„To je – to nebyla tvoje vina," utěšoval mě. „Nebyla to..." Odkašlal si. „Nemůžeš za to."

Nenáviděla jsem se. Nenáviděla jsem se tak strašně moc, že bych se nejradši propadla podlahou až do nejhoroucnějšího středu Země.

„Nekamarádím se s tebou jen kvůli ní," dodala jsem.

„To jsem si ani nikdy nemyslel."

A pak mě objal. Bylo to trochu obtížné, protože jsme leželi na zemi, ale v podstatě se z dvou oddělených hromad dek stala jedna obří hromada dek.

Nevím, jak dlouho jsme takhle vydrželi. Už kdovíjak dlouho jsem se nepodívala na mobil.

„Myslíš, že budeme jednoho dne slavný?" zeptal se mě Aled zničehonic.

„Nevím," řekla jsem. „Myslím, že úplně nechci být slavná."

„Jako je dost stresující, jak se lidi pořád snaží přijít na to, kdo jsme. Fanoušci mýho podcastu... jsou šílený. Úžasný a zapálený, ale... šílený."

Uculila jsem se. „Mně to přijde zábavný. Mám pocit, že jsem součástí nějaký ohromný záhady."

Aled mi úsměv opětoval. „Ale my *jsme* součástí ohromný záhady."

„Ty chceš být slavnej?"

„Já jen... chci být výjimečnej."

„Ty už jsi výjimečnej."

Aled se zasmál. „Sklapni."

TEMNĚ MODRÉ

Pak si zas pamatuju až to, že jsem se vzbudila ve tmě na koberci a klepala se zimou – mohly být tak tři nebo čtyři ráno – a v puse jsem měla pachuť jak po něčem, co by se dalo využít v hodině chemie. Všechno kolem mě bylo mrtvé, ve vzduchu se vznášel prach a Aled s Danielem byli pryč.

Chtělo se mi strašně čurat, a tak jsem se vyhrabala z hromady dek a vyklouzla z obýváku ven směrem k záchodu, ale jakmile jsem z kuchyně zaslechla hlasy, zarazila jsem se.

Neviděli mě, protože v chodbě byla skoro úplná tma. Já jsem je skrz otevřené dveře taky skoro neviděla – byli jen jako dva fleky v měsíčním světle –, ale ani jsem to nepotřebovala. Seděli u stolu, Aled s hlavou položenou na ohnuté paži, Daniel s podepřenou bradou a dívali se na sebe. Daniel si lokl z lahve, ve které mohlo být víno, ale nebyla jsem si tím jistá.

Chvíli bylo ticho, ani jeden z nich nic neřekl.

„Jo, ale nejde o to, jestli to lidi vědí," pronesl nakonec Aled. „Nejde o nikoho jinýho, je mi doslova ukradený, co by si o tom myslel kdokoli jinej."

„Zcela zjevně ses mi vyhýbal," kontroval Daniel. „Skoro jsme se tohle léto neviděli."

„Vždyť jsi – neměl jsi čas. Měl jsi brigádu…“

„Jo, ale na tebe bych si čas udělal, kdybys chtěl. Jenom mi připadá, že ani nechceš.“

„Ale chci!“

„Tak mohl bys mi teda prostě říct, v čem je problém?“ Daniel zněl rozčileně.

Aled ještě víc ztišil hlas. „Žádnej problém není.“

„Jestli o mě nestojíš, tak to prostě řekni. Nemá smysl lhát.“

„Ale vždyť víš, že o tebe stojím.“

„Já myslím, jako jestli se ti líbím.“

Aled zvedl volnou ruku a šťouchl Daniela do ramene, ale když odpověděl, znělo to, jako by mluvil spíš jen sám pro sebe.

„No, proč bysme tohle dělali, kdyby ses mi nelíbil?“

Daniel se ani nepohnul. „No právě.“

„No právě.“

Myslím, že v tu chvíli mi došlo, co se děje. Pár vteřin předtím, než se to stalo. Nemám dojem, že by mě to překvapilo. Nevím, jestli jsem vůbec něco cítila. Možná jsem se cítila trochu osamělá.

Aled zvedl hlavu i ruce, Daniel ho objal a opřel si hlavu o jeho hruď a Aled ho pevně sevřel a hladil ho po zádech. Když se od sebe odtáhli, Aled jen seděl a čekal, až se to stane. Daniel zvedl ruku a prohrábl mu vlasy a zašeptal: „Potřebuješ ostříhat,“ a pak se předklonil a políbil ho. Odvrátila jsem se. Víc jsem toho vidět nepotřebovala.

O něco později jsem se zase probudila, zase jsem se na koberci třásla zimou a Aled dýchal, jako by byl astronaut a docházel mu kyslík, seděl vedle mě s hlavou sklopenou a zakrýval si rukama tvář. Daniel tam nebyl. Aled dál oddychoval a lapal po dechu a držel se za hlavu a já se vytáhla do sedu a vzala ho za rameno. „Alede,“ oslovila jsem ho, jenže on se na mě ani nepodíval, jen se dál třásl a mně v tu chvíli došlo, že pláče. Pokusila jsem se posunout tak, aby na mě viděl, znovu jsem vyslovila jeho jméno, ale jemu se z hrdla vydralo strašlivé zasténání a tohle nebyl jen pláč, bylo to mnohem horší, byl to takový ten řev, kdy si chcete vyškrábat oči a praštit do zdi, a já to nemohla vydržet, nesnáším, když někdo brečí, a zvlášť takhle. Objala jsem ho kolem ramen a držela ho v náručí a on se chvěl po celém těle a já nevěděla, co si počít, a tak jsem jen seděla vedle něj a asi milionkrát zopakovala „Co se děje?", ale on jen vrtěl hlavou a já neměla ponětí, co to znamená. Když se mi konečně povedlo ho přimět, aby si lehl, zkusila jsem se zeptat ještě jednou a Aled jen hlesl „omlouvám se… omlouvám se…" a o pár minut později dodal „já nechci jít na vysokou" a pak usnul, ale nejspíš mu pořád ještě tekly slzy.

Když jsem se znovu probudila, Daniel ležel na gauči ve spacáku, jako by kempoval někde pod širákem.

Zničehonic mi došlo, že Daniel je February Friday.

Samozřejmě. Tajný románek s nejlepším kamarádem z dětství – existuje snad něco romantičtějšího? Ne že bych o takových věcech měla velké povědomí. Myslela jsem, že budu ráda, že jsem na to konečně přišla, ale necítila jsem nic. Zvedla jsem oči ke stropu, napůl jsem čekala, že na něm uvidím hvězdy, ale nebylo tam vůbec nic.

Zase se mi chtělo na záchod, a tak jsem si sedla a podívala se na Aleda, který vedle mě ležel na zemi a spal, hlavu otočenou směrem ke mně, jednu ruku složenou pod tváří. Přimhouřila jsem oči a připadalo mi, že má kůži pod očima zbarvenou do fialova, což bylo divné, ale nejspíš to bylo tím, že světlo, které do pokoje dopadalo, jako by bylo permanentně temně modré.

2. LETNÍ PRÁZDNINY

b)

NEJHORŠÍ DÍL

Už jsem předtím u lidí přespávala, ale nikdy jsem se neprobudila s tím, že by mě někdo ve spánku objímal, což se přesně stalo, když jsem následujícího dne v 11:34 otevřela oči a zjistila, že Aled má přese mě přehozenou ruku. V mozku mi vybuchovaly ohňostroje.

Moc mi toho z noci neutkvělo, ale pamatovala jsem si, že Aled a Daniel spolu něco mají, Daniel je February Friday, Aled se zničehonic rozbrečel a taky jsme natočili a nahráli na internet opileckou epizodu *Universe City*.

Měla jsem pocit, jako by se stalo něco zlého, i když se nic takového nestalo.

Když jsem se do obýváku vrátila s miskou cornflaků, Aled a Daniel seděli vedle sebe na zemi. Napadlo mě, jestli se v noci třeba nepohádali, což by vysvětlovalo Aledův náhlý záchvat pláče, ale teď se k sobě skoro tulili a sledovali video na Aledově mobilu.

Během dvou vteřin mi došlo, na co se dívají.

Sedla jsem si k nim a beze slova se začala dívat taky.

„Tak to je trapas," prohlásil Daniel, když video skončilo.

„To je ten nejhorší díl, co jsme kdy natočili," hlesl Aled.

„Podívej, kolik má zhlédnutí," řekla jsem já.

Nový díl měl ráno po zveřejnění obvykle kolem pěti nebo šesti tisíc zhlédnutí. Teď ale číslo ukazovalo 30 327.

5 DIVNÝCH VĚCÍ, CO MĚ BEROU

Jeden slavný youtuber *Universe City* zpropagoval ve svém videu. Jmenovalo se „5 DIVNÝCH VĚCÍ, CO MĚ BEROU" a kromě pokladničky ve tvaru prasátka v baletní sukýnce, appky na tvorbu memů, hry s názvem *Umí váš mazlíček tohle?* a retro telefonu ve tvaru hamburgeru mluvil tenhle youtuber i o tom, jak strašně žere jeden podivný, nedoceněný podcast jménem *Universe City*.

Tenhle youtuber měl přes tři miliony odběratelů. Jeho video mělo čtyři hodiny po zveřejnění tři sta tisíc zhlédnutí a v popisku k němu byl odkaz na poslední epizodu *Universe City*.

Tohle všechno jsem zjistila během dvou minut na Tumblru, a tak jsme si s Aledem a Danielem pořád ještě vsedě na koberci v Aledově obýváku pustili i tohle video.

„A jako poslední bych vám chtěl říct o tomhle bizarním kanálu, kterým jsem totálně posedlej." Youtuber zvedl ruku a na obrazovce se objevilo logo *Universe City*. „Jmenuje se *Universe City* a je to podcast o studentovi nebo studentce, co posílá volání o pomoc z takový futuristický univerzity, odkud se nemůže dostat. Nejvíc se mi na tom líbí, že nikdo neví, kdo ten podcast dělá, je kolem něj hromada bláznivých konspiračních teorií, jako třeba jestli jsou ty postavy i opravdový lidi ve skutečným životě. Napadlo mě ho do seznamu zahrnout až teď na poslední chvíli, protože tvůrce podcastu asi před půl hodinou – takže zhruba před čtyřmi hodinami, až si tohle video pustíte – nahrál novou epizodu a ta dosáhla úplně nový úrovně divnosti. Sotva se dá rozumět tomu, co se tam děje, v jednu chvíli je slyšet jen šustění a křik, pak tam najednou lidi hrají hru na Nikdy jsem a potom hlavní postava Radio Silence jen mele pátý přes devátý... je to strašně divný a mě hrozně baví, že polovinu času pořádně nevíte, co se děje. Jednou jsem zůstal vzhůru přes noc a jen jsem si četl o všech těch záhadách a konspiracích, co se k tomuhle podcastu vážou. Jestli vás baví moje divný historky, určitě musíte čeknout i *Universe City* – dám vám do popisku link!"

„To je neskutečný," vydechl Aled.

„Jo," přitakala jsem. Tohohle youtubera jsem sledovala už od čtrnácti let.

„Škoda že tam nedal odkaz na první epizodu," posteskl si Aled. „Tuhle jsem chtěl sundat."

Zamračila jsem se. „Ty ji chceš vymazat?"

„Jo," potvrdil. „Je debilní." Odmlčel se. „Ani jsem ji nezveřejnil v pátek. Nový díly uploaduju vždycky v pátek."

„No... aspoň to k *Universe City* přitáhne nový lidi. To je fajn."

„Hm," udělal Aled. Pak zaúpěl a složil hlavu do dlaní. „Proč jsem to vůbec dával na internet?"

Já a Daniel jsme mlčeli. Nejspíš jsme nevěděli, co na to říct. Já jsem si myslela, že bychom z toho měli mít radost, ale možná to byla mylná domněnka. Aled se netvářil moc šťastně. Vstal a řekl, že si jde udělat toust, a já a Daniel jsme si vyměnili pohled. Potom Daniel vstal a šel za ním a já jen bez hnutí seděla a znovu jsem si pustila naši nejnovější epizodu.

UNIVERSE CITY: Ep. 126 – škola duchů

UniverseCity   598 230 zhlédnutí

??? cože

Transkript níže >>>

[...]

Pamatuješ, jak králíkům svítily oči, když jsme jeli po cestě? Možná žárlili, nebo se báli. Vždycky jsem jen za ní a čekám, až to okno spadne. Latinský název pro lišku je *Vulpes vulpes*. Připadalo ti to roztomilý. Mám hrozný vztek kvůli těm problémům se školou duchů. „Problémy" jsou trochu silný slovo. Budeš zase kouřit ty svoje cigaretky a vyklánět se z okna pod hvězdami? Nikdy nemáš strach, klidně se necháš popálit Ohněm. Zajímalo by mě, jestli se stydíš za svoji posedlost Bukowskim. Já se stydím, a to to ani nebyla moje posedlost. Aspoň máš v sobě tolik lehkovážnosti, že ti nevadí přiznat, že nějakou posedlost máš. Říkám ty hrozný věci jen proto, že se cítím provinile. Nechci s tím mít už nic společnýho. Nenávidím, když mi lidi říkají, co mám dělat. Proč mám něco dělat jen proto, že mi to všichni říkají? Moje m-matka? Nikdo by neměl mít právo činit za mě moje rozhodnutí. Jsem tady a teď a čekám, až se to stane. Měli jsme vůbec někdy na výběr? Přijde ti, že mě zajímá škola? Nepamatuju si, že se to stalo. Nepamatuju si nic z toho, co dělám nebo proč. Všechno je strašnej zmatek. Pod hvězdami je asi všechno lepší. Pokud nás po smrti čeká další život, tak se tam setkáme, starý brachu...

[...]

SPI UŽ

pátek 16. srpna

(21:39) **Aled Last**
frances už je to 50 270
pomoc

(23:40) **Frances Janvierová**
Jo... ten youtuber má hodně velkej dosah, krucinál
Vlastně je to dost úžasný

(23:46) **Aled Last**
tolik epizod ze kterých mohl být virál...
ale musela to být zrovna tahle že jo
lol super

(23:50) **Frances Janvieroá**
Tyjo, kámo... fakt mě to mrzí
Ale můžeš ji klidně smazat, ne? Je to tvůj podcast, můžeš s ním dělat, co chceš

(23:52) **Aled Last**
ne tohle nemůžu jen tak zahodit
už teď mám díky tomu tři tisíce nových odběratelů

(23:53) **Frances Janvierová**
Do prdele to jako fakt?!???

(23:54) **Aled Last**
jo
spousta lidí v komentářích píše že se jim líbí Toulouse

(23:55) **Frances Janvierová**
Vážně??? Vždyť jsem byla naprosto marná omg

(23:55) **Aled Last**
upřímně jsem takhle pozitivní reakci na novou postavu neměl už dlouho
chceš být i v příští epizodě?

(23:56) **Frances Janvierová**
JO, ale jseš si jistej???

(23:57) **Aled Last**
kdybych si nebyl jistej tak ti to nenabízím haha

(23:58) **Frances Janvierová**
♡♡♡♡♡♡♡♡♡♡♡♡♡♡

úterý 20. srpna

(11:20) **Aled Last**
PADESÁT TISÍC ODBĚRATELŮ tohle si žádá návštěvu pizza hut. máš prachy?

(11:34) **Frances Janvierová**
GRATULUJU KÁMO jo, sraz za pět minut

středa 21. srpna

(02:17) **Aled Last**
hele až budeme zítra nahrávat chceš si zazpívat Nic nám nezbývá?
jako ty sama

(02:32) **Frances Janvierová**
Sama?!!??!!????
Jseš si vědom, že neumím zpívat, že jo...
Mám absolutní hudební hluch

(02:34) **Aled Last**
super aspoň to bude zajímavější

pátek 30. srpna

(04:33) **Aled Last**
SEDMDESÁT PĚT TISÍC ODBĚRATELŮ
JAK
PROČ
VŽDYŤ JSME SE DOSLOVA JEN OPILI A PLKALI NĚCO DO KAMERY

(10:45) **Frances Janvierová**
JDU K TOBĚ
HNED TEĎ
kámo, ty ještě spíš, co
Vstávej, nebo budu furt dokola mačkat zvonek

(11:03) **Aled Last**
přestaň už zvonit prosím tě

neděle 1. září

(00:34) **Frances Janvierová**
Mně se zítra nechce do školy
Nemohla bych jít s tebou na univerzitu?

(00:35) **Aled Last**
ne
jdi spát

(00:36) **Frances Janvierová**
Ty mě zjevně neznáš

(00:37) **Aled Last**
léto skončilo a s večerkama ve 4 ráno je konec

(00:37) **Frances Janvierová**
☹

(00:38) **Aled Last**
mám ti zazpívat ukolíbavku?

(00:38) **Frances Janvierová**
jo prosim

(00:39) **Aled Last**
hajej můj andílku hajej a spi
hajej nynej dadej malá frances
haaaaajeeeeej a spiiiiii
víc toho nemám

(00:41) **Frances Janvierová**

To bylo nádherný, budu si to pamatovat do konce života

(00:42) **Aled Last**

sklapni a spi už

3. PRVNÍ POLOLETÍ

a)

ZMATENÁ DĚCKA V OBLECÍCH

„Nemůžu uvěřit, že jsem tě celý dva měsíce neviděla!" zahalekala jedna z mých kamarádek v první den školy. Celá parta seděla u stolu v jídelně, všichni jsme byli ve třináctém ročníku a už jsme se necítili jako zmatená děcka v oblecích, ale spíš jako ostřílení veteráni vzdělávacího systému. „Cos celou tu dobu dělala?"

Taky jsem tomu nemohla uvěřit. Došlo mi to, teprve když jsem v první den vyučování dorazila do školy a zjistila, že tři z mých kámošek si obarvily vlasy na jinou barvu a jedna byla tak opálená, že měla skoro stejnou barvu jako já.

„Ehm... nic moc!" vypadlo ze mě bezděky. Nic moc. Největší lež tohohle tisíciletí.

Moje spolužačka chvíli čekala, jestli něco dodám, ale já nevěděla co. O čem jsem se se svými kamarády ve škole bavila loni? O všem? O ničem?

„Hele, Frances," zapojila se do konverzace další holka. „Tys letos v létě trávila hodně času s Aledem Lastem, ne?"

„Kdo je Aled Last?" zeptala se ta první.

„Jeden kámoš Daniela Juna – chodil na klučičí školu."

„A Frances s ním chodí?"

Obrátily se na mě a čekaly.

„Ehm, ne," zavrtěla jsem hlavou a nervózně se zasmála. „Jsme jen kámoši."

Nevěřily mi. Rozhlédla jsem se, jestli tu není Raine, ale nebyla.

„A co spolu teda děláte?" zazubila se další spolužačka.

Aled mi už před týdny řekl, že se nikdo nesmí dozvědět, že autorem *Universe City* je on. Vlastně na tom dost vehementně trval, v očích se mu zračila panika – což ostře kontrastovalo s jeho obvyklou váhavostí. Kdyby se to někdo dozvěděl, drmolil, celý koncept podcastu, záhadnost a tajuplnost, by byl v pytli. Ale pak se zahihňal a žertoval, že fakt nechce, aby to zjistila jeho máma, protože to by byl trapas, a kdyby věděl, že ho máma poslouchá, styděl by se podcast nahrávat.

Pokrčila jsem rameny. „Jen tak se flákáme. Bydlíme naproti sobě, takže… no."

Věděla jsem, že to nezní přesvědčivě, a holky taky, ale přijaly to. Začaly se bavit o jiných věcech a já mlčela, protože jsem neměla čím přispět, což pro mě ve společnosti spolužaček nebylo nic nenormálního, ale měla jsem z toho divný pocit, jelikož jsem už úplně zapomněla, že takhle se obvykle chovám.

TOULOSER

„… tou dobou mě tak mátlo, jak vlastně kamarádství fungují, že mi nezbylo než se smířit s tím, že žádné skutečné přátele nemám, starý brachu," pronesl Aled do mikrofonu svým podcastovým hlasem, a když jsem nepřečetla svoji další repliku, zalétl ke mně pohledem a poklepal mi na ruku. „Teď ty."

Byl čtvrtek večer, dva týdny po začátku školy, a já a Aled jsme nahrávali zářijovou epizodu *Universe City*. V Aledově pokoji byla tma, jediné světlo vydával monitor jeho notebooku a řetěz světýlek, který měl omotaný kolem postele.

Nedávala jsem pozor, protože jsem zírala na svůj telefon. A na telefon jsem zírala proto, že mi přišel e-mail s notifikací, že mi někdo poslal anonymní zprávu na Tumblru. A v té anonymní zprávě stálo:

Anonym napsal:
ve skutečnosti se jmenuješ frances janvierová

Třeštila jsem na ni oči. Aled taky. Potom mi na mobilu zavibroval další e-mail.

Anonym napsal:
Ahoj nevím jestli o tom víš ale spousta lidí na tumblru pod tagem Universe City píše, že jsi holka jménem Frances? Nemusíš o tom nic říkat ale napadlo mě že bys o tom měla vědět

„A kurva," řekl Aled. Aled skoro nikdy neklel.

„Jo," přikývla jsem.

Aled beze slova otevřel další kartu v prohlížeči a přihlásil se na Tumblr. Měl tam profil, ale nikdy nic nepostoval – využíval ho jen, aby sledoval fandom a byl v obraze.

Hned první příspěvek pod tagem *Universe City*, pod kterým bylo snad 5 000 komentářů, byl dlouhý post, ve kterém mě pisatel identifikoval jako hlas Toulouse, tvůrkyni nových vizuálů podcastu a blogerku s přezdívkou touloser, na internetu známou pouze jako „Toulouse".

Někdo – možná někdo ze školy nebo z města, to jsem nevěděla – udělal na Tumblru porovnání videa z mého projevu na třídních schůzkách z minulého roku (které se dalo najít na webu školy) s nahrávkami mého hlasu z posledních několika epizod *Universe City* a pár rozmazanými screenshoty z toho dílu o škole duchů.

A pod celý souhrn důkazů napsal:

OMFG! Myslíte, že Toulouse je tahle „Frances Janvierová"?!! Vypadá a zní úplně stejně lol!! 😂 @touloser @touloser @touloser

Při pohledu na to 😂 jsem jen zaskřípala zuby.

„Jsou doslova jen krůček od toho, aby odhalili i mě," hlesl Aled. Podívala jsem se na něj a všimla si, že si zas přetahuje rukávy svetru přes dlaně.

„Co chceš, abych udělala?" zeptala jsem se zcela upřímně. „Co uděláme? Když jim řeknu, aby po tobě nepátrali, myslím, že mě poslechnou."

„To je nezastaví," zoufal si Aled a přejel si rukou po čele.

„Mohla bych to popřít..."

„Neuvěří ti." Zaúpěl. „Za to všechno může ta debilní epizoda... jsem fakt idiot..."

Zavrtěla jsem se na židli. „No, jako... není to tvoje vina, ale i kdyby přišli na to, že to jsi ty... tak to nebude zas taková tragédie, ne? Víš co, stejně se to musí jednou provalit, zvlášť když ti pořád přibývají sledující –"

„Ne, mělo to být navždy tajemství! Jen proto je to tak super!" Aled potřásl hlavou a upřel prázdný pohled na monitor před sebou. „Proto je to tak výjimečný – drží to takhle pohromadě –, je to prostě tak... nadpozemský, taková úžasná kouzelná koule štěstí, která visí ve vzduchu nad hlavama všech a nikdo se jí nesmí dotknout. A je jen moje a nikdo se do ní nebude plést, ani fanoušci, ani moje máma, prostě *nikdo*."

Přestávala jsem chápat, co říká, a tak jsem mlčela. Podívala jsem se do mailu a našla deset dalších zpráv.

A tak jsem se rozhodla přece jen sepsat reakci.

touloser

jo, dostali jste mě, lol

poslední dva roky jsem na tumblru byla jako toulouse nebo touloser, asi vám došlo, že to není moje pravý jméno. chtěla jsem zůstat v anonymitě, protože nikdo v mém reálném životě neví, že kreslím nebo že jsem tak trapně posedlá tímhle úžasným youtubovým podcastem.

asi jsem podcenila schopnost lidí spojit si hlasy a tváře a poslední dva týdny se o mně šíří hodně zvěstí.

takže ano. jmenuju se Frances Janvierová a jsem ilustrátorka universe city a hlas toulouse. dřív jsem byla jen fanynka, a teď najednou pomáhám s tvorbou podcastu, což je ujetý, ale je to tak.

ne, nepovím vám, kdo je radio. přestaňte se ptát, prosím. taky by bylo fajn, kdybyste mě nestalkovali.
ok čau.
#universe city #radio silence #universe citizens #lol #mohli by mi lidi přestat posílat pořád dokola ty samé otázky #dík #tak já jdu zase kreslit

V tu chvíli jsem na Tumblru měla asi čtyři tisíce sledujících. Do víkendu jsem jich měla 25 tisíc.

Následující pondělí za mnou ve škole přišlo pět různých lidí, aby se zeptali, jestli jsem vážně hlas Toulouse z *Universe City*, a já musela pochopitelně kápnout božskou.

O týden později už všichni ve škole věděli že já, Frances Janvierová, nudná šprťácká primuska, tajně pracuju na nějakém divném youtubovém podcastu. Nebo vlastně už ne až tak tajně.

UMĚNÍ JE ZKLAMÁNÍ?

„Nejspíš jste si vědoma, proč s vámi chci mluvit, Frances."

Třetí týden v září jsem seděla v ředitelně na židli, která stála podivně natočená stranou od ředitelčina stolu, takže jsem si mohla ukroutit hlavu, abych na ni viděla. Neměla jsem nejmenší tušení, proč se mnou chce Afolayanová mluvit, a nejspíš proto jsem byla v naprostém šoku, když mi ráno třídní oznámila, že mám o přestávce jít do ředitelny.

Afolayanová byla jako ředitelka docela dobrá, to se nedalo popřít. Byla proslulá svým každoročním projevem o tom, jak se dostala z mrňavé vesničky v Nigérii až na Oxford a tam si udělala doktorát. Diplom měla ve zdobném vyřezávaném rámu pověšený na stěně, aby všem, kdo do ředitelny vkročí, připomínal, že podprůměrnost je nepřijatelná.

Upřímně řečeno jsem ji nikdy neměla moc ráda.

Přehodila si nohu přes nohu a ruce nad stolem spojila do stříšky. Věnovala mi pousmání, které říkalo *velmi jste mě zklamala*.

„Ehm, ne," odpověděla jsem a vágně se zasmála, jako by to mohlo situaci nějak vylepšit.

Ředitelka povytáhla obočí. „Jistě."

Rozhostilo se ticho a Afolayanová se na židli zaklonila do opěradla a chytila si sepjatýma rukama koleno.

„Podle všeho jste zapojená do jakéhosi virálního internetového videa, které vrhá velmi špatné světlo na to, jaké máme zde na Akademii hodnoty."

Aha.

„Aha," řekla jsem.

„Ano, jde o velmi zajímavé video," pronesla zcela bezvýrazně. „Obsahuje hodně... no, řekněme propagandy."

V tu chvíli jsem si už nebyla vůbec jistá, jak se tvářím.

„Dostalo se mu poměrně velké pozornosti, že?" pokračovala ředitelka. „Má už téměř dvě stě tisíc zhlédnutí, ne? Někteří rodiče už se začínají ptát."

„Aha," zopakovala jsem. „Kdo – kdo vám o tom řekl?"

„Doneslo se mi to z řad studujících."

„Aha," hlesla jsem do třetice.

„Vlastně jsem se vás chtěla především zeptat, proč byste něco takového zveřejňovala? A máte doopravdy stejné názory jako –" sklopila oči k poznámce na žlutém lepicím papírku. „Jako *Universe City*? Myslíte si, že bychom měli zrušit celý vzdělávací systém a jít do lesů a učit se rozdělávat oheň? Potravu si opatřovat tak, že budeme směňovat kuřata a pěstovat si vlastní zeleninu? Svrhnout kapitalismus?"

Ředitelku Afolayanovou jsem neměla ráda z několika důvodů. Chovala se ke studentům zbytečně přísně a zapáleně věřila v myšlenkové mapy. Ale nemohla jsem si vzpomenout, kdy jsem naposled někoho nenáviděla tak upřímně jako ji v tuhle chvíli. Jestli mě něco vytáčí doběla, je to povýšené a blahosklonné chování.

„Ne," odpověděla jsem, protože kdybych řekla cokoli jiného, buď bych začala řvát, nebo bych se rozbrečela.

„Tak proč jste to zveřejnila?"

Byla jsem opilá.

„Byl to umělecký projekt," řekla jsem.

„Jistě." Ředitelka se ušklíbla. „Nuže dobrá. To je... no, musím říct, že je to pro mě velké zklamání. Čekala jsem od vás něco lepšího."

Umění je zklamání? Přestávala jsem ji vnímat. Ze všech sil jsem se snažila udržet slzy.

„Jo," vydechla jsem.

Afolayanová mě probodla pohledem.

„Bohužel už nemůžete dál být primuskou, Frances," pronesla.

„Aha," řekla jsem, ale bylo mi to jasné, bylo mi to od začátku jasné jako facka.

„Zkrátka už nereprezentujete Akademii tak, jak se sluší a patří. Potřebujeme primuse a primusku, kteří skutečně *věří* v naši školu a *záleží* jim na jejím úspěchu, což vy zjevně nejste."

Měla jsem toho tak akorát dost.

„To podle mě není úplně fér," rozhorlila jsem se. „To video byla chyba a moc mě to mrzí, ale upřímně, víte o něm jen proto, že vám o něm někdo řekl, ten youtubový kanál, na kterém to video je, mi ani nepatří, a vy hned předpokládáte, že mám stejné názory. Navíc to, co dělám ve volném čase mimo školu, by vůbec nemělo hrát roli v tom, jestli jsem primuska nebo ne."

Ředitelčin výraz se s mými slovy bleskově změnil. Teď se tvářila nasupeně.

„Pokud se to, co děláte mimo školu, školy nějak dotýká, pak to na vaši funkci primusky rozhodně vliv mít bude," prohlásila. „To video viděla celá řada studentek a studentů."

„A co jako, to se má celý můj život a všechno, co dělám, točit kolem toho, že jsem primuska a někdo by mohl náhodou něco vidět?"

„Myslím, že se chováte poněkud nevyspěle."

Zmlkla jsem. Hádat se s ní by nemělo smysl. Bylo jasné, že se mě ani nepokusí vyslechnout.

Nikdy vás neposlouchají, co? Nikdy se ani nesnaží vás vyslechnout.

„Dobře," řekla jsem.

„To není moc dobrý start třináctého ročníku, že?" Znovu zvedla obočí a nasadila takový soucitný úsměv, který říkal *měla byste jít, než vás o to budu nucená požádat.*

„Díky," řekla jsem, ale nevěděla jsem proč, jelikož jsem jí rozhodně neměla za co děkovat. Vstala jsem a vykročila ke dveřím.

„Ještě mi musíte vrátit odznak primusky," ozvala se Afolayanová. Otočila jsem se a zjistila, že čeká s napřaženou dlaní.

„Panebože, Frances, co se děje? Není ti nic?"

Když jsem došla do CNS, u našeho stolu seděla jen jedna moje kamarádka – Maya. Přišla jsem s brekem, což byl trapas – ne že bych nějak štkala, ale tekly mi slzy a musela jsem si pořád utírat oči, abych neměla fleky od rozteklé řasenky.

Vysvětlila jsem jí, co se stalo. Maya byla trochu nesvá z toho, že brečím. Nikdo z mé party mě ještě nikdy brečet neviděl.

„To bude dobrý – stejně to nebude na nic mít vliv, ne?" zasmála se rozpačitě Maya. „Jako víš co, aspoň už nebudeš muset řečnit na školních akcích a tak!"

„Zkazí mi to přihlášku na vysokou... celej jeden odstavec v osobní eseji jsem měla o tom, jak jsem primuska, byl to doslova jedinej důvod, proč jsem se vůbec chtěla primuskou stát, jen abych mohla napsat, že něco dělám... žádný jiný koníčky nemám... na Cambridge člověk potřebuje ukázat... potřebuje ukázat, že se umí ujmout vedení..." Maya jen s účastným výrazem poslouchala a hladila mě po zádech a snažila se mi nějak pomoct, ale já jí viděla na očích, že to nechápe, a tak jsem prohlásila, že si musím odskočit, abych si opravila make-up, ale nakonec jsem si na záchodě jen vlezla do kabinky a snažila se nějak uklidnit. Nenáviděla jsem se za to, že jsem bulela na veřejnosti, a hlavně za to, že jsem vůbec dovolila, aby mě někdo rozbrečel.

RAINE

„Takže, Frances," oslovila mě Jess, jedna spolužačka, co se mnou chodila na dějepis, a naklonila se ke mně ze svojí lavice. „Pokud jsi Toulouse z *Universe City*, kdo je Radio Silence? Ten tvůj kamarád Aled?"

Byla středa, čtvrtý týden v září. Aled měl za tři dny odjíždět na vysokou.

První vyučovací hodinu museli všichni studenti ze třináctého ročníku povinně do CNS a vyplňovat standardizované přihlášky na vysoké školy. Ne že by se tomu někdo nějak usilovně věnoval. Moje osobní esej docela ušla, a tím myslím, že to bylo nejvýmluvnějších 500 slov naprostých plků, co jsem kdy napsala. Pořád jsem ale nevymyslela, co dát do odstavce o mimoškolních aktivitách, protože tím, že dělám primusku, už jsem se chlubit nemohla.

„Proto jste spolu strávili celý léto?"

O tom, že jsem se přes léto hodně bavila s Aledem, už zjevně slyšela celá škola. Lidem to připadalo zajímavé jen proto, že mě měli za nějakou učením posedlou poustevnici. Což byla většinu času pravda, takže fér.

Zvažovala jsem, že zalžu, ale když jsem pod tlakem, tak panikařím, takže jsem jen vyhrkla:

„Ehm, já nemůžu – nesmím to říct."

„Nebydlíte náhodou ve stejný vesnici?" zeptala se holka, která seděla vedle Jess.

„No, jo," řekla jsem.

Pohledy všech v okruhu přibližně pěti metrů se zničehonic upřely na mě.

„Protože víš co, když teď na tom podcastu taky pracuješ, musíš se s jeho tvůrcem na tuty znát."

„Ehm..." Cítila jsem, jak se mi potí dlaně. „No, to není nutně pravda."

„Minimálně to tvrdí lidi na Tumblru."

Na to jsem nic neodpověděla, protože měla pravdu. Na Tumblru si všichni mysleli, že jsme s Tvůrcem nejlepší kámoši.

No, a vlastně nebyli tak daleko od pravdy.

„Jak to, že nám to nesmíš říct?" zubila se Jess, jako by to byla ta největší zábava, co kdy zažila. Nikdy jsem se s ní moc nebavila. Po škole byla známá tím, že to absolutně neuměla se samoopalovacím krémem. V desátém ročníku se jeden učitel dostal do problémů, když během hodiny řekl, že její nohy vypadají jako slanina.

„Protože –" zarazila jsem se, než ze mě vypadlo slovo „on". „Ta osoba, co podcast tvoří, nechce, aby to někdo věděl." Zasmála jsem se ve snaze zmírnit napětí. „Jako že je to součást celý tý záhady."

„A chodíš s ním?"

„Co – s kým? S Radiem?"

„S Aledem."

„Ehm, ne."

Jess se dál přihlouple křenila. Lidi, co nás poslouchali, se začali zase odvracet a šeptat si mezi sebou.

„Vy se bavíte o Aledu Lastovi?" ozval se někdo z opačné strany. Podívala jsem se tím směrem a zjistila, že u vedlejšího stolu sedí Raine Senguptová, houpe se na židli tak, až se opěradlo dotýká stěny, a poklepává pravítkem o lavici. „Podle mě to není on. Vždyť je to nejzakřiknutější kluk na světě.“

Vyslala ke mně pohled, pozdvihla obočí a trochu se ušklíbla, a mně došlo, že lže.

„A Daniela Juna takový věci neberou,“ pokračovala. „Jako umělecký věci a tak. Nekamarádil by se s někým, kdo dělá videa na YouTube.“

„Hm, to je fakt,“ kývla Jess.

Raine se znovu zhoupla, vypadalo to dost nebezpečně. „Spíš to je někdo, koho vůbec neznáme.“

„Já to prostě jen chci zjistit,“ prohlásila Jess až příliš nahlas a učitelce, která měla dozor, konečně došlo, že nikdo nepracuje, zvedla se od katedry a všechny nás seřvala.

Jakmile se Jess otočila, Raine mi ukázala dva prsty ve tvaru V na znamení míru a já si nebyla jistá, jestli je to ta nejpitomější nebo nejvíc cool věc, co jsem kdy viděla. Můj pohled dopadl na papír, který měla před sebou a kde měla mít sepsanou svoji osobní esej do přihlášky na univerzitu, ale stránka byla dočista prázdná. Když jsem za ní po hodině chtěla zajít, byla už pryč.

Znovu jsem ji zahlédla až po vyučování, vyšla ze školy sotva tři kroky přede mnou. Šla jsem stejným směrem, do města k nádraží. Obvykle jsem se lidem, které jsem skoro neznala, pečlivě vyhýbala, ale… nevím. Možná jsem si ten její pohled a úšklebek jen představovala.

„Raine!“

Otočila se na podpatku. Za její vlasy bych zabíjela. Moje tuhé kudrny by v jejím krátkém sestřihu s půlkou hlavy vyholenou vypadaly příšerně.

„Jé, nazdar!“ řekla. „Jak se vede, kámo?“

„Jo, dobrý, dík,“ odpověděla jsem. „Co ty?“

„Upřímně jsem utahaná jak kotě.“

Vypadala unaveně. Ale to jsme ve škole byli všichni.

„Hledala jsem tě na obědě..."

Raine se zasmála. Její úsměv vypadal, jako by věděla něco, co by neměla. „Jé, sorry. Já se musím přes oběd učit."

„Cože? Jak to myslíš?"

„No, víš, jak jsem nedostala ze závěrečných testů úplně dobrý známky?"

„Jo."

„Tak teď se musím během volných hodin i oběda povinně učit, abych všechno dohnala."

„Cože, i během oběda?"

„Jo, mám vždycky deset minut na to, abych se najedla, a potom sedím tři čtvrtě hodiny před ředitelnou a dělám úkoly a tak."

„To je... morálně odsouzeníhodný."

„Moje řeč. Oběd by měl patřit mezi základní lidský práva."

Zahnuly jsme za roh. Rozpršelo se, šedé nebe se vlévalo do šedi chodníku. Roztáhla jsem deštník a držela ho nad námi tak, aby nás zakryl obě.

„Hele, ty nějak znáš Aleda Lasta? Trochu mi připadalo, že Jess věšíš bulíky na nos, což bylo mimochodem naprosto k sežrání."

Raine se smíchem přikývla. „Panebože, já tu holku nesnáším. Počkat," trhla hlavou směrem ke mně, „nejste nějak moc velký kámošky, že ne?"

„Moc se s ní nebavím. Vím o ní jen to, že má nohy jako slaninu."

„Ježíšmarjá, nohy jako slanina. O tom jsem slyšela. Odteď jí budu říkat slaninoha." Potřásla hlavou a zašklebila se. „Já prostě nenávidím, jak pořád do všeho strká nos a chce vždycky vědět všechny drby a je jí úplně jedno, jak se kdo cítí. Typická slaninoha."

Odmlčela se a mně teprve po chvíli došlo, že Raine upřeně zírá naproti přes ulici. Následovala jsem její pohled a zjistila jsem, že sleduje zlatého retrívra, kterého právě venčil jeho páníček.

Podívala jsem se na ni a ona se od psa konečně odtrhla. „Jé, sorry, já jen strašně miluju psy. Jako fakt, kdybych měla jen jedno přání, přála bych si pejska. No, každopádně…"

Zasmála jsem se. Raine prostě říkala, co se jí zachtělo, kdy se jí zachtělo. Neskutečné.

„Aled Last…"

„Jo."

„Daniel Jun mi řekl o tý jeho youtubový věci."

Vykulila jsem oči. „To jako fakt?"

„Jo." Raine se zasmála. „Byl úplně namol. A když se někdo fakt hodně zboří, víš jak, když potřebuje někoho, kdo bude hlídat, že se neudáví vlastníma zvratkama… tak se o ně starám vždycky já. Byli jsme takhle na jedný kalbě a Daniel o tom prostě začal mluvit."

„Ty bláho… myslíš, že o tom Aled ví?"

Raine pokrčila rameny. „Netuším, já se s ním nebavím. Ani nekoukám na ty jeho videa, takže… na tom asi nesejde. Vím, že nechce, aby na to někdo přišel, a nikde to vytrubovat nebudu."

„Kdy… se to stalo?"

„Nedávno, tak dva měsíce zpátky." Raine se odmlčela. „Daniel byl na Aleda nějak naštvanej nebo tak něco. Měla jsem z toho dojem, že má pocit, že Aled má ten svůj YouTube radši než Daniela, chápeš?"

Vybavilo se mi, co jsem viděla tu noc, co jsme spali u Aleda. Aled s Danielem v kuchyni a potom se Aled rozplakal tak usedavě, až jsem se bála, že se opravdu hroutí.

„Jestli to tak vážně je, tak je to docela smutný," řekla jsem. „Jsou nejlepší kámoši."

Raine si mě zkoumavě prohlédla. „Jo, *nejlepší kámoši*."

Rozhostilo se mezi námi ticho.

Podívala jsem se na ni. „Ty… něco víš?"

Raine roztáhla rty v úsměvu od ucha k uchu. „Jestli vím, že spolu Aled a Daniel na tajňačku píchaj? Jo, kámo."

Pronesla to tak blazeovaně, že jsem se jen nervózně uchechtla. Ani mě nenapadlo, že spolu Daniel a Aled spí. To pomyšlení mě trochu rozhodilo, protože jsem si vždycky myslela, že zkušeností se sexem máme já a Aled zhruba stejně.

„Aha. Nevěděla jsem, že to ví ještě někdo další."

„Jenom já, myslím. Díky opilýmu Danielovi."

„Jasný."

Došly jsme na hlavní třídu. Já jsem musela odbočit doleva směrem k nádraží, Raine pokračovala dál rovně. Nevěděla jsem, kam přesně jde.

„No, tak každopádně dík," řekla jsem. „V podstatě jsi mi tím zachránila život. Když jsem pod tlakem, strašně plkám."

„To je v pohodě, kámo," usmála se na mě. „Cokoli, jen aby slaninoha nedělala rozbroje. A jako upřímně, poslední dobou jsi toho moc nenamluvila. Připadáš mi trochu mimo."

Překvapilo mě, že si toho všimla. Raine a Maya a ostatní lidi z naší party si mě většinou moc nevšímali.

„No," hlesla jsem. „Ehm, víš jak. Mám toho hodně."

„S *Universe City*?"

„Jo. Je to... Je to náročný. Online. A teď už o tom vědí i lidi v reálným životě... je to stres."

„Hm," věnovala mi soucitný pohled. „Neboj, dlouho jim to nevydrží a nakonec budeš mít zase klid."

„Jo, nakonec," zahihňala jsem se.

Raine na půl úst prohodila „tak zatím čau" a ukázala mi prsty další podivuhodně cool věčko a byla pryč, než jsem jí stihla odpovědět. Ve mně se svářely dvě věci. Za prvé překvapení, že Raine toho tolik ví, i když mi připadala jako ta nejpovrchnější holka pod sluncem. Za druhé smutek, že jsem si vůbec někdy myslela, že je povrchní.

TAKOVÁ

Ve čtvrtek večer jsem se u Aleda zdržela, protože jeho máma jela na pár dní pryč někam k příbuzným. Bylo teprve půl desáté a Aled už byl plnoletý, ale stejně jsme se upřímně řečeno pořád cítili jako malé děti. Ani jeden z nás pořádně nevěděl jak pustit pračku.

Seděli jsme v kuchyni u stolu a čekali, až se nám upeče mražená pizza. Já jsem mlela o nějakých pitominách a Aled jen mlčky poslouchal a tu a tam něco přihodil a všechno bylo jako vždycky.

Až na to, že nebylo.

„Jsi v pohodě?" zeptal se Aled, když jsem vyčerpala další téma hovoru. „Ve škole a tak?"

To mě překvapilo, protože Aled mi skoro nikdy takhle obecné otázky nepokládal.

„Jo, jo." Zasmála jsem se. „Jen jsem hrozně unavená. Přijde mi, že se nikdy pořádně nevyspím."

Minutka na troubě zapípala a Aled zatleskal a šel vytáhnout pizzy, zatímco já začala pořád dokola prozpěvovat slovo „pizza".

Za dva dny odjížděl na vysokou.

Pustili jsme se do jídla. „Musím ti říct něco důležitýho," řekla jsem.

Aled na chvíli přestal žvýkat.

„Co?"

„Znáš Raine Senguptovou?"

„Jen matně."

„Včera mi řekla, že ví o *Universe City*. A že ty jsi Tvůrce."

Aled úplně přestal jíst a podíval se mi do očí. A jéje. Zase jsem řekla něco, co jsem neměla. Proč se mi to pořád stávalo? Proč jsem vždycky přišla na něco takového?

„Aha." Prohrábl si rukou vlasy. „Ježíši..."

„Říkala, že to nikde vytrubovat nebude."

„Jo, to říká teď."

„A taky říkala..."

Zarazila jsem se. Chtěla jsem říct, že Raine ví o něm a Danielovi, ale pak mi došlo, že Aled ani netuší, že o nich vím já.

Aled na mě vyplašeně zíral. „Bože, co ještě?"

„Ehm, dobře, no... Raine ví o... ehm... tobě a Danielovi."

Rozhostilo se děsivé ticho. Aled se ani nepohnul.

„Co o nás ví?" pronesl pomalu.

„No, víš co..." Ale nedokázala jsem tu větu dokončit.

„Aha," hlesl Aled.

Ošila jsem se.

Aled vydechl a sklopil pohled k talíři. „A ty už jsi to věděla?"

Neměla jsem ponětí, proč jsem mu to neřekla hned. Myslím, že prostě jen nerada mluvím o věcech, za které se lidi stydí nebo jim působí bolest.

„Viděla jsem vás, jak se na tvoje narozeniny líbáte," přiznala jsem a rychle dodala: „Ale nic jinýho! To je celý. A pak jsem se chvíli potom probudila a ty jsi... jakoby... brečel."

Aled si znovu vjel rukou do vlasů. „Jo, no jo. Myslel jsem, žes třeba byla moc opilá na to, aby sis to zapamatovala."

Čekala jsem, že řekne něco dalšího, ale zůstal zticha. „Proč jsi mi to neřekl?" zeptala jsem se.

Znovu se mi podíval do očí a já v nich viděla nezměrný

smutek. Pak se zahihňal. „Upřímně, ze stejnýho důvodu, proč jsem nechtěl, aby ses potkala s mojí mámou. Jsi jako… úplně oddělená od všeho… všeho toho komplikovanýho v mým životě…“ Zasmál se. „Panebože, to zní fakt kreténsky. Promiň.“

Taky jsem se zasmála, protože to vážně znělo trochu kreténsky, ale chápala jsem, co tím chce říct.

Nebylo to tak prosté, aby se to dalo shrnout větou: „Já a Daniel spolu chodíme.“

Nic nikdy nebylo tak jednoduché, co?

„A proč jsi brečel?“ zeptala jsem se.

Aled se na mě ještě chvíli díval a pak zase sklopil oči k jídlu a začal se nimrat v kůrce pizzy.

„Už si to nepamatuju. Asi jsem prostě byl moc opilej.“ Zasmál se, ale já cítila, že je to nucený smích. „Když se opiju, brečím.“

„Aha.“

Nevěřila jsem mu, ale bylo zjevné, že mi to nechce povědět.

„Takže Daniel je gay?“ zeptala jsem se nakonec, protože jsem se takhle na rovinu nedokázala zeptat, jak to má on sám.

„Jo,“ potvrdil Aled.

„Hm.“ Byla jsem tak trochu v šoku, že jsem to nepoznala sama. „No, víš… já jsem bisexuální.“

Aled vykulil oči. „Cože – fakt?“

„Haha, jo. Říkala jsem ti přece, že jsem políbila tvoji ségru, ne?“

„Jo, tos říkala, ale…“ Zavrtěl hlavou. „Já nevím. Asi jsem nad tím moc nehloubal.“ Odmlčel se. „Proč jsi mi to neřekla dřív?“

„Nevím,“ odtušila jsem, ale byla to lež. „Ještě jsem to neřekla nikdy nikomu.“

Aled se zničehonic zatvářil smutně. „Fakt ne?“

„Ne…“

Oba jsme si ukousli další sousto pizzy.

„Kdy sis uvědomila, že jsi bi?“ Aled se zeptal tak tiše, že jsem otázku přes vlastní žvýkání skoro neslyšela.

A hlavně jsem ji ani nečekala. Skoro jsem mu neodpověděla.

Ale pak mi došlo, proč se asi tak ptá.

„Nebyla to nějaká jedna konkrétní chvíle," začala jsem. „Bylo to... no, takhle, našla jsem si na internetu, co to je, a pak mi to začalo dávat smysl..." Ještě nikdy jsem se to nikomu nepokusila vysvětlit. Vlastně ani sama sobě. „Jako... asi to bude znít hloupě, ale vždycky jsem si uměla představit, že bych mohla mít vztah s klukem i s holkou. Jako jasně, každý z toho je trochu jiný, ale obecně jsem z toho měla stejný pocity... dává to smysl? Nejspíš to vůbec nedává smysl..."

„Ne, podle mě dává," ujistil mě Aled. „Proč jsi o tom neřekla kámoškám ve škole?"

Upřela jsem na něj pohled. „Nemám žádnou, která by mi stála za to, abych jí to řekla."

Aledovi se trochu rozšířily zorničky. Možná mu právě došlo, že je v podstatě můj jediný kamarád. Doufala jsem, že si to neuvědomuje. Jen jsem se kvůli tomu začala litovat.

„Je to taky jeden z důvodů, proč mě tak bere *Universe City*," pokračovala jsem. „Protože Radio se zamilovává do nejrůznějších lidí, kluků a holek a dalších genderů a... třeba i mimozemšťanů a tak." Zasmála jsem se a Aled se uculil.

„Myslím, že heterácký romance už stejně všechny tak trochu nudí," prohlásil. „Upřímně si myslím, že vztahů mezi holkou a klukem je v knihách a filmech už víc než dost."

Strašně moc jsem se ho chtěla zeptat.

Jenže tohle je snad jediná věc, na kterou se prostě nemůžete jen tak zeptat.

Musíte zkrátka počkat, až vám to druhý řekne sám.

Když se otevřely vchodové dveře, oba jsme nadskočili tak prudce, že jsem málem převrhla lahev s limonádou.

Do kuchyně vešla Aledova máma a překvapeně na mě zamrkala. Přes rameno nesla plátěnou tašku s logem Tesca a v druhé ruce klíče od auta.

„Jé, ahoj, Frances, zlatíčko," pozdravila mě a pozvedla obočí. „Nečekala jsem, že tu budeš ještě tak pozdě."

Zalétla jsem pohledem k hodinám na stěně. Bylo skoro deset. Vyskočila jsem ze židle. „Jé, ježišmarja, moc se omlouvám, asi bych měla jít..."

Zdálo se, že mě neposlouchá, ale pak hodila tašku na kuchyňskou linku a skočila mi do řeči. „Neblázni, vždyť jsi ještě ani nedojedla!"

Nevěděla jsem, co na to říct, a tak jsem si prostě jen zase kecla na zadek.

„Myslel jsem, že jsi u dědy, mami," řekl Aled a jeho hlas zněl divně. Tak nějak... nuceně.

„No, to jsem byla, broučku, ale babička s dědou mají přes víkend co dělat..." A pustila se do zbytečně obšírného vysvětlování toho, co přesně plánují Aledovi prarodiče dělat o víkendu. Pokoušela jsem se zachytit Aledův pohled, ale on jen zíral na svoji matku jako zvíře, které se snaží nehýbat, aby si ho nikdo nevšiml.

Carol Lastová začala umývat nádobí a po chvíli se poprvé od té doby, co vešla do domu, podívala na svého syna.

„Máš ty vlasy už nějaké dlouhé, ne, Allie? Mám tě objednat k holiči?" Následovalo nesnesitelně dlouhé ticho.

„Ehm... no, mně se to takhle vlastně líbí," pronesl Aled.

Carol se zamračila a vypnula vodu. Začala drhnout pánve tak usilovně, jako by je chtěla rozložit. „Cože? Nemyslíš, že to vypadá trochu neupraveně, zlatíčko? Vypadáš jako jeden z těch narkomanů, co vždycky okounějí u úřadu práce."

„Mně se to takhle líbí," trval si na svém Aled.

Carol si osušila ruce utěrkou. „Nebo ti je můžu ostříhat já, jestli chceš." Podívala se na mě. „Když byl malý, stříhala jsem ho každou chvíli."

Aled nic neřekl a k mojí naprosté hrůze potom Carol Lastová sáhla do stojánku na kuchyňské lince, vzala do ruky nůžky a namířila si to s nimi přímo k Aledovi.

„Ne, mami, to je dobrý…"

„Podívej," řekla Carol. „Mohla bych ti jen trochu zastřihnout konečky, bude to jen chvilička…"

„To je vážně dobrý, mami."

„Hned bys vypadal upravenějі, Allie."

Nevěřila jsem, že se to stane. Viděla jsem, že by se to teoreticky stát mohlo, ale nemyslela jsem si, že se to doopravdy stane. Tohle byl skutečný život, ne nějaký thriller v televizi.

„Ne, ne, ne, ne, mami, nech mě –"

Carol Lastová popadla do ruky pramen Aledových vlasů a ustříhla mu asi deset centimetrů.

Aled ucukl a z toho, jak rychle vyskočil na nohy, byl zřejmé, že taky nečekal, že se to fakt stane. Zničehonic mi došlo, že taky stojím – kdy jsem se zvedla?

Ona mu ustříhla kus vlasů.

Co to kurva mělo být?

„Mami –" Aled se chystal něco říct, ale Carol ho nenechala.

„Ale no tak, broučku, vážně to máš moc dlouhé, copak to nevidíš? Kdybys takhle dorazil na univerzitu, bude z tebe vyvrhel!" Otočila se na mě. V jedné ruce třímala pramen blond vlasů a v druhé rozevřené nůžky. „Že ano, Frances?"

Já se ale nevzmohla ani na slovo.

Aled si tiskl ruku na místo, kde měl ještě před chvílí vlasy. Pomalu, skoro jako zombie, pronesl: „Frances… už musí jít domů…"

Carol se usmála. Byl to takový úsměv, co mohl být stejně dobře naprosto netečný nebo absolutně psychopatický. „Ach, jistě, už se ti asi blíží večerka, že!"

„No…" hekla jsem a můj hlas zněl, jako by mě někdo škrtil. Aled mě táhl za paži do předsíně, ani jsem nestihla přinutit svoje nohy k pohybu. Otevřel dveře a prakticky mě vystrčil ven.

Bylo jasno, na nebi se třpytila záplava hvězd.

Obrátila jsem se k němu. „Co se to… přesně stalo?"

Aled odtáhl ruku od hlavy, a jako by toho bylo málo, blond vlasy měl červené od krve. Chytila jsem ho za prsty a otočila mu ruku. Uprostřed dlaně se mu táhla tenká rána, jak se ohnal po máminých nůžkách, aby je odstrčil.

Vytrhl se mi. „To je dobrý. Ona je vždycky taková."

„Ubližuje ti?" naléhala jsem. „Řekni mi, jestli ti ubližuje. Hned teď. Myslím to vážně."

„*Ne*. Fakt ne, přísahám." Mávl poraněnou rukou. „Tohle byla jen nehoda."

„Tohle není správný. Nemůže prostě jen... nemůže... Co to mělo sakra být, jako vážně..."

„To nic není. Jdi domů, já ti pak napíšu."

„Jo, ale proč tě tak –"

„Ona tohle prostě dělá, je to pro ni taková hra. Napíšu ti."

„Ne, já si o tom chci s tebou promluvit, Alede –"

„Ale já nechci, do prdele."

Aled Last nikdy nemluvil sprostě, jen když to bylo doopravdy potřeba.

Zabouchl za mnou dveře.

A já s tím nemohla nic dělat.

Vůbec nic.

UNIVERSE CITY: Ep. 132 – telefon

UniverseCity 98 763 zhlédnutí

Útok kyborga (zase)

Transkript níže >>>

[...]

Přesně čtyřicet sedm minut – to mi ukázal můj lunometr – trvalo mé skrývání v telefonní budce u elektrárny na Tomsby Street. Tady by nikdy nikoho nenapadlo hledat. Všichni vědí, že v téhle budce straší. Nechci mluvit o tom, co se tu přímo přede mnou odehrálo.

Během skrývání a čekání byl čas přemýšlet a rozhodnout se. Nechám kyborga, aby mě navždy pronásledoval? Budu se každé dvě minuty ohlížet přes rameno a hledat ty oči jako korálky a praskající obvody? Ne. Tak se žít nedá. Ani mezi zlými, krutými barikádami v Universe City.

Tu a tam nějaký ten výprask snesu, starý brachu, to mi věř. Jsem v tomhle městě tak dlouho, kam až moje paměť sahá, nebo mi to tak připadá. Tohle už není ani volání o pomoc – bohové, kdyby mě někdo poslouchal, už by mi od tebe určitě přišla aspoň zpráva.

Tu a tam nějaký ten výprask snesu. Nejsem padavka. Jsem hvězda. Mám ocelovou hruď a diamantové oči. Kyborgové žijí a pak se rozbijí, ale já se nerozbiju. Nenechám se zlomit, i když prach z mých kostí odvane vítr přes hradby města, budu žít a poletím a budu se u toho smát a mávat.

[...]

VE TMĚ

Pokaždé, když mi na Tumblru přijde soukromá zpráva, dostanu e-mail. Takže říct, že když jsem si druhý den o přestávce ve škole zkontrolovala inbox a našla v něm dvacet sedm e-mailů s upozorněním na zprávu z Tumblru, dost mě to překvapilo, je slabé slovo.

Klikla jsem na appku Tumblru a prolétla si zprávy.

Anonym napsal:
jsi February Friday ty????

Zamračila jsem se, ale scrollovala jsem dál.

Anonym napsal:
Co si myslíš o těch zvěstech, že jsi ve skutečnosti February Friday? Xx

Anonym napsal:
NE ALE MUSÍŠ NÁM FAKT ŘÍCT JESTLI JSI FEBRUARY JE TO TVOJE POVINNOST BOHA FANDOMU

Anonym napsal:
vazne ses february friday??

Anonym napsal:
Tvoje příjmení doslova ve francouzštině znamená leden, kamarádíš se s Tvůrcem a tvoje stará škola vyhořela v únoru a v pátek... NÁHODA? Vysvětli to pls x

Dostala jsem přes sedmadvacet zpráv. Někdy v průběhu dopoledne mi k nim zjevně přestala chodit upozornění do mailu, protože už to asi Tumblr nestíhal. Všechny zprávy se týkaly February Friday.

Během pěti minut jsem odhalila zdroj téhle nové konspirace.

univers3c1ties
Potenciální February Friday?
Takže, lidi, tohle jsou všechno spekulace, ale co když je Frances Janvierová (touloser) February Friday? Trochu jsem zapátrala (ale nejsem žádný stalker, přísahám, lol) a myslím, že pro to je celkem dost argumentů
- Frances chodila na školu, která vyhořela 4. února 2011 (zdroj)
- Je fanynkou podcastu už od samého začátku – byla snad první, kdo o něm věděl?? Řekl jí o něm sám Tvůrce?
- Je jedním z nejznámějších jmen ve fandomu a teď pro podcast *pracuje*?? Zjevně je s Tvůrcem a s *Universe City* nějak propojená a neříká nám celou pravdu.
- *Její příjmení doslova znamená francouzsky leden. Náhoda??*
- A tyhle tweety v podstatě mluví samy za sebe:

toulouse @touloser
dopisy pro february friday jsou asi moje nejoblíbenější část každého dílu, tvůrce je geniální!!!
13 dub 11

toulouse @touloser
kéž by bylo víc dopisů pro february, v nových epizodách už se moc neobjevují ;_; ta trochu bláznivá změť slov mi chybí
14 pro 11

toulouse @touloser
Universe City mi doslova zachránilo život ♡
29 srp 11

Tak nevím. Kdy nám vláda konečně řekne pravdu? Lol. Všechno jsou to samozřejmě spekulace...
#universe city #universe citizens #radio silence #toulouse #frances janvierová #touladio #february friday #dopisy pro february

Nic z toho už mě ani v nejmenším nepřekvapovalo. Aled a já už jsme byli dávno mimo pohodlné soukromí jeho pokoje, kde jsme se jen mohli ve tmě smát do jeho mikrofonu.

Každopádně – žádný z těch argumentů nebyl jakkoli přesvědčivý.

Universe City vzniklo ještě předtím, než jsem vůbec potkala Carys, v době, kdy jsem Aleda ani neznala. Takže jsem nemohla být February Friday.

A taky jsem už věděla, že February Friday je Daniel.

Začínalo mě to upřímně řečeno trochu štvát.

Rozhodla jsem se, že Aledovi tenhle post neukážu. Stejně by s tím nemohl nic dělat.

Ale řekla jsem si, že bude lepší aspoň na jednu z těch zpráv veřejně odpovědět, jinak mi s tím lidi nedají pokoj.

Anonym napsal:
Co si myslíš o těch zvěstech, že jsi ve skutečnosti February Friday? Xx

touloser odpověděla:
February Friday nejsem já. U February Friday jde o to, že nikdo neví, o koho jde. Proč musejí všichni být tak posedlí tím, aby to byl někdo, kdo existuje i ve skutečném životě? V životě Tvůrce?? Myslela jsem, že jedním ze základních pravidel fandomu je respekt k soukromí Tvůrce, nebo ne? Zjevně má dobrý důvod, proč chce zůstat v anonymitě. Taky nevím, proč si myslíte, že se s Tvůrcem kamarádím. Přišlo mi přes padesát zpráv s dotazy, jestli jsem February. Už s tím přestaňte. Užívejte si poslech podcastu a už se mě na to neptejte, protože pro vás stejně nemám žádnou odpověď.

Byla jsem vyčerpaná. Každý pátek jsem byla po celém týdnu unavená, ale tohle bylo ještě horší. Pamatuju si, že to bylo horší, protože jsem usnula ve vlaku cestou do školy a zdál se mi sen o dvou nejlepších kamarádech, co žijí v ledové jeskyni.

Aled mi nenapsal a já si dělala starosti.

Nevěděla jsem, co mě tolik stresuje. Nebyla to jedna konkrétní věc, spíš miliarda malých věcí, které se spojily v jednu obří přívalovou vlnu stresu. Měla jsem tak trochu pocit, jako bych se topila.

Než zazvonilo na konec přestávky, ještě jednou jsem si zkontrolovala zprávy na Tumblru. A v tu chvíli jsem tam našla tuhle.

Anonym napsal:
Píšeš, že nevíš, proč si myslíme, že se kamarádíš s Tvůrcem, a my přitom doslova máme důkaz, že Tvůrce je tvůj kamarád Aled Last.

SLAVNÝ NA YOUTUBE

„To máš fakt každej den k obědu to samý?"

Zvedla jsem oči od svého panini se šunkou a sýrem. K našemu obvyklému stolu v jídelně pro šesťáky si právě sedala Raine Senguptová. Z ramene jí visel zářivě oranžový batoh, v druhé ruce držela mobil. Zbytek naší party ještě nedorazil.

„Nemám žádnou fantazii," opáčila jsem, „a nenávidím změny."

Raine přikývla, jako by to bylo naprosto validní vysvětlení.

„Jak to vůbec víš?" zeptala jsem se.

„No, kámo, ty celkem vyčníváš. Sedíš tu sama u stolu tak deset minut předtím, než dorazí ostatní."

„Aha." Super. „To je naprostej opak toho, o co se snažím."

„Takže tohle není tvůj zamýšlenej obědovej vibe?"

„Spíš jsem se snažila o ‚neviditelná holka si chce v klidu sníst svůj sendvič'."

Raine se zasmála. „To je ultimátní sen nás všech!"

Taky jsem se zahihňala a Raine hodila batoh na židli naproti mně. Podle toho, jaká se ozvala rána, musel vážit nejmíň polovinu toho co já.

Snažila jsem se nemyslet na tu zprávu o Aledovi. Od velké přestávky jsem se na Tumblr ani nepodívala.

Raine se opřela loktem o desku stolu. „Jen jsem si říkala, že bys asi měla vědět, že před školní branou je nějaká mela a týká se Aleda Lasta."

„Cože?"

„Jo... asi sem přišel, protože byl s Danielem domluvenej na oběd, a... přepadla ho tam banda děcek."

Odložila jsem sendvič.

„Cože?" zopakovala jsem.

„Vyptávají se ho na *Universe City*. Asi bys tam měla skočit a mrknout se, o co jde. Než ho totálně ušlapou."

Okamžitě jsem vyskočila na nohy. „Bože, jo – to teda."

„Ani jsem nevěděla, že jste tak dobrý kámoši," prohodila Raine a vytáhla z batohu krabičku s obědem. „Celkem překvapivý."

„Proč?" zeptala jsem se, ale ona jen pokrčila rameny.

Nižší ročníky Akademie, od sedmého do jedenáctého, nosí žlutočernou uniformu, takže to vypadalo, že na Aleda útočí roj přerostlých včel.

Před hlavní branou školy ho obestoupilo asi patnáct puberťáků a zasypávali ho otázkami, jako by byl opravdická, nefalšovaná celebrita. Jeden starší kluk si ho fotil na mobil. Skupinka sedmaček se zachichotala pokaždé, když něco řekl. Jeden kluk ze sedmého ročníku na něj opakovaně pokřikoval otázky a ani nečekal na odpověď. „Jak se ti povedlo stát se slavným na YouTube? Jak mám získat víc sledujících na Instagramu? Dáš mi follow na Twitteru?"

Zastavila jsem se pár kroků od nich.

Jak se to dozvěděli?

Jak věděli, že Aled je Radio Silence?

Tohle jsme nechtěli.

Tohle *Aled* nechtěl.

Konečně si mě všiml.

Nechal si ostříhat vlasy. Vypadal teď tak nějak... normálně.

Už zas měl na sobě džíny a svetr.

Tvářil se zoufale.

„To ty?" zeptal se mě, akorát že já ho neslyšela, jen jsem viděla, jak pohybuje rty. Neslyšela jsem ho a tak mě to nakrklo, že jsem měla sto chutí se davem prodrat hlava nehlava a seřvat všechny do kuličky, aby ho nechali na pokoji.

„Tys jim to řekla?!"

Vypadal vztekle.

A zklamaně.

A to stačilo, abych uvěřila, že jsem jedno velké zklamání, i když jsem za nic z toho nemohla. Já jsem jeho největší tajemství nevyzradila.

„TAK FAJN, LIDI."

Neudržela jsem se a začala jsem křičet.

Horda dětí se na mě otočila a trochu utichla.

„Nevím, co si myslíte, že děláte, ale během oběda nesmíte opustit budovu školy, pokud nejste v maturitním ročníku, a jak vidím, to tady nikdo z vás není, takže bych vám doporučila se urychleně vrátit dovnitř."

Všichni na mě jen tupě zírali.

Počastovala jsem je přísným pohledem a pokusila se každému z nich podívat přímo do očí. „A to tak, že hned. Sice už nejsem primuska, ale moje slovo pořád ještě u Afolayanový platí."

Zabralo to. Ono to opravdu zabralo.

Nevím, jestli to víte, ale když jste student, je enormně obtížné přimět ostatní studenty, aby vás poslechli.

Mladší žáci se rozprchli, takže jsme s Aledem před branou osaměli. Aled na mě třeštil oči, jako by mě viděl poprvé v životě.

Nejspíš jsem si ve své školní uniformě a rovnající do latě mladší studenty nebyla vůbec podobná.

Aled zavrtěl hlavou. Spíš než cokoli jiného vypadal ohromeně.

„O co tady jde?" Ticho proťal Danielův hlas a já se otočila a uviděla ho, jak vychází ze školy a míří k nám.

„Oni..." Cítila jsem, jak se mi láme hlas. „Oni zjistili, že Aled je Tvůrce. Vědí to všichni."

„Bylas to ty?" zeptal se znovu Aled, jako by tu Daniel ani nebyl.

„*Ne*, Alede, přísahám –"

„Já to nechápu," zoufal si Aled, zdálo se, že má slzy na krajíčku. „Mělo to – potřeboval jsem, aby to bylo tajemství. Určitě jsi jim to neřekla? Třeba jsi to plácla omylem..."

„Ne, ptali se mě na to, ale já jsem ne – nic jsem jim neřekla. *Přísahám*."

Aled jen znovu potřásl hlavou, ale podle všeho to gesto nebylo určené mně.

„To je konec," hlesl.

„Cože?" nechápala jsem.

„Tohle je konec. Přijde na to moje máma a zakáže mi to."

„Počkej, *cože*? Proč by to dělala?"

„To je konec," zopakoval Aled, jako by mě neslyšel, a oči se mu zamlžily. „Jdu domů." Otočil se na podpatku a šel pryč, Daniel v závěsu za ním a já netušila, jestli mi uvěřil, nebo ne.

NA INTERNETU JE LHANÍ SNAZŠÍ

Na internetu je lhaní snazší.

touloser
hele, lidi... Aled Last není Tvůrce. Jo, Aled Last je v reálném životě můj kamarád, ale to vůbec nic neznamená. Tvůrce je prostě někdo, koho znám jen online. A opakuju – ne, já nejsem February Friday.
Přestaňte Aleda stalkovat, přestaňte dávat na internet jeho fotky. Přestaňte Tvůrci posílat otravné dotazy. Aled je můj moc dobrý kamarád a vy mu absolutně vůbec nepomáháte.
díky čau
#už mám těch fám plné zuby #jako mohli byste se všichni uklidnit pls #upřímně kéž byste nikdy nezjistili kdo jsem #universe city #universe citizens #radio silence #touloser

Nevím, proč jsem nebyla schopná přesně tohle říct Jess a všem ostatním už dřív.

Okamžitě mě zaplavila vlna zpráv plných obvinění, že lžu.

Anonym napsal:
lol my víme že lžeš

Anonym napsal:
Tvl proč vůbec něco takovýho píšeš??

Anonym napsal:
TEĎ najednou se tváříš, jako že umíš lhát

Netušila jsem, jak můžou vědět, že lžu, dokud jsem neposlala odkaz na svůj post Aledovi.

Jeho odpověď přišla takřka okamžitě.

Aled Last
to je k ničemu oni vědí že to jsem já

Frances Janvierová
Jak to??? Vždyť nemají důkazy???

A Aled mi poslal odkaz na jiný příspěvek na Tumblru.

universe-city-analyza-blog
Aled Last = Tvůrce?
Dneska se pod tagem UC hodně probírá, jestli je hlas a Tvůrce Universe City ve skutečnosti náctiletý kluk jménem Aled Last z Kentu v Anglii.
Řekl jsem si, že by asi všem prospělo, kdyby byly všechny důkazy, které máme, na jednom místě. Většina z nich pochází od nové ilustrátorky UC Frances Janvierové (touloser) a myslím, že plně potvrzují naše závěry.
- Lidi z okolí Frances touloser (ilustrátorky UC a hlasu postavy Toulouse) potvrdili, že se přes léto hodně skamarádila s Aledem Lastem – byli spolu viděni ve vesnici, kde oba bydlí,

a na osobních profilech na Facebooku mají společné fotky. Tohle je začátek spekulací ohledně Aleda Lasta.

- Když dostala Frances otázku, jestli je Aled Last Tvůrce, údajně odpověděla „nesmím to říct" [zdroj – očividně nám nezbývá než téhle osobě věřit]. Kdyby Aled Last nebyl Tvůrce, bylo by přece nejjednodušší prostě potvrdit, že není.
- Stejně tak Frances neodpověděla na otázky ohledně Aleda Lasta na svém Tumblru ani na Twitteru navzdory tomu, že celá řada lidí tvrdí, že se jí na to ptali. A opět – proč prostě jen neřekla, že Aled Last není Tvůrce?

Jistě, nic z toho není nezvratný důkaz, že Aled Last je Tvůrce. Nejpřesvědčivější důkazy jsme získali až minulý měsíc:

- V noc, kdy vyšla dnes již proslulá epizoda „škola duchů", se na twitterovém účtu Frances @touloser objevila rozmazaná fotka limetkově zelených bot s popiskem „Radio – odhalení" [odkaz]. Aled Last má stejné boty na několika fotkách, které se dají najít na jeho osobním facebookovém profilu:
    - [fotka]
    - [fotka]
    - [fotka]
- Tyhle boty jsou klasické plátěnky Vans ve starším designu, který se už několik let neprodává [zdroj]. Z Aledova profilu na Facebooku je zřejmé, že je vlastní už tři nebo čtyři roky. Nejspíš k nim má vztah, protože většina lidí by je po tolika letech už vyhodila – velmi málo lidí nosí ten samý pár bot tak dlouho.
- Na některých screenshotech z dílu „škola duchů" je rovněž vidět postava s delšími blond vlasy, která se podobá Aledovi na těchto fotkách:
    - [fotka]
    - [screenshot]
    - [screenshot]

Klidně si z toho vyvoďte vlastní závěry. Ale podle mě je skoro definitivně jisté, že Aled Last je Tvůrce podcastu Universe City.

Pod příspěvkem bylo přes deset tisíc komentářů.

Bylo to nechutné. Lidi, kteří Aleda znali v reálném životě, mu prostě stáhli fotky ze soukromého Facebooku. Odposlouchávali mě při rozhovoru s Jess a klidně mě *citovali*. Co se to dělo? Kdo si mysleli, že jsem? Nějaká celebrita?

A nejhorší na tom bylo, že měli pravdu.

Aled Last byl Tvůrce. Dali dohromady všechny důkazy a přišli na něj.

A mohla jsem za to já a jen já.

Frances Janvierová
Kruci... Strašně mě to mrzí alede ani nemůžu vypovědět jak moc

Aled Last
to nic

ČASOVÝ VORTEX

V šest večer mi na Facebooku přišla zpráva od Raine.

(18:01) **Lorraine Senguptová**
Hele jak to nakonec dopadlo s aledem?? všechno vpo-ho??

(18:03) **Frances Janvierová**
Všichni už vědí, že je Tvůrce. Zjistili to lidi na Tumblru :\

(18:04) **Lorraine Senguptová**
A jemu to vadí??

(18:04) **Frances Janvierová**
Dost

(18:05) **Lorraine Senguptová**
Proč??
To si fakt stěžuje na to že ho na netu sleduje hodně lidí lol?
Skoro by se mi chtělo říct ať nefňuká tbh…

(18:07) **Frances Janvierová**
Podle mě ale fakt chtěl zůstat v anonymitě
Kdybys ten podcast poslouchala, tak bys to pochopila, je to pro něj hodně osobní

(18:09) **Lorraine Senguptová**
Jo ale na světě jsou horší věci než se proslavit na internetu lol

Nejradši bych jí řekla, že o to ale vůbec nejde.
Jak to Aled říkal? Že mu to jeho máma zakáže?
Možná jen přeháněl. Nebo by mu to fakt zakázala?
Proč by to dělala?

(18:14) **Lorraine Senguptová**
Proč seš tím bledým chlapečkem vůbec tak posedlá lol

(18:15) **Frances Janvierová**
Já jím nejsem posedlá haha
Jen mi s ním je asi dobře no

(18:16) **Lorraine Senguptová**
Jakože s ním chceš píchat??

(18:16) **Frances Janvierová**
NE panebože
To nemůžu mít nějakýho kluka ráda jen tak, aniž bych s ním chtěla něco mít?

(18:17) **Lorraine Senguptová**
Jasněže jo lol!!! Jen se ptám ☺
A proč ho teda máš ráda??

(18:18) **Frances Janvierová**
Asi se s ním cítím míň divná

(18:18) **Lorraine Senguptová**
Pže je taky divnej?

(18:19) **Frances Janvierová**
Haha jo

(18:20) **Lorraine Senguptová**
To je ňuňu
No já myslím, že jsi pro něj každopádně dobrá kamarádka, takže dobře ty
Ale nemyslím si, že by aled měl právo se naštvat... doslova se naštval kvůli tomu, že je slavnej
A to nemluvím o tom, že je jeden z nejchytřejších lidí na jejich škole!! Na jakou že to jde vejšku? Třetí nejlepší hned po Oxfordu a Cambridgi? Jako víš co, ať se jde bodnout!!!
Nemá nárok si na cokoli stěžovat. Má doslova dokonalej život. Top univerzita, megaúspěšnej kanál na youtubu, tak proč fňuká?? Protože se ho pár děcek chce na něco zeptat? To je fakt největší debilita, co jsem kdy slyšela.
Klidně bych si to s ním vyměnila, kámo, tak dokonalej je jeho život

Už zase jsem nevěděla, co na to říct, a upřímně řečeno jsem jen chtěla celou konverzaci ukončit. Nejradši bych odletěla do nebe a chytila se nějakého letadla a zmizela v dáli.

(18:24) **Lorraine Senguptová**
Máš problematickýho oblíbence lol

(18:24) **Frances Janvierová**
Jo to asi jo haha

(18:27) **Lorraine Senguptová**
P.s. ideš dneska na tu akci do spoons??

(18:29) **Frances Janvierová**
Jakou akci?

(18:30) **Lorraine Senguptová**
Svolali to lidi z vyššího ročníku. Poslední den než většina lidí vypadne na vysokou

(18:32) **Frances Janvierová**
Já tam vlastně nikoho neznám
Jen bych seděla někde v koutě a žrala chipsy nebo tak něco

(18:32) **Lorraine Senguptová**
Znáš mě!! A možná tam bude i aled??

(18:33) **Frances Janvierová**
Vážně?

(18:33) **Lorraine Senguptová**
No... nevím... ale já tam rozhodně budu!!

Nechtělo se mi nikam chodit. Chtěla jsem zůstat doma a objednat si pizzu a pustit si sedm dílů *Odboru městské zeleně* za sebou a poslat sedmdesát zpráv Aledovi.

Jenže teď už by bylo trapné říct ne a já jsem fakt stála o to, aby mě Raine měla v oblibě, protože mě moc lidí v oblibě nemělo. Jsem slabá a divná a osamělá a taky jsem debil.

„Panebože, Frances, ta *bunda*!“

Bylo devět večer a Raine parkovala se svým autem – fialovým Fordem Ka, který vypadal, že se co nevidět samovolně vznítí – před mým domem a sledovala, jak se k ní blížím. Měla jsem na sobě černou džínovou bundu, která měla na rukávech bíle napsané „tomboy“. Vypadala jsem skvěle (směšně). Obvykle, když jsem někam šla s kamarádkami, snažila jsem se oblékat poměrně normálně, ale dneska jsem měla příšernou náladu a nezáleželo mi vůbec na ničem kromě toho, co jsem udělala Aledovi. Oblečení je jako okno do duše.

„To bylo jako ‚panebože, vypadáš naprosto směšně‘?“ zeptala jsem se a sedla si na místo spolujezdce. „Protože takovou reakci bych plně chápala.“

„Ne, jen jsem nevěděla, že… jdeš tak do pop-punku. Myslela jsem, že tady budu svádět na scestí vzornou šprtku, ale… ty ve skutečnosti nejsi žádnej nerd, co?“

Zdálo se, že to myslí upřímně.

„Tohle je pravda, tohle jsem já,“ řekla jsem.

Raine zamrkala. „Ty mi tu fakt cituješ *Camp Rock*? To není moc pop-punkový.“

„Já musím jít cestou svou.“

„Tak za prvý, to je z *Muzikálu ze střední*…“

Vyjely jsme z vesnice. Raine na sobě měla bílé tenisky na platformě a proužkované ponožky, šedé trikošaty a pánskou bundu. Jako vždycky vypadala tak nenuceně cool, jako z reklamy v nějakém indie časopisu, který se dá koupit jen online.

„Tobě se fakt nechtělo jít, co,“ zhodnotila Raine a zazubila se. Otočila volantem. Řídila překvapivě dobře.

„Haha, copak mám něco jinýho na práci?“ prohodila jsem, ale nezmínila jsem se o tom, že se potím až za ušima nervozitou z toho, že musím zase do Spoons, protože tam bude spousta lidí ze školy a lidi z vyššího ročníku, které jsem znala jen dost málo, a bude mi tam trapně a taky tam budou děsivé hloučky kluků a rozhodně jsem si měla na sebe vzít něco nudnějšího a jediný důvod, proč jsem nakonec kývla, jediný důvod, proč bych tohle všechno chtěla ještě někdy zažít, byl ten, že existovala šance, že se budu moct omluvit Aledovi a budeme zase kamarádi předtím, než zítra odjede na vysokou a najde si nové přátele a na mě úplně zapomene...

„Přesně," kývla Raine.

Najeli jsme na dálnici. Raine sundala jednu ruku z volantu a zapnula rádio, pak vytáhla z kapsy iPod a něco na něm namačkala. Z repráků v autě začala hrát hudba.

Ozvaly se elektronické bicí a basa.

„Kdo to je?" zeptala jsem se.

„Madeon," odpověděla Raine.

„Zní cool," řekla jsem.

„Tohle mám na projížďky nejradši."

„Projížďky?"

„Jo. Ty se nikdy nejedeš jen tak projet?"

„Já neřídím. Nemůžu si to dovolit."

„Tak si najdi nějakej džob, kámo. Já jsem celý léto makala čtyřicet hodin tejdně, abych si vydělala na tuhle kraksnu." Poplácala volant. „Naši jsou fakt chudý, auto by mi nikdy koupit nemohli, a já jsem ho jako vážně potřebovala. Potřebovala jsem vypadnout z města."

„A kde jsi pracovala?"

„V Hollisteru. Jsou to pěkný náfukové, ale aspoň platěj."

„To je fér."

Raine dala hudbu víc nahlas. „Jo, a tenhle Madeon je stejně starej jako já. Asi proto se mi jeho muzika tak líbí. Nebo mám prostě jen pocit, že mrhám svým životem."

„Zní to, jako bys byla ve vesmíru," řekla jsem. „Nebo ve futuristickým městě, kde je všechno temně modrý a nosí se stříbrný oblečení a nad hlavou lítají vesmírný lodě."

Raine na mě upřela pohled. „Ty jsi fakt hodně velká fanynka *Universe City*, co?"

Zasmála jsem se. „Jo, až nadosmrti."

„Poslechla jsem si pár epizod. Těch novějších, co jsi v nich i ty."

„Vážně? A co na to říkáš?"

„Je to cool." Odmlčela se, jako by přemýšlela. „Je to... něco na tom je. Ty příběhy nejsou nějaký úchvatný literární dílo nebo tak, ale ty postavy, ten vymyšlenej svět, ten jazyk... tak nějak tě to hypnotizuje. Jo, fakt dobrý to je."

„Takže se podle tebe Radio a Toulouse k sobě hodí?" Za poslední měsíc rostl počet lidí, kteří si přáli, aby spolu Radio a Toulouse začali chodit, což byl trochu zvláštní pocit, protože jsme to byli já a Aled a spousta lidí si myslela, že postavy odpovídají lidem ve skutečném životě. Už asi tři lidi se mě ve škole zeptali, jestli s Radiem chodím i v reálu. A my jsme přitom nikdy ani nenaznačili, že by vztah mezi Radiem a Toulouse měl být jakkoli romantický.

Raine se nad tím krátce zamyslela. „Hmm. Já nevím. O to tam tak úplně nejde, ne? Jako jasně, kdyby se dali dohromady, bylo by to fajn, ale kdyby ne, tak to nic nepokazí ani nezmění. Tenhle podcast není lovestory."

„To si doslova přesně myslím taky."

Hudba začala zničehonic hrát ještě hlasitěji. Raine přeřadila a přejela do druhého pruhu.

„Fakt se mi to líbí," poklepala jsem na autorádio.

„Cože?" křikla Raine. Hudba byla až moc nahlas.

Jen jsem se zasmála a potřásla hlavou. Raine mi věnovala zmatený úsměv. Bože, skoro jsem ji neznala, ale z nějakého důvodu jsem tu seděla vedle ní a matně mi připadalo, že se docela bavím. Před námi se táhla temně modrá dálnice plná blýskavých světel. Vypadalo to jako časový vortex.

Raine znala všechny, co dorazili do Spoons, do posledního človíčka. Všechny lidi, co před čtyřmi měsíci odmaturovali a teď šli naposled zakalit, než se druhý den rozjedou každý na jinou univerzitu a postupně se spolu přestanou bavit.

Stačily tři rozpačité konverzace, aby mi bylo jasné, že bez alkoholu to nepůjde, a Raine mi donesla drink, protože mně ještě nebylo osmnáct a nenalili by mi. Sama pila jen vodu, protože tu byla autem, ale v jednu chvíli mi řekla: „Jo, už nějakou dobu nechlastám, protože pod vlivem jsem dělala fakt děsný vylomeniny," a já přemítala, co tím přesně myslí. Neměla jsem tolik pít, ale rozpačité konverzace s lidmi, které jsem neznala, by mě jinak nejspíš emocionálně rozložily.

Bylo tu narváno. Naháněło mi to hrůzu.

„Jo, měli jsme jet s mojí holkou minulej měsíc do Disneylandu," vykládal mi nějaký kluk, když jsem čekala, až mi Raine donese třetí drink. „Ale pak jsme se rozhodli ty peníze radši ušetřit, protože ani jeden jsme nedostali ubytovací stýpko, takže teď potřebuju prachy, než si najdu nějakou brigošku."

„Cože? Já myslela, že ubytovací stipendium dostane každej," podivila jsem se.

„Ne, jenom příspěvek na ubytování, a ten je tak nízkej, že stejně nepokryje kolejný nebo nájem, pokud nebydlíš v nějaký totální díře. Stipendium dostanou jen lidi, co jsou chudý, nebo děti samoživitelek a tak."

„Aha," hlesla jsem.

„Jo, všichni si mysleli, že primus z chlapecký školy se dostane na Cambridge," vykládala nějaká holka o půl hodiny později. Seděla jsem u kulatého stolu a pila čtvrtý drink a Raine se bavila se čtyřmi lidmi naráz. Holka potřásla hlavou. „Už od sedmýho ročníku byl premiant. Ale pak se tam nedostal. Sedm jiných lidí vzali, ale jeho ne. A to přitom všichni tak dlouho pořád prohlašovali, jo, ten se tam určitě dostane. Bylo to hrozný."

„To je smutný," řekla jsem.

„Upřímně řečeno fakt nevím, co dělám," řekl další kluk, měl na sobě džínovou bundu a tričko s Joy Division. Divně se hrbil, jako by se za něco styděl. „Ani nevím, jak jsem prolezl do druháku. Vůbec nic jsem nedělal. No a teď jsem v druháku a je to... jako upřímně fakt nevím, co dělám." Upřel na mě pohled, vypadal unaveně. „Kéž bych se mohl vrátit v čase a udělat věci jinak. Kéž bych mohl všechno změnit... udělal jsem hodně blbostí... udělal jsem hodně blbostí..."

Ze Spoons se jako obvykle šlo k Johnnymu, ale nikdo si pořádně nevšiml, kdy přesně jsme se tam přesunuli. Neměla jsem ani ponětí, jak jsem se tam dostala bez občanky, ale byla jsem tam, opírala jsem se o levý vzdálenější konec barového pultu a v ruce měla sklenici s něčím, co vypadalo jako voda, ale podle chuti to rozhodně voda nebyla.

Otočila jsem hlavu doleva a uviděla holku, která podle všeho dělala přesně to, co já – opírala se o bar a upírala prázdný pohled do davu. Přistihla mě, jak si ji prohlížím, a obrátila se ke mně. Byla klasicky krásná – velké oči, plné rty – a taky měla ty nejlepší vlasy, co jsem kdy viděla. Sahaly jí až do pasu a měla je nabarvené na tmavě fialovou, ale některé části byly vybledlé do šedo-šeříkové barvy. Připomnělo mi to Aleda.

„Jsi v pohodě?" zeptala se mě.

„Ehm, jo," vykoktala jsem. „Jo."

„Vypadáš trochu jetě."

„Ne, jen se nudím."

„Haha, jo, já taky."

Rozhostilo se ticho.

„Ty chodíš na Akademii?" zeptala jsem se.

„Ne, ne. Už jsem na vysoký. Po požáru jsem chodila na chlapeckou."

Takhle to popisovali lidi, co chodili na moji bývalou školu, která vyhořela, a potom museli přejít na chlapeckou školu.

„Aha, jasně."

Usrkla si pití. „Ale nelíbí se mi tam. Asi s tím seknu."

„S čím?"

„S vysokou. Začíná mi druhák, ale..." Odmlčela se. A já se zamračila, nemohla jsem si pomoct. Proč by se někomu nelíbilo na vysoké?

„Asi půjdu domů," řekla.

„Ty tu nemáš kamarády?"

„Jo, mám, ale... já nevím. Myslím, že nejsem ten typ, co... nevím."

„Co?"

„Dřív mě to tu bavilo, ale teď..." Zničehonic se rozesmála.

„Co?" zopakovala jsem.

„Jedna z mých kámošek... vždycky říkala, že mě to jednoho dne omrzí. Vždycky když jsem ji sem tahala, když nám bylo osmnáct, tak odmítala. Pokaždý prohlásila, že ne, že se jí tu nebude líbit, a pak dodala, že mně se tu taky nakonec přestane líbit, takže je jen přede mnou napřed." Znovu se zasmála. „No, jako obvykle měla pravdu."

„Aha, a je tu i teď?"

Holka mě propíchla pohledem. „Ne..."

„Zní jako hustá typka."

Prohrábla si rukou dlouhé vlasy. Ve světlech diskotéky vypadala jejich fialová barva tak nádherně, že mi připomínala vílu. „To je." Podívala se kamsi za mě, v tom přítmí jsem jí neviděla do očí. „Nemůžu uvěřit, že měla celou tu dobu pravdu," vzdychla, nebo aspoň myslím, moc jsem ji neslyšela, protože hudba duněla příliš nahlas, a já se užuž nadechovala, abych řekla: „Cože?", ale ona jen povytáhla obočí a s nuceným úsměvem prohodila: „Tak čau někdy." Už jsem ji pak nikdy v životě neviděla. Potom zmizela a já se zahloubala nad tím, jestli se taky přestanu bavit s Aledem, až bude pryč, a jednoho dne budu jen sedět na diskotéce s drinkem a zírat na to, jak kamarádky tancují, prázdné šedivé tváře lidí, které jsem nikdy neviděla, utopené v hluku.

Dopila jsem svoje pití na ex.

SORRY

„Frances, Frances, Frances, Frances, Frances..." Raine ke mně doběhla do třetího patra diskotéky, kde zrovna hráli dubstepový remix písničky „White Sky" od Vampire Weekend.

Byla jsem opilá a moc jsem nevěděla, co dělám a proč. Prostě jsem to jen dělala.

Raine si nesla kelímek s čirou tekutinou a já si na vteřinu pomyslela, že je to fakt hodně velký kelímek plný vodky.

Všimla si, že si ho prohlížím. „Kámo, to je jen voda!" zasmála se. „Vždyť řídím!"

Nad našimi hlavami začala hrát skladba „Teenage Dirtbag".

Raine zamávala rukou ve vzduchu a ukázala na strop. „Kááámo! Frances, na tohle si musíme trsnout."

Zasmála jsem se a smála jsem se dál, jako vždycky, když jsem se opila. Šla jsem za ní mezi tančící lidi. Ze všech stříkal pot a nejmíň čtyři kluci se na mě pokoušeli natlačit rozkrokem. Jeden mi sáhl na zadek a já byla příliš bojácná na to, abych se nějak ohradila, ale Raine na něj vylila svoji vodu a seřvala ho. Zasmála jsem se. Raine se taky smála. Stejně jsem vůbec neuměla tancovat. Zato Raine tancovala skvěle. Taky byla moc hezká. Byla jsem opilá a přemítala jsem, jestli do ní nejsem zamilovaná, a to mě rozesmálo ještě víc. Ne. Nejsem zamilovaná do nikoho.

V zorném poli se mi míhal Aled, jako by se teleportoval z místa na místo. Byl kouzelný tolika způsoby, ale ani do něj jsem nebyla zamilovaná, i když mu to v košili tolik slušelo a měl tak krásné a rozcuchané vlasy a byl zpocený jako my všichni. Později jsem tančila s Mayou na nějakou ujetou písničku od London Grammar a Maya křičela: „Frances, to je, jako bys byla úplně jinej člověk!" a já jsem zahlédla Aleda v koutě, jak se s někým baví – jasně, byl to Daniel, samozřejmě. Potřebovala jsem si s Aledem promluvit, ale nechtěla jsem, aby mě nenáviděl, tak strašně moc jsem chtěla, aby to zas bylo v pohodě, jenže jsem nevěděla, jak to napravit.

Teď, když jsem věděla, že jsou Aled s Danielem pár, jsem si všímala spousty drobností, které jsem předtím neviděla, jako třeba jak se Daniel na Aleda dívá, když mluví, jak ho táhne za paži a Aled s ním beze slova jde, jak se k sobě během řeči naklánějí, jako by se chystali si dát pusu. Fakt jsem byla úplně blbá.

Maya a Jess a dva kluci, Luke a Jamal, byli taky opilí a během tancování pomlouvali Raine, byl to takový multitasking. Tvrdili, že je coura, nebo nevím co, a že jim je z ní trapně. Zatímco kluci mluvili, Maya po mně střelila divným pohledem a mně došlo, že viděla, jak se na ně mračím.

Pořád jsem přemýšlela o tom, co mi řekla ta holka s fialovými vlasy, která chtěla seknout s vysokou. Hloubala jsem nad tím, protože jsem to vůbec nechápala, nikdy jsem nikoho neslyšela, že by něco takového říkal, ale na druhou stranu... *samozřejmě* že na univerzitě se nemohlo líbit úplně všem. Já jsem ovšem věděla, že mně se tam líbit bude. Takže na jejích slovech nezáleželo. Byla jsem studijní mašina Frances Janvierová. Půjdu na Cambridge a pak si najdu dobrou práci a budu vydělávat hromady peněz a budu šťastná.

Nebo ne? Ano. Univerzita, práce, peníze, štěstí. Tak se to dělá. To je ten správný recept. To ví každý. Já jsem to taky věděla.

Z toho dumání mě rozbolela hlava. Nebo možná z té přeřvané hudby.

Sledovala jsem, jak Aled a Daniel míří ke schodišti, a tak jsem samozřejmě vyrazila za nimi, ani jsem se neobtěžovala říct Raine, kam jdu. Bude v pohodě, dokáže se bavit s každým. Nevěděla jsem, co řeknu, ale věděla jsem, že něco říct musím, nemohla jsem to takhle nechat, nechtěla jsem se cítit takhle osamělá. Byla jsem blbá, když jsem si myslela, že by mě Aled mohl považovat za svoji nejlepší kamarádku, když měl Daniela, který v jeho životě byl už přede mnou, už tak dlouho, i když to byl nejlepší a nejbáječnější kamarád, jakého jsem kdy za celý život měla, a možná až do smrti už nikdy tak úžasného člověka nepotkám.

Skoro se mi ztratili v davu, protože všichni najednou vypadali stejně, samé upnuté džíny a minišaty a podholené účesy a tenisky na platformě a sluneční brýle a sametové gumičky do vlasů a džínové bundy. Prodrala jsem se ven mezi kuřáky a nemohla jsem uvěřit, jaká je zima – nebylo snad ještě léto? Počkat – ne, už byl skoro říjen. Jak se to stalo? Venku bylo takové ticho, zima a ticho a tma...

„Jé," hekl Aled, když jsem do něj prakticky vrazila. Ani jeden z nás samozřejmě nekouřil, ale vevnitř bylo tak horko, že jsem měla pocit, že se rozteču. Ne že bych si na to pak stěžovala – vyřešilo by to skoro všechny moje problémy.

Zdálo se, že je tu Aled sám, v jedné ruce držel drink, na sobě měl jednu ze svých nudnějších košil s dlouhým rukávem a úplně obyčejné těsné džíny. A jeho vlasy... Vůbec si nebyl podobný. Chtěla jsem ho obejmout, jako by ho to mohlo proměnit zpátky v jeho normální já.

Venku byla tma a i tady se tísnila spousta lidí a všechny lavičky byly obsazené. Ze dveří diskotéky se linul nějaký remix „Chocolate" od The 1975 a já div neprotočila panenky.

„Strašně se omlouvám," vyhrkla jsem okamžitě, i když to znělo tak *dětinsky*. „Myslím to upřímně, Alede. Já... nedokážu ani vypovědět, jak moc..."

„To je v pohodě," pronesl s kamennou tváří, očividně lhal. „Jen mě to překvapilo. Ale to nic."

Nevypadal, že by ho to jenom překvapilo.

Vypadal, jako by se mu chtělo umřít.

„*Není* to v pohodě. Není to v pohodě. Nechtěl jsi, aby se o tom vědělo, a teď to vědí všichni. A tvoje máma, jako... říkal jsi, že ti to možná zakáže nebo tak něco..."

Aled stál s překříženýma nohama, neměl na sobě svoje zelené tenisky – místo nich měl takové obyčejné bílé, které jsem na něm ještě neviděla.

Lehce zavrtěl hlavou. „Já jen... nechápu, proč jsi nemohla prostě *zalhat*. Proč jsi neřekla ne, když se tě ptali, jestli jsem to já."

„Já..." Taky jsem nechápala, proč jsem nedokázala jednoduše zalhat. Vždyť jsem lhala pořád. Kdykoli jsem vkročila do školy, celá moje osobnost byla jedna velká lež, no ne? Ne, počkat... školní Frances nebyla lež, byla jen... já nevím... „Já se... omlouvám."

„Jo, jo, tos už říkala," utrhl se na mě Aled. Doopravdy se rozčilil.

Jen jsem chtěla, aby byl v pohodě. Chtěla jsem, aby to mezi námi bylo v pohodě.

„Jsi v pohodě?" zeptala jsem se.

Probodl mě pohledem.

„Jo, jsem," řekl.

„Ne," zavrtěla jsem hlavou.

„Co?" prskl on.

„Jsi v pohodě?" zopakovala jsem.

„Jo, vždyť povídám, že jo!" rozkřikl se a já málem ucouvla. „Ježíšikriste, prostě se to stalo a je to. Nemůžeme s tím nic dělat, tak z toho nedělej ještě větší problém!"

„Ale pro tebe to je problém..."

„To je jedno," odsekl Aled a já měla pocit, že se roztříštím na milion kousíčků a ty rozfouká vítr. „Je trapný to takhle řešit, takže je to fuk."

„Ale tobě to vadí..."

„Prostě o tom přestaň mluvit!" Jeho hlas zněl hlasitěji, ozývala se v něm panika.

„Jsi můj nejdůležitější kamarád," prohlásila jsem.

„Nemáš snad jiný věci, který bys měla řešit?" zeptal se.

„Ne." Zasmála jsem se, ale bylo mi do pláče. „Ne, můj život je v pohodě, absolutní nuda a pohoda. Nikdy se v něm nic neděje. Mám dobrý známky a skvělou rodinu a to je celý. Doslova si nemám na co stěžovat. To se nesmím zajímat o problémy svých kamarádů?"

„Můj život je v pohodě!" řekl Aled, jeho hlas zněl ochraptěle.

„V pohodě!" řekla jsem, nebo jsem možná zařvala, možná jsem byla opilejší, než jsem si myslela. „V pohodě, v pohodě, v pohodě, v pohodě, v pohodě. Všechno je v pohodě. Všichni jsme v pohodě."

Aled o krok ustoupil a vypadal, že ho to ranilo, a já věděla, že jsem *už zase* udělala něco špatně, proč jsem tak blbá?

„O co se tady snažíš?" domáhal se zas o něco hlasitěji. „Proč jsi mnou tak posedlá?"

Bolelo to, jako by mě bodl přímo do srdce.

„Já jen – já tě vyslechnu!"

„Já nepotřebuju, abys mě vyslechla! Nechci o ničem mluvit! Přestaň se na mě věšet!"

To byl konec.

Už mi nic neřekne.

Nechtěl.

„Proč – proč jsi to udělala?" Aled sevřel ruce v pěst.

„Proč jsem udělala co?"

„Proč jsi všem vykecala, že jsem Tvůrce!"

Zběsile jsem vrtěla hlavou. „Já – já jsem to neřekla, přísahám že ne..."

„*Lžeš!*"

„Co – cože..."

Došel až ke mně a tentokrát jsem doopravdy ucouvla. Možná byl opilý, ale já byla tak namol, že jsem to nedokázala rozeznat.

„Prostě jsi – prostě jsi mě jen využila, aby ses proslavila na internetu, že jo!"

Nevzmohla jsem se na slovo.

„Přestaň předstírat, že ti na mně záleží!" To už křičel z plných plic a lidi se po nás začali ohlížet. „Záleží ti jen na *Universe City*! Jsi jen další fanynka, co se ke mně chce dostat a chce mi sebrat *jedinou věc*, na který mi doopravdy sejde! Vždyť ani nevím, jaká doopravdy jseš, před ostatníma lidma se chováš úplně jinak. Tys to celý plánovala od začátku, předstírala jsi, že se se mnou prostě jen chceš bavit a že ti vůbec nejde o slávu a všechny tyhle sračky..."

„Cože – N-ne –" Měla jsem v hlavě úplně vymeteno. „To není pravda!"

„Tak jak to teda bylo?! Proč jsi mnou tak posedlá?"

„Sorry," hlesla jsem, ale nebyla jsem si jistá, jestli ze mě vůbec vyšel nějaký zvuk.

„Přestaň se omlouvat!" Aled vraštil tvář a oči se mu zalily slzami. „Přestaň lhát! Jen si zas namlouváš nějaký bludy, stejně jako předtím s Carys."

Měla jsem pocit, že se pozvracím.

„Jen jsem ji nahradil. Jsi mnou posedlá stejně jako Carys a povedlo se ti dojebat jedinou věc, která byla fakt moje, jedinou dobrou věc, kterou jsem měl, stejně jako jsi všechno pokazila i Carys. Taky se ti líbím?"

„Já ne – To je – Ne, nelíbíš..."

„Tak proč jsi pořád lezla ke mně domů? Každej den?" Pronesl to, jako by z něj mluvil někdo jiný. Přistoupil o další krok blíž, sálal z něj vztek. „Prostě to přiznej!"

Už jsem nemluvila, ale jen vřeštěla. „Nelíbíš se mi!"

Věříš mi? pomyslela jsem si. *Věří mi vůbec někdo?* Měla jsem pocit, že už si věřím jen já sama.

„*Tak o co tu kurva jde?! Proč jsi mi to udělala?*"

Po tvářích se mi koulely slzy. „Já – já jsem nechtěla..."

Aled ucouvl. „Sama jsi mi řekla, že to kvůli tobě je Carys *pryč*."

Poslední slovo vykřikl tak nahlas, že jsem znovu ucouvla, a teď už jsem naplno brečela a *panebože*, fakt jsem se nenáviděla, strašně moc jsem se nenáviděla. Omlouvám se, omlouvám se, omlouvám se, omlouvám se, omlouvám se...

Než jsem se nadála, stál přede mnou Daniel, prakticky mě odstrkoval a říkal: „Jdi pryč, Frances, nech ho na pokoji," a pak přede mnou stála Raine, čelem k Danielovi hulákala: „Dej si odchod, kámo! Cos jí řekl?" a pak na sebe začali řvát, ale já je neposlouchala, dokud Raine neprohlásila: „On ti nepatří, do prdele," a najednou byli oba pryč a já poodešla od diskotéky a sedla si na obrubník, snažila jsem se zadržet slzy, které se mi valily z očí, ale nešlo to...

„Frances, panebože."

„Omlouvám se, omlouvám se, omlouvám se, omlouvám se..."

„Nic jsi neprovedla, Frances!"

„Ale jo, zase jsem všechno zkazila..."

„Ne, ty ne."

„Jo, já, všechno je to moje vina."

„Na tom nezáleží, on se z toho dostane, slibuju."

„Ne – To není jen tohle, ale taky Carys. Carys – to byla moje vina, můžu za to, že utekla... a nikdo neví, kde je, a Aled je se svojí mámou úplně sám a je to moje vina..."

Najednou jsem seděla na lavičce s hlavou opřenou o Rainino rameno a ona měla v ruce mobil a z něj hrála hudba a bylo to, jako by jí ta hudba vycházela přímo z dlaně, ale repráky na jejím telefonu stály za prd a hudba nezněla jako hudba, ale spíš jako tupé bzučení autorádia ve dvě ráno na dálnici, a chlápek zpíval „I can lay inside“ a hudba hrála jako temnota nočního nebe a hrála se mnou, cítila jsem se opilá a rozmazaná a nemohla jsem si vzpomenout, co jsem chtěla říct.

3. PRVNÍ POLOLETÍ

b)

CÍTIT SE JINAK

- Následující den jsem Aledovi poslala esemesku. Pak jsem mu napsala na Facebooku. Pak jsem mu zkusila zavolat. Nezvedl to a ani neodepsal a ve tři čtvrtě na sedm večer jsem vyšla ven z domu odhodlaná u něj zaklepat, ale auto jeho mámy bylo pryč a Aled taky.
- O víkendu jsem mu na Facebooku poslala dlouhatánskou omluvnou zprávu, připadala jsem si trapně, už když jsem ji sepisovala, a ještě trapněji, když jsem si ji po sobě četla. Během psaní jsem si uvědomila, že vážně nemůžu udělat vůbec nic, abych to napravila, a možná jsem právě přišla o jediného opravdového kamaráda, kterého jsem si za celý život našla.
- Až do konce října bylo moje chování ještě ubožejší, než bych do sebe kdy řekla. Každý den jsem brečela a v noci jsem nemohla spát a za obojí jsem na sebe měla vztek. Taky jsem přibrala, ale na tom mi až tolik nezáleželo. Stejně jsem nikdy nebyla hubená.
- V říjnu jsem taky měla hromadu práce do školy. Většinu večerů jsem se učila. Měla jsem hromadu domácích úkolů na výtvarku, k tomu jsme každý týden museli napsat jednu esej. Snažila jsem se číst knihy ze seznamu literatury k přijímačkám na

Cambridge, ale nedokázala jsem se soustředit. Ale nutila jsem se číst dál. *Canterburské povídky* a *Synové a milenci* a *Komu zvoní hrana*. Jestli se nedostanu na Cambridge, všechno, čím jsem se během svých školních let snažila být, by přišlo naprosto vniveč.

- Jednou večer jsem Aleda uviděla, jak jde cestou od nádraží a táhne kufr na kolečkách – nejspíš přijel domů na víkend. Skoro jsem vyběhla ven, ale kdyby se se mnou chtěl dál kamarádit, odpověděl by mi na zprávy. Chtěla jsem se ho zeptat, jak se mu líbí na vysoké – na Facebooku byl označený na pár fotkách z prvního týdne, z různých seznamovacích večírků, usmíval se a pil a občas na sobě měl nějaký kostým. Nevěděla jsem, jestli být šťastná nebo smutná, ale při pohledu na ty fotky jsem se cítila hrozně.
- Už jsem samozřejmě nenamlouvala Toulouse v *Universe City* a přestala jsem dělat vizuály. Aled změnil příběh tak, že Toulouse byla nečekaně z města vypovězena. Bylo mi z toho smutno, jako bych byla vypovězená já osobně.
- Na Tumblru mi přišly tuny dotazů, proč k tomu došlo. Odpověděla jsem, že tak to prostě je – role Toulouse v příběhu byla naplněna.
- Na Tumblru mi přišly tuny dotazů, proč už ve videích *Universe City* nejsou moje animace a proč poslední dobou nepřidávám na profil žádné nové kresby. Odpověděla jsem, že jsem ve stresu ze školy a potřebuju nějaký čas jen pro sebe.
- Přišly mi další tuny zpráv.
- Málem jsem to nevydržela a celý profil na Tumblr si smazala, ale nedokázala jsem to, a tak jsem se rozhodla na Tumblr chodit co nejmíň.
- Prvního listopadu mi bylo osmnáct. Čekala jsem, že se budu cítit jinak, ale samozřejmě jsem se cítila pořád stejně. Myslím, že s dospělostí nemá věk nic moc společného.

ŠKOLNÍ FRANCES

„Frances, ty se nějak mračíš," zasmála se Maya. „Co se děje?"

Každý den, kdy jsem musela přetrpět oběd se svými školními „kamarády", jsem měla pocit, že jsem o krok blíž k tomu si sbalit svoje saky paky, vypadnout z města a odjet stopem do Walesu.

Moji kamarádi ze školy nebyli zlí lidé. Jenom se kamarádili se školní Frances – tichou šprtkou Frances –, a ne s opravdovou Frances, milovnicí memů a strakatě vzorovaných legín, s holkou na pokraji nervového zhroucení. A protože školní Frances byla dost nudná, moc je nebavilo si s ní povídat ani se příliš nezajímali o to, jak se má. Pomalu mi docházelo, že školní Frances nemá prakticky žádnou osobnost, takže jsem ostatním neměla za zlé, že se jí smějí.

Byl začátek listopadu a být školní Frances mi připadalo čím dál obtížnější.

Usmála jsem se na Mayu. „Haha, ne, dobrý. Jen jsem ve stresu."

„Jen jsem ve stresu" začínalo znamenat totéž co „jsem v pohodě".

„Panebože, já *taky*," řekla Maya a začala si povídat s někým jiným.

Potom se ke mně otočila Raine. Raine si vedle mě u oběda sedala každý den a já jí za to byla neskonale vděčná, protože byla prakticky jediný člověk, se kterým jsem ještě doopravdy mluvila.

„Určitě ti nic není?" zeptala se mnohem méně blahosklonně než předtím Maya. „Vypadáš, že je ti trochu blbě."

„Dík," uchechtla jsem se.

Raine se uculila. „Ne! Jako – ech, myslím tím, jako že poslední dobou působíš, že nejsi ve svý kůži."

„Haha. Ani nevím, kdo v mý kůži má být."

„Pořád jsi smutná kvůli Aledovi?"

Pronesla to tak věcně, že jsem se málem znova rozesmála. „Částečně asi jo... Neodpovídá mi na žádný zprávy..."

Raine si mě chvíli jen prohlížela.

„Je to absolutní čurák," prohlásila a já vyprskla traumatizovaným smíchem.

„Cože? Proč jako?"

„Jestli ani nedokáže vzít rozum do hrsti a uvědomit si, jak dobrá jsi celou tu dobu byla kamarádka, tak proč se snažit? Zjevně mu na tobě nezáleží dost na to, aby si vašeho vztahu vážil. Takže by ses na něj taky měla vykašlat."

Věděla jsem, že ve skutečnosti je to mnohem komplikovanější, a taky že všechno je moje vina a nezasloužím si pražádný soucit, ale stejně bylo hezké to od Raine slyšet.

„Jo, asi jo," hlesla jsem.

Raine mě objala a já si uvědomila, že je to poprvé. A tak jsem jí objetí opětovala, nakolik to ze židle u stolu šlo.

„Zasloužíš si lepší kámoše," prohlásila. „Jsi jako andělský sluníčko."

Neměla jsem ponětí, co na to říct nebo co si o tom myslet. A tak jsem ji jen objímala.

OLYMPIONIK

„Frances, kdy máš přijímací pohovor na Cambridge?"

Zrovna jsem procházela kolem dveří do zákulisí u auly, když vtom na mě poprvé od září promluvil Daniel. Stál vedle opony oddělující zákulisí od jeviště s jedním sportovcem, co se dostal na zimní olympiádu a přijel k nám udělat besedu se žáky sedmého, osmého a devátého ročníku.

Daniel pochopitelně měl dobrý důvod být na mě naštvaný a vzhledem k tomu, že už jsem nebyla primuska, neměli jsme ani proč se vídat, takže mě nepřekvapilo, když mi začal uhýbat pohledem, kdykoli jsme se potkali na školní chodbě.

Zrovna jsem nikam nespěchala, a tak jsem vešla do zákulisí. Daniel mi tu otázku ani nepoložil nijak hrubě.

„Desátýho prosince," odpověděla jsem. Byla půlka listopadu, takže mi zbývalo ještě několik týdnů. Zatím jsem nepřečetla všechno z toho, co jsem si jako předsevzetí napsala do osobní eseje. Neměla jsem čas se připravovat na přijímačky a zároveň stíhat úkoly a učení do školy.

„Jo, já taky," kývl Daniel.

Vypadal trochu jinak, než když jsem s ním mluvila naposled. Říkala jsem si, jestli si nenechal narůst vlasy, ale nedokázala jsem to posoudit, protože je beztak pořád nosil vyčesané ve stylu Elvise Presleyho.

„Jak ti to jde?“ zeptala jsem se. „Už umíš všechno? Třeba o… já nevím… bakteriích… a kostech a tak?“

„O bakteriích a kostech…“

„A co jako? Já nevím, co obvykle probíráte v biologii.“

„Vždyť jsi z ní dělala postupovou zkoušku.“

Založila jsem ruce na hrudi. „Buňka je základní stavební jednotkou buněčných organismů. Dělí se na jádro, v němž je uchovávána genetická informace ve formě DNA, endoplazmatické retikulum, které – co vlastně dělá endoplazmatické retikulum? Doufám, že to víš, protože na to se tě tam můžou zeptat.“

„Pochybuju, že se mě budou ptát na endoplazmatické retikulum.“

„Tak na co se tě budou ptát?“

Daniel mě probodl pohledem. „Na věci, kterým bys stejně nerozuměla.“

„Tak to je asi dobře, že já se na biologii nehlásím, co?“

„Jo.“

Zničehonic jsem si všimla, že je v zákulisí i Raine. Zrovna se na něco vyptávala toho zimního olympionika a mně ho bylo tak trochu líto – mohl být sotva o pár let starší než my a na sportovce působil trochu zakřiknutě a rozpačitě, byl hodně vysoký a měl výrazné brýle a trochu moc krátké džíny. Vypadal nervózní z toho, že má dvacet minut mluvit k bandě mladších dětí, a Raine mu na klidu moc nepřidávala. Zjevně dřív chodil na chlapeckou školu na druhé straně města, tam, co chodil i Aled, a teď sem přišel vyprávět o svých cílech a úspěších nebo tak něco.

Daniel si všiml, že se na Raine dívám, a zvedl oči v sloup. „Chtěla se s ním seznámit.“

„Aha.“

„No, každopádně jde o tohle,“ pokračoval Daniel a pohlédl mi přímo do očí. „Potřebuju odvoz do Cambridge.“

„Potřebuješ odvoz…?“

„Jo. Naši jsou v práci a já nemám dost peněz, abych se tam dopravil sám.“

„To ti vaši nedají ani peníze na vlak?“

Daniel zaskřípal zuby, jako by mu dělalo problém vyslovit to, co se mi chystal říct.

„Naši mi nikdy nedávají peníze,“ prohlásil. „A brigádu už nemám, protože bych to se školou nestíhal.“

„To ti ty peníze nedají, ani když jde o Cambridge?“

„Podle nich zas až o tolik nejde.“ Lehce zavrtěl hlavou. „Mají pocit, že na žádnou univerzitu ani chodit nepotřebuju. Můj táta – táta chce, abych šel prostě pracovat k němu do firmy. Má obchod s elektronikou…“ Odmlčel se.

Upřela jsem na něj pohled a najednou mi ho bylo doopravdy líto.

„No, já jsem plánovala jet tam vlakem,“ objasnila jsem. „Máma je v práci.“

Daniel přikývl a sklopil hlavu. „Aha, jasně. Jo, to je v pohodě.“

Raine seděla obkročmo na židli, ale teď se k nám naklonila. Tomu olympionikovi se viditelně ulevilo.

„Já vás tam hodím,“ nabídla nám. „Jestli chcete.“

„Cože?“ hekla jsem.

„Cože?“ vykulil oči Daniel.

„Hodím vás tam.“ Raine se usmála od ucha k uchu a podepřela si bradu. „Do Cambridge.“

„Ale vždyť máš školu,“ vyhrkl Daniel.

„No a?“

„No a… to ji jako zatáhneš?“

Raine pokrčila rameny. „Napíšu si omluvenku. Zatím mi to pokaždý prošlo.“

Daniel vypadal rozpolceně. Pořád mi přišlo k neuvěření, že se opil a vylil si srdíčko holce, se kterou neměl vůbec nic společného. Na druhou stranu právě to byl možná důvod, proč to udělal.

„Tak jo," řekl a bez úspěchu se pokoušel zakrýt podrážděný tón. „Jo, to by bylo super."

„Jo, dík moc," řekla jsem já. „To je od tebe moc milý."

Na pár vteřin se mezi námi rozhostilo rozpačité ticho a pak na Daniela mávla z jeviště učitelka, že má jít představit a přivítat toho olympionika, což Daniel udělal, a olympionik vyšel na jeviště a Daniel z něj zase slezl.

Zatímco ten kluk mluvil, nic dalšího jsme si s Danielem neřekli. Upřímně řečeno, olympionik nebo ne, moc na veřejnosti mluvit neuměl – pořád ztrácel nit. Myslím, že měl lidi inspirovat, aby ve škole tvrdě dřeli, a popsat jim, jaké jsou kariérní možnosti ve sportu, a zdálo se, že si tím, co říká, je poměrně jistý, ale pořád do toho vkládal hlášky jako „já sám jsem se nikdy s biflováním nekamarádil" a „ve škole jsem si připadal dost odcizeně" a „prostě si myslím, že ne všem nám život nalinkují známky, které dostáváme z testů".

Když domluvil, já a Daniel jsme se na něj usmáli a poděkovali mu, že přišel a tak podobně, a on se zeptal, jestli to bylo dobrý, a my mu pochopitelně řekli, že jo. Potom ho další z učitelů někam odvedl a já s Danielem jsme se vydali zpátky ke společenské místnosti.

„Viděl ses teď někdy s Aledem?" zeptala jsem se, když jsme procházeli chodbami školy.

A on se na mě podíval a řekl: „Ty o nás víš, co?"

A já řekla: „Jo."

A on řekl: „No, Aled už se se mnou nebaví."

„Proč?"

„Nevím. Jednoho dne mi prostě přestal psát."

„Jen tak bez důvodu?"

Daniel se odmlčel a trochu to vypadalo, že se při chůzi zapotácel, jako by ho tíha toho všeho tlačila do země. „Na jeho narozeniny jsme se pohádali."

„Kvůli čemu?"

Nevím, proč mě to překvapilo. Lidi se z věcí umí oklepat rychleji, než jsem schopná pobrat. Lidi na vás zapomenou během pár dní, fotí si nové fotky na Facebook a nečtou vaše zprávy. Jdou pořád dál a dál a vás odstrčí stranou, protože děláte víc chyb, než byste měli. Možná je to fér. Kdo jsem já, abych to soudila?

„To je jedno," hlesl Daniel.

„Se mnou se taky nebaví," řekla jsem já.

A potom jsme si už nic neřekli.

VESMÍR

„Už je docela pozdě, nemyslíš, Frances?" Máma vešla do obýváku s šálkem čaje v ruce.

Zvedla jsem oči od notebooku a zamrkala na ni. I tenhle malý pohyb mi okamžitě spustil bolest hlavy. „Kolik je?"

„Půl jedné." Máma si sedla na gauč. „To ještě pořád pracuješ? To snad ne. Tenhle týden tomu dáváš každý večer."

„Jen musím dopsat tenhle odstavec."

„Za šest hodin vstáváš."

„Jo, vždyť to za chvíli mám."

Máma si srkla čaje. „Tohle děláš pořád. Není divu, že máš z toho stresu bolesti."

Pokaždé když jsem seděla v jedné konkrétní pozici, píchalo mě v boku podivnou bolestí. Občas jsem měla pocit, že dostávám hodně pomalý infarkt, takže jsem se snažila na to moc nemyslet.

„Měla bys jít do postele," řekla máma.

„Nemůžu!" odsekla jsem hlasitěji, než jsem měla v úmyslu. „Doslova nemůžu. Ty to nechápeš. Tohle musím odevzdat zítra, hned na první hodině. Takže to musím dodělat ještě teď."

Máma chvíli jen mlčela.

„Co kdybychom si o víkendu zašly do kina?“ navrhla. „Aby sis odpočala od té přípravy na Cambridge a školy a tak. Třeba na ten vesmírný film, co měl premiéru před pár týdny.“

„Na to nemám čas. Možná po přijímačkách.“

Máma přikývla. „Dobře.“ Vstala. „Fajn.“ Odešla z místnosti.

V jednu ráno jsem dopsala esej a šla si lehnout. Váhala jsem, jestli si pustit poslední epizodu *Universe City*, protože jsem se k tomu doteď nedostala, ale nakonec jsem byla až moc unavená a neměla jsem na to náladu, takže jsem jen ležela v posteli a čekala, až usnu.

HEJT

Už několik týdnů jsem se Tumblru vyhýbala. Kdykoli jsem se podívala na svůj profil, našla jsem jen hromadu zpráv s otázkou, proč jsem už tak dlouho nic nepostovala, což mi připomnělo, že jsem už víc než měsíc nenakreslila nic nového.

A fandom mě děsil. Nebudu lhát.

Teď, když všichni věděli, kdo je Aled Last, se pod tagem *Universe City* objevovaly znovu a znovu reblogované fotky Aleda, všechny, které se slídilům povedlo najít. Upřímně řečeno jich nebylo moc. Pár fotek ukradených z jeho osobního Facebooku, jedna stažená z profilu diskotéky u Johnnyho, jedna rozmazaná očividně z univerzity. Po tom, co pár lidí napsalo, že je to nechutné porušení soukromí někoho, kdo zjevně chtěl zůstat v anonymitě, celá věc naštěstí pomalu utichla.

Podle všeho o něm ale nikdo nic nevěděl. Nevěděli, kolik je Aledovi let, kde bydlí, co a kde studuje. Aled na Twitteru nic nepotvrdil – prostě si ničeho nevšímal a psal dál, jako by se nechumelilo. A postupem času se o něm přestalo mluvit a řeč se zas stočila k *Universe City*. Jako by se nic z toho nikdy nestalo.

Obecně jsem měla pocit, že to nebylo až tak hrozné, jak jsme se báli.

Až do konce listopadu.

Tehdy to začalo být tak stokrát horší.

První post, který začal po fandomu kolovat, byla Aledova nová fotka.

Seděl na kamenné lavičce, vypadalo to jako nějaké náměstí. Nikdy jsem nebyla ve městě, kde Aled studoval, ale domyslela jsem si, že to musí být tam. V jedné ruce měl tašku z Tesca a zíral do mobilu. Přemítala jsem, komu asi píše.

Vlasy mu zase vyrostly a padaly mu do očí, takže vypadal skoro jako ten Aled, kterého jsem poznala v květnu.

U fotky nebyl popisek a profil, na kterém se objevila, neměl na Tumblru povolené soukromé zprávy, takže jediný způsob, jak ho zkritizovat, bylo fotku reblogovat. Přesně to se i stalo a za pár dní pod ní bylo přes 20 000 komentářů.

Druhý post nepocházel ani z žádného blogu o *Universe City*.

troylerphandoms23756

no takže když už phil doporučil „Universe City", tak jsem si to zkusil poslechnout ale... nepřijde vám to taky takový... strašně elitářský? Jako že to píše někdo, kdo ani neví, jak je privilegovanej? Celý je to jedna velká metafora na to, jak je podle něj vzdělávací systém na hovno, že jo? A přitom v zemích třetího světa lidi hladoví, jen aby měli dost peněz na to, aby mohli studovat lol... jako „Universe City" = „university"... ani to není úplně nenápadný že ne lol

Desítky profilů to reblogovaly s více či méně kousavými komentáři a já se k tomu málem taky vyjádřila – vždyť to bylo naprosto k smíchu.

Na druhou stranu Aled přece říkal něco o tom, že nechce jít na vysokou. Nebo ne? Nebo si jen dělal legraci?

A pak se objevil třetí post, od stejného člověka, který předtím nahrál na svůj profil tu fotku Aleda na náměstí.

Tentokrát to byla další fotka. Byla na ní tma a Aled stál u dveří s klíčem v zámku. Na zdi budovy byl jasně čitelný nápis „Kolej sv. Jana".

Což znamenalo, že kdokoli, kdo tu fotku uvidí, bude vědět, kde Aled bydlí.

A tentokrát pod ní byl i popisek.

youngadultmachine
ja aleda lasta zabiju curaka nafoukaného dela zli věci, vzdelani je pocta a on nema pravo nasim detem vykladat nejaky bludy kvuli kterim zacnou spochybnovat jedinou spravnou cestu životem. vimyva nasim detem mozky

Doslova se mi zvedl žaludek, když jsem to četla.

Ta osoba to nemyslela vážně, že ne?

Nedalo se zjistit, jestli ten, kdo to napsal, je ten samý člověk, který pořídil tu fotku.

Nevěděla jsem, co si počít.

Byly to jen hejty. Obyčejná internetová stoka.

Universe City byl jen smyšlený příběh – kouzelné sci-fi dobrodružství, které mi na kraťoučkých dvacet minut týdně dalo trošku štěstí. Nebyl v něm žádný hlubší význam. Kdyby ano, Aled by mi o tom řekl.

Nebo ne?

UNIVERSE CITY: Ep. 140 – fajn

UniverseCity 96 231 zhlédnutí

myslíte si, že je to všechno jen vtip?

Transkript níže >>>

[...]

Nechápu, proč to ještě vůbec posloucháte! To si každý týden naladíte rozhlas jen proto, abyste si poslechli vtipné příhody o tom, jak naivní Radio a spol. loví příšery a řeší záhady jako nějaký Scooby-Doo a jeho parta ze šestadvacátého století? Ale já vás vidím, jak se pro sebe smějete, zatímco my tu pomalu umíráme ze zplodin tohohle města, kde nás vraždí ve spánku. Vsadím se, že byste nás klidně mohli kontaktovat, ale nestojíme vám za to. Slyšeli jste vůbec cokoli z toho, co se vám tu celou dobu snažím říct?

Jste úplně stejní jako všichni lidi ze starého světa, co znám. Nic neuděláte.

[...]

GUY DENNING

„Frances... být tebou, nepokládám si obličej na lavici, zrovna když tu někdo používá hennu," napomenula mě Raine během hodiny výtvarky na začátku prosince. Já jsem křídou a uhlem kreslila variaci na portrét Guye Denninga – můj výtvarný projekt měl zpracovávat téma osamění. Raine zrovna nanášela hennu na kostru ruky z papírmaše – její projekt se týkal rasismu namířeného v Británii proti hinduistům.

Narovnala jsem se a přejela si rukou po tváři. „Umazala jsem se?"

Raine si mě soustředěně prohlédla. „Ne, dobrý."

„Uf."

„Co ti je?"

„Bolí mě hlava."

„Už zase? Kámo, měla by sis s tím někam dojít."

„To je jen od stresu. A taky že nespím."

„Nikdy nevíš. Co když máš na mozku obří nádor?"

Zašklebila jsem se. „Prosím tě, nemluv mi o mozkových nádorech. Jsem extrémní hypochondr."

„Tak je to možná aneurysma."

„Prosím, přestaň."

„Jak vám to jde, dámy?“ Výtvarkářka Garcíová stála vedle naší lavice, jako by se tu zjevila kouzlem. Nadskočila jsem tak prudce, že jsem si málem rozmazala obraz.

„Dobře,“ odpověděla jsem.

Garcíová si prohlédla moji kresbu a pak si sedla na volnou židli vedle mě. „Tohle je velmi povedené.“

„Díky!“

Poklepala na papír prstem. „Umíš skvěle zachytit podobu, ale pořád se držet ve svém stylu. Nekreslíš jen fotografickou kopii – je to tvá vlastní interpretace, něco úplně nového. Dáváš do toho kus sebe sama.“

Měla jsem z toho radost. „Děkuju...“

Podívala se na mě skrz brýle s hranatými obroučkami a přitáhla si háčkovaný kardigan blíž k tělu. „Na co že se to hlásíš na vysokou, Frances?“

„Na literaturu.“

„Vážně?“

„To vás to tak překvapuje?“ zasmála jsem se.

Garcíová se naklonila přes stůl. „Nevěděla jsem, že tě zajímá literatura. Myslela jsem, že budeš studovat něco praktičtěji zaměřeného.“

„Ehm... jako co třeba?“

„No, měla jsem za to, že půjdeš na nějakou uměleckou školu. Možná se mýlím, ale mám pocit, že tě výtvarné umění baví.“

„No, to jo...“ Odmlčela jsem se. Nikdy mě ani nenapadlo se přihlásit na nějaký umělecký obor. Kreslení mě bavilo, ale představa, že ho budu studovat... bylo by to dost k ničemu, ne? A nebylo by to plýtvání, když jsem dostávala dobré známky v mnohem užitečnějších předmětech? Jen bych mrhala svým potenciálem. „Nemůžu si přece vybírat studijní obor podle toho, co mě baví.“

Učitelka povytáhla obočí. „Aha.“

„A už jsem beztak odeslala přihlášku. Příští týden mám přijímací pohovor v Cambridgi.“

„Jistě, samozřejmě."

Rozhostilo se mezi námi rozpačité ticho a pak Garcíová vstala. „Tak hezky pracujte, dámy," pronesla a odešla.

Zalétla jsem pohledem k Raine, ale ta se opět plně soustředila na svoji hennu. K nelibosti Akademie se na žádnou vysokou nehlásila – místo toho si poslala pár žádostí o stáže v různých firmách. Chtěla jsem se jí zeptat na její názor, ale Raine nevěděla, jak velkou součástí mého života kreslení je, takže by mi stejně nejspíš nedokázala pomoct.

Obrátila jsem se zpátky ke své kresbě. Byla to rozmazaná tvář dívky se zavřenýma očima. Přemítala jsem, jestli Guy Denning studoval na univerzitě. Byl to jeden z mých nejoblíbenějších malířů všech dob. Rozhodla jsem se, že až dorazím domů, najdu si to na internetu.

Podle Wikipedie se Guy Denning hlásil na hromadu uměleckých škol, ale na žádnou ho nevzali.

ZMÁČKNOUT PLAY

Do mého přijímacího pohovoru na Cambridge zbývaly tři dny, když mi došlo, že jsem si už tři týdny nepouštěla *Universe City*. Nepodívala jsem se na Aledův Twitter ani na svůj Tumblr. Nenakreslila jsem nic nového. O nic nešlo. Jen jsem z toho měla divný pocit. Myslela jsem, že mě tohle všechno baví, ale nakonec jsem možná v hloubi duše přece jen byla nefalšovaný šprt. Odlupovala jsem další a další vrstvy své osobnosti, ale připadalo mi, že se motám v kruhu. Pokaždé když jsem si myslela, že jsem přišla na to, co mě doopravdy baví, začala jsem o tom hned zas pochybovat. Možná už mě prostě nebavilo vůbec nic.

S Aledem jsme byli dobří kamarádi, rozhodně si nemohl nalhávat opak. To on se rozhodl naše přátelství skončit a přestat se mnou mluvit, proč bych z toho měla být smutná? On si vybral špatně. Neměl právo se na mě zlobit. To já jsem se musela zas stát školní Frances, tichou, nudnou, vystresovanou a unavenou. On si plnými doušky vychutnával vysokoškolský život a já spala pět hodin denně a mluvila tak se dvěma lidmi za den.

Našla jsem si jednu z nových epizod *Universe City*, že si ji poslechnu, ale nakonec jsem se nedokázala přimět zmáčknout play, protože jsem se musela učit a to bylo důležitější.

UNIVERSE CITY: Ep. 141 – den nicoty

UniverseCity

85 927 zhlédnutí

dneska nedělám vůbec nic

Transkript níže >>>

[...]

Každý týden se něco stane a já mám pocit, že je to strojené. Pravda je, starý brachu, že občas není o čem psát. Občas si trochu zapřeháním, jen aby se dalo reportovat o něčem vzrušujícím. Pamatuješ si na tu historku o sjetí na BOT22 až na náměstí Leftley? No – to byla lež. Jednalo se jen o BOT18. Byla to lež. Nefalšovaná lež. A mě to moc mrzí.

Občas se trochu cítím jako BOT18. Staře a zrezivěle, sužují mě bolesti a únava. Toulám se městem, ztrácím se, chodím v kruzích, trápí mě samota. V srdci mi nezbývají žádné převody, v mozku mi nebzučí žádný kód. Jen kinetická energie, jiné síly mě jemně postrkují vpřed – zvuk, světlo, prachové vlny, otřesy. Bloudím jako vždycky, přátelé. Poznali jste to?

Kéž by mě někdo brzy zachránil. Strašně moc si to přeju. Bylo by to krásné. Bylo by to opravdu moc krásné.

[...]

CO JINÉHO JSEM MĚLA DĚLAT

V den přijímaček na Cambridge dorazila Raine ve svém fialovém Fordu Ka v devět ráno před můj dům. Napsala mi „HEJ KÁMO JSEM TU“ a já jí odpověděla „hned sem tam kámo“, i když se mi ani trošičku nechtělo vyjít ven ze dveří.

Dala jsem si do tašky dvě eseje, které jsem poslala spolu s přihláškou, abych si je v autě mohla znovu pročíst. Taky jsem si vzala lahev vody a balíček mentolových bonbonů, do iPodu jsem si stáhla pár epizod *Universe City* na uklidněnou a přibalila jsem si vzkaz pro štěstí od mámy, který mi napsala pod vytištěnou fotku Beyoncé. Než odešla do práce, pevně mě objala a řekla mi, ať jí o všem píšu a okamžitě po přijímačkách jí zavolám. Hned jsem se cítila trochu líp.

Oblékla jsem si model, který podle mě velmi úspěšně balancoval mezi „jsem vyspělá, sofistikovaná, inteligentní mladá žena“ a „myslím, že to, co mám dnes na sobě, by nemělo nijak ovlivnit vaše rozhodnutí“. To znamenalo obyčejné modré přiléhavé džíny, ještě obyčejnější černý svetr a pod ním zelenou kostkovanou košili. Normálně bych si něco takového na sebe nevzala, ale přišlo mi, že v tom vypadám jako intelektuálka, ale taky jsem sama sebou.

Jinými slovy jsem se cítila extrémně nepohodlně. Přičítala jsem to nervozitě.

Raine mě cestou k autu sledovala.

„Vypadáš velice nudně, Frances," zhodnotila, když jsem usedla na místo spolujezdce.

„To je dobře," kývla jsem. „Nechci tu komisi vyděsit."

„Doufala jsem ve strakatý barevný legíny. Nebo tu tvoji černou džísku."

„Myslím, že takový věci lidi na Cambridge nenosí."

Od srdce jsme se zasmály a vyjely směrem k Danielovu domu.

Daniel bydlel přímo uprostřed města, naproti malému Tescu v úzkém řadovém domku bez parkovacího místa, takže Raine trvalo dobré tři minuty pořádně zaparkovat.

Napsala jsem Danielovi – pořád jsem ještě měla jeho číslo –, a když vyšel z domu, měl na sobě svoji školní uniformu.

Vystoupila jsem z auta, aby si mohl zalézt na zadní sedadlo. „Takže jdeš v uniformě, jo?"

Daniel mě sjel pohledem od hlavy až k patě. „Myslel jsem, že v tom se obvykle na přijímačky chodí."

„Fakt?"

Pokrčil rameny. „No, já myslel že jo. Ale třeba se pletu." Odvrátil se a vlezl do auta. Moje úzkost z dnešního dne se ztrojnásobila.

„Danieli, moc nám tím nepomáháš, kámo," protočila Raine teatrálně oči. „Už tak máme všichni nervy na pochodu."

„I ty?" zasmál se Daniel, zatímco jsem znovu nasedla. „Ty ani žádný přijímačky nemáš. Jen si sedneš na šest hodin do Costy a budeš pařit *Candy Crush.*"

„No dovol, já jsem nervózní hlavně za vás dva. A *Candy Crush* jsem si odinstalovala už před dvěma měsíci."

To mě znovu rozesmálo a poprvé od chvíle, kdy jsme si tenhle podivný výlet dohodli, jsem byla ráda, že na přijímačky nejedu úplně sama.

Cesta do Cambridge trvala dvě a půl hodiny. Daniel seděl vzadu se sluchátky na hlavě a vůbec se s námi nebavil. Upřímně řečeno jsem mu to vůbec neměla za zlé. Mně se každých pár minut zhoupl žaludek a měla jsem pocit, že se pozvracím.

Raine se nesnažila se mnou moc zapřádat hovor, za což jsem jí byla vděčná. A taky mi dovolila vybrat v jejím iPodu hudbu. Našla jsem nějaké remixy písniček od Bon Iver a pak jsem si hodinu a půl pročítala svoje eseje a nakonec jsem po zbytek cesty jen čučela z okna. Na dálnici bylo cosi uklidňujícího.

Všechno, co jsem kdy ve škole udělala, teď vyústilo v tohle.

O univerzitách v Oxfordu a Cambridgi jsem se dozvěděla, když mi bylo devět let, a hned jsem věděla, že přesně tam jednoho dne půjdu.

Co jiného jsem měla dělat, když jsem měla každý rok bez výjimky nejlepší známky z celé třídy?

Jak bych mohla promrhat takovou příležitost?

NEUŽITEČNÉ VĚCI

„No mě snad vomejou," prohlásila Raine, když jsme vjeli do Cambridge. „Vždyť je to jak postavený z kaviáru."

Bylo téměř poledne. Já jsem měla první pohovor ve dvě, Daniel v půl třetí. Snažila jsem se nedostat záchvat úzkosti.

„Všechno je tu tak hnědý," pokračovala Raine. „Jako není tu skoro žádná šedá. Vypadá to jak filmový kulisy."

Město bylo opravdu nádherné, to se mu muselo nechat. Ve srovnání s šedí našeho města působilo skoro falešně. Místní řeka vypadala, jako by vypadla z *Pána prstenů*, kdežto ta u nás byla spíš místo, kde jste mohli najít utopené nákupní košíky nebo rovnou mrtvolu.

Po dobrých deseti minutách kroužení uličkami jsme našli místo k parkování. Raine si nebyla jistá, jestli se tam tak docela parkovat smí, ale rozhodla se, že si s tím nebude moc dělat hlavu. Já jsem si s tím dělala hlavu hodně, ale řidička byla ona, takže jsem jí nemohla nic říct. Daniel působil, jako by přešel do úplně jiné dimenze a vůbec nevnímal, co říkáme.

Některé cambridgeské koleje vypadaly jako paláce. Už jsem je samozřejmě viděla na fotkách, ale naživo byly ještě impozantnější.

Tohle nemohl být skutečný svět.

Během chvíle jsme se ocitli ve Starbucksu.

„Beru zpět to, jak jsem říkala, že je tu všechno hnědý," prohlásila Raine, když jsme se usadili u stolu. „Lidi jsou tu jen a pouze bílý." Dokonce se tvářila, že je jí tu tak trochu nepříjemně, což nebylo divu, protože se svým podholeným účesem, pastelově modrým bomberem a teniskami na platformě sem vážně nezapadala.

„To teda," souhlasila jsem.

Srkla jsem si kávy, ale nebyla jsem si jistá, jestli do sebe vpravím třeba jen sousto sendviče, který jsem si koupila. Daniel si přinesl vlastní oběd a připomínal mi Rona Weasleyho ve vlaku do Bradavic – sendviče zabalené do průhledné fólie. Ne že by je jedl, jen strnule seděl a nehýbal se, až na nohu, která mu nadskakovala nahoru a dolů.

Raine se na židli opřela a chvíli si nás prohlížela.

„No," pronesla nakonec. „Chtěla bych vám k tomuhle celýmu říct pár věcí."

„Ne, prosím," vyhrkl okamžitě Daniel.

„Užitečných věcí."

„Nic z toho, co nám řekneš, nebude užitečný."

„No, tak... ne neužitečných věcí."

Daniel ji probodl pohledem, který říkal „chci, abys umřela".

„Hele, vy dva, já si prostě jen myslím, že pokud na Cambridge nevezmou vás, tak koho?"

Vytřeštili jsme na ni s Danielem oči.

„To fakt není užitečný," podotkl on.

„No ale vážně." Raine rozpřáhla ruce. „Vy dva jste vždycky premianti celýho ročníku už tak od sedmičky, ne? A vsadím se, že předtím na základce jste taky měli nejlepší známky ze všech. Jako jestli se na Cambridge nedostanete vy dva, tak potom nevím, komu by se to reálně mohlo podařit."

Nic jsme jí na to neřekli.

„Ale co když poděláme ten pohovor?" špitla jsem nakonec já.

„Jo," vydechl Daniel.

Raine vypadala, že jí došla slova, ale pak se zmátořila. „No, podle mě to nepoděláte. Oba toho strašně moc víte a jste super chytří." Zazubila se a ukázala na sebe. „Jako kdybych se na takovej pohovor přivalila já, nejspíš by mě rovnou vykopli. Nebo bych je musela nějak podplatit, aby mě vzali."

Zahihňala jsem se. Dokonce i Daniel se pousmál.

Dojedli jsme oběd a já se vydala ke koleji, na kterou jsem se hlásila – vybrala jsem si ji proto, že byla jednou z nejznámějších, z těch údajně nejvíc akademicky zaměřených. Raine mě před odchodem pevně objala. Daniel na mě jen kývl, ale to bylo svým způsobem konejšivé. Napsala jsem mámě, že jdu na pohovor, a ona mi odepsala, že mi věří. Upřímně řečeno jsem si jen přála, abych si věřila i já sama.

Byly to jen nervy. Měla jsem z toho divný pocit, protože jsem byla nervózní. Nic jiného v tom nebylo.

Můj původní plán byl kdysi dávno to, že si předtím, než vejdu dovnitř, pustím na uklidnění jeden díl *Universe City*. Ale teď už se mi do toho ani trochu nechtělo.

Do budovy koleje mě zavedl jeden z místních studentů. Měl úsměv od ucha k uchu, hodně nafrněný hlas a dobrovolně nosil sako.

Půl hodiny před pohovorem jsem podle očekávání dostala papír, na kterém byla z jedné strany báseň a z druhé krátký úryvek z románu. Sedla jsem si do křesla v kolejní knihovně a přečetla si je. Nedávaly mi moc velký smysl, ale snažila jsem se najít všechny metafory. Úryvek z románu byl o jeskyni. O čem byla ta básnička, to už si nepamatuju.

Pak moje půlhodina vypršela a mně se potily ruce a srdce mi bušilo jako o závod. K tomuhle jsem směřovala celý život, závisela na tom moje budoucnost. Potřebovala jsem zkrátka mluvit inteligentně, nadšeně, originálně, předvést, že mám otevřenou mysl. Ideální student Cambridgeské univerzity – počkat, jaký že to měl být? Viděla jsem všechny modelové pohovory z webu Cambridge. Měla jsem si s komisí potřást rukou? Nemohla jsem si vzpomenout. Holka, která šla přede mnou, na sobě měla kostýmek. To na sobě všichni měli kostýmek nebo oblek? Vypadala jsem hloupě? Měla jsem ztlumený mobil? Co když to podělám? Bude to úplný konec? Co když to teď, po všech těch probdělých nocích, celoročním učení a čtení básní a knih prostě podělám? Co když všechen ten čas přijde vniveč? Co když to všechno bylo k ničemu?

STAŘÍ BÍLÍ MUŽI

Oba členové mojí komise byli staří bílí muži.

Jsem si jistá, že ne všechny komise na Cambridgeské univerzitě se skládají jen ze starých bílých mužů, později jsem u druhého pohovoru měla komisi, kde byla jedna žena, ale na tom prvním mě přivítali dva staří bílí muži a mě to vůbec nepřekvapilo.

Ruku mi nepodal ani jeden, takže asi nebylo potřeba si potřásat.

Můj pohovor proběhl zhruba takto:

STARÝ BÍLÝ MUŽ (S.B.M.) č. 1: Nuže, Frances, vidím zde, že maturovat budete vedle literatury, dějepisu a politických věd také z výtvarné výchovy. A v minulém ročníku jste dělala závěrečnou zkoušku z matematiky. To je poměrně široký záběr, co se předmětů týče, že?

FRANCES: No... víte co, vždycky mě zajímalo hodně věcí. Říkala jsem si, že bych si měla co nejvíc rozšiřovat obzory, i u maturity, víte co, že by bylo fajn používat obě hemisféry mozku, mít větší... širší... vzdělání. Baví mě řada různých předmětů, takže, no, jo.

S.B.M. č. 1: [zamrká a přikývne]

S.B.M. č. 2: Ve své osobní eseji jste uvedla, že zájem o anglickou literaturu ve vás probudila kniha [sklopí oči k papíru] *Kdo chytá v žitě* od J. D. Salingera.

FRANCES: Ano!

S.B.M. č. 2: A co konkrétně vás na tomto románu inspirovalo?

FRANCES: [na tuhle otázku není ani trochu připravená] Ehm... no. No, já myslím, že to byla témata, kterými se zabývá, fakt jsem se hodně ztotožňovala s tématem té, no, deziluze a odcizení, [zasměje se] jako víte co, typické věci, co člověk v pubertě zažívá! Ehm, ale to, no, v té knize je spousta věcí, co mě zajímaly jakoby z akademického hlediska, jako třeba, ehm... Jedna z věcí, co se mi líbily, bylo, jak Salinger zachytil řeč teenagerů ve čtyřicátých a padesátých letech, třeba. Byla to první stará kniha – nebo jako klasická kniha –, co jsem četla, a měla jsem, ehm, pocit, víte co, jako by měla doopravdy hlas? Fakt jsem se dokázala vcítit do hlavní postavy a tak... a chtěla jsem pochopit proč.

S.B.M. č. 2: [s úsměvem přikyvuje, ale nezdá se, že by vůbec vnímal cokoli z toho, co jsem právě řekla]

S.B.M. č. 1: Tak, Frances, nejdůležitější otázka nejspíš zní: Proč chcete studovat anglickou literaturu?

FRANCES: [hrozivá odmlka] No... [další hrozivá odmlka – proč mě sakra nenapadala žádná odpověď?] No, já – jsem anglickou literaturu vždycky milovala. [třetí hrozivá odmlka. No tak. Máš přece víc důvodů. Jen klid, není kam spěchat.] Literatura vždycky patřila k mým oblíbeným předmětům. [To ale není pravda, že ne?] Už odmala jsem ji jednou chtěla jít studovat na univerzitu. [Takový kecy. Jestli chceš, aby ti věřili, budeš muset mluvit míň jako robot.] Ráda analyzuju texty a zkoumám jejich – jejich kontext. [Já to nechápu, proč jsi taková? Zní to, jako bys lhala.] Myslím, že studovat literaturu by mě přimělo víc číst. [Počkat, takže tím chceš říct, že nečteš?

Proč se teda vůbec na vysokou hlásíš na obor anglická literatura?] Myslím, že jsem vždycky… [Vždycky co? Vždycky sama sobě lhala, že tě zajímá literatura? Vždycky věřila, že tě baví něco, co tě ve skutečnosti nebaví?]

S.B.M. č. 2: Dobře, tak radši pojďme dál.

JEDINÉ, CO MÁM

Hned po pohovoru jsem psala test. Dostala jsem dva úryvky prózy a měla je porovnat. Nepamatuju si, co v nich bylo ani co jsem napsala. Seděla jsem s asi dvaceti dalšími lidmi u jednoho velkého stolu v místnosti, všichni se vrtěli a vypadalo to, že toho napsali mnohem víc než já.

Pak jsem měla druhý pohovor, který proběhl v zásadě stejně jako ten první.

Když jsem se vrátila do Starbucksu, Raine si zrovna četla noviny. Sedla jsem si a ona od nich zvedla oči a složila je.

Došlo mi, jak úžasná je kamarádka.

Neměla důvod nás sem vézt. Nejspíš tu seděla už aspoň tři hodiny.

„Tak co, kámo, jak to šlo?"

„Ehm…"

Bylo to hrozné. Uprostřed přijímaček na vysokou školu, kterou jsem si vybrala už před tak deseti lety, jsem si uvědomila, že nechci studovat obor, na nějž jsem se přihlásila. Došla mi řeč a zapomněla jsem, jak se ze všeho vykecat, a úplně jsem pohřbila svoje šance na to, aby mě vzali.

„Nevím. Prostě jsem se snažila, co nejlíp to šlo."

Raine si mě chvíli prohlížela. „No... to je dobrý, ne? Nic víc jsi udělat nemohla."

„Jo, přesně." Jenže ve skutečnosti jsem se nesnažila, že ne? Nedopadlo to co nejlíp, ale co nejhůř. Jak to, že mi to nedošlo dřív? Jak jsem do toho všeho mohla zabřednout tak hluboko?

„Být takhle chytrá je asi fakt užitečný," zasmála se chabě Raine, pak sklopila oči a najednou se tvářila smutně. „Já se pořád třesu strachy, že skončím pod mostem nebo tak něco. Kéž by celej náš život neurčovalo to, jaký dostáváš ve škole známky."

„Užitečný,"pomyslela jsem si, to bylo to správné slovo.

Zatímco Daniel byl na svém druhém pohovoru, chvíli jsme se Raine procházely po městě. Raine už Cambridge trochu prozkoumala, takže mě zavedla na místa, která podle ní stála za to, včetně starého mostu přes řeku a kavárny, kde dělali milkshaky.

V půl sedmé jsme byly zpátky ve Starbucksu a Danielův pohovor měl být u konce, a tak jsem Raine oznámila, že mu půjdu naproti, aby nemusel jít zpátky potmě sám. Raine namítla, že to znamená, že půjdu k jeho koleji sama potmě já, a tak jsem navrhla, ať jde se mnou, ale na to jen zakňourala, že se jí nechce, protože se nám povedlo zabrat gauč v rohu kavárny.

A tak jsem se vydala ven sama se zpola plným kelímkem vaječňákového latté. Stejně už se mi nechtělo jen tak sedět ve Starbucksu.

King's College, kolej, kam se hlásil Daniel, vypadala jako palác, i když jsem si ji prohlížela jen ve tmě. Byla to obří bílá budova v gotickém stylu, na hony vzdálená útulné chaloupce, které se podobala kolej, na niž jsem se hlásila já. Přesně na takovéhle místo Daniel patřil.

Seděl venku na nízké cihlové zídce, tvář ozářenou světlem mobilního displeje, zachumlaný do své tlusté prošívané péřovky. Pořád bylo vidět, že pod ní má sako a kravatu, a já si znovu upřímně pomyslela, že sem naprosto zapadá. Uměla jsem si živě představit, jak za pár let kráčí v nóbl absolventském plášti ke katedrále, kde se koná jeho promoce, nebo jak se s hubeným klukem jménem Tim směje cestou do debatního kroužku, kterému přišel Stephen Fry vyprávět o privatizaci zdravotnictví.

Došla jsem k němu a on zvedl hlavu. Věnovala jsem mu rozpačitý sevřený úsměv, Francesinu klasiku.

„Ahoj," řekla jsem a posadila se vedle něj. Taky se pokusil usmát, ale moc mu to nešlo. „Jsi v pohodě?"

Nedokázala jsem odhadnout, jestli náhodou nebrečel.

Měla jsem pocit, že je vysoce pravděpodobné, že jo.

„Jo," vydechl, ale já na něm viděla, že není.

Zničehonic se předklonil, opřel se lokty o kolena a složil hlavu do dlaní.

Kdokoli, kdo měl oči, by poznal, že není v pohodě.

„Já prostě... fakt potřebuju, aby mě vzali," mumlal. „Je to to jediný, co... prostě..."

Narovnal se, ale uhnul pohledem.

„Když mi bylo třináct, dostal jsem ve škole cenu... měl jsem nejlepší výsledky ze srovnávacích testů ze všech, co je kdy na naší škole dělali..." Zase zběsile poklepával nohou. Zavrtěl hlavou a uchechtl se. „A já byl tak... myslel jsem si, že jsem fakt chytrej. Myslel jsem si, že jsem nejchytřejší člověk na světě."

Potřásl hlavou.

„Ale teď... jsem jen... čím jsi starší, tím víc ti dochází, že nejsi vůbec výjimečnej."

Měl pravdu. Nebyla jsem výjimečná.

„Je to... to jediný, co mám," hlesl. „Jediný, co je na mně výjimečný."

Daniela jeho obor opravdu zajímal, tím jsem si byla jistá. Mě ten můj nezajímal vůbec.

Zalétl ke mně očima. Ve tváři se mu zračila únava, vlasy měl rozcuchané a koleno mu nadskakovalo nahoru a dolů. „Co tady děláš?"

„Říkala jsem si, že budeš možná potřebovat morální podporu," odpověděla jsem a pak mi došlo, že to možná zní trochu krutě, a tak jsem dodala: „A taky je pro mladého muže nebezpečné toulat se potmě sám venku."

Daniel se uchechtl.

Chvíli jsme jen mlčky seděli, zírali do potemnělé ulice a prázdných obchodů naproti.

„Dáš si vaječňákový latté?" Podala jsem mu kelímek. „Chutná trochu jako hlína."

Daniel si ho změřil podezřívavým pohledem, ale pak si ho vzal a napil se. „Dík."

„Nemáš zač."

„Tak co budeme dělat teď?"

„Asi pojedeme domů. Nevím jak ty, ale já dost mrznu."

„To zní dobře."

Další odmlka.

„To byl ten tvůj pohovor tak hroznej?" zeptala jsem se.

Daniel se zasmál. Takhle se za střízliva nikdy nesmál. „Vážně se o tom musíme bavit?"

„Ježiš, ne. Sorry."

Zhluboka se nadechl. „Nebylo to hrozný. Jen to nebylo dokonalý." Zavrtěl hlavou. „Mělo to být dokonalý."

„Podle mě jsi na sebe zbytečně přísnej."

„Ne, jen to vidím realisicky." Prohrábl si rukou vlasy. „Na Cambridge se dostanou jen ti nejlepší. Takže musím být nejlepší."

„Popřál ti Aled aspoň hodně štěstí?"

Daniel se uchechtl. „Aled... no teda. Ty fakt plácáš, cokoli se ti zamane, co?"

„Jen s tebou." Zavrtěla jsem hlavou. „Sorry, to znělo úchylně."

„Ha. No, každopádně mi nepopřál. Říkal jsem ti, že se mnou nemluví, že jo?"

„Jo."

„S tebou taky ne?"

„Ne."

„Aha. Myslel jsem, že jste se už mezitím usmířili."

Znělo to skoro zahořkle.

„Myslím, že by se dřív usmířil s tebou než se mnou –" začala jsem, ale Daniel se začal smát.

„To jako fakt?" vrtěl hlavou. „Páni, jsi ještě hloupější, než jsem si myslel."

Nervózně jsem se ošila. „Jak to myslíš?"

Otočil se ke mně a nevěřícně na mě vykulil oči. „Jsi ve všech ohledech lepší než já, Frances. To si fakt myslíš, že mu na mně záleží víc než na tobě?"

„Co –" koktala jsem. „Ty – vždyť jsi jeho kluk. A jeho nejlepší kámoš."

„Ne, nejsem," vzdychl. „Jsem jen někdo, s kým se občas líbá."

DĚTSKÉ PUSY

Začalo poprchávat, ulice Cambridge ve tmě vypadaly mnohem míň nóbl. Daniel držel poloprázdný kelímek ze Starbucksu a poklepával si jím o koleno.

Zasmál se a znovu se na mě po očku podíval, jako by ho už ani nebavilo být na mě zlý. „Co teď, mám ti tady převyprávět svůj srdceryvnej životní příběh?"

„Jestli nechceš, tak ne..."

„Ale ty to chceš slyšet, že jo? Chceš vědět, jak to mezi náma dvěma je."

Měl pravdu.

„Celkem jo," přiznala jsem.

Daniel si srkl kávy.

„A taky chci Aleda líp pochopit," dodala jsem.

Daniel povytáhl obočí. „Proč?"

Pokrčila jsem rameny. „Nechápu skoro nic z toho, co dělá... jak se rozhoduje. Připadá mi to... docela zajímavý." Hodila jsem si nohu přes nohu. „A taky ho mám pořád ráda. I když bych si přála, aby to tak nebylo."

Daniel přikývl. „To chápu. Byli jste kamarádi."

„Odkdy jste se kamarádili vy dva?"

„Od narození. Naše mámy spolu pracovaly a pak jen pár měsíců od sebe otěhotněly.“

„A od tý doby jste byli nejlepší kámoši?“

„Jo. Chodili jsme na stejnou základku a pak jsme oba šli na chlapeckou střední, akorát já jsem pak přešel do šesťáku na Akademii. Vídali jsme se každej den – dřív jsem bydlel ve stejný vesnici, tos věděla? Až do jedenácti let.“

Zavrtěla jsem hlavou.

„Jo, takže jsme spolu byli každej den, hráli jsme venku fotbal nebo si stavěli bunkry a jezdili na kole nebo jsme pařili videohry. Prostě... věci, co spolu dělají nejlepší kámoši. Protože jsme byli nejlepší kámoši.“

Na chvíli se odmlčel a pořádně si loknul z kelímku.

„No... a...“ Nevěděla jsem, jak na to téma zavést řeč. „Kdy jste spolu, ehm, začali chodit? Jestli se teda můžu zeptat...“

Daniel ještě chvíli nic neříkal.

„Vlastně to žádnej začátek nemělo,“ odpověděl nakonec. „Nebylo to – vlastně ani nevím, jestli jsme spolu chodili.“

Užuž jsem měla na jazyku otázku, co tím myslí, ale pak jsem si řekla, že bych ho prostě měla nechat, ať mi to vysvětlí svým tempem. Připadal mi nervózní, trochu se zadrhával a klopil oči k zemi.

„To, že jsem na kluky, jsem věděl už dávno,“ pronesl tiše. „Věděli jsme to oba. Už tak od deseti nebo jedenácti let. Jakmile jsme zjistili, co to je gay, bylo nám jasné, že přesně to jsem. My jsme...“

Vjel si rukou do vlasů.

„Jako malí jsme si občas dali pusu. Když jsme byli sami. Byly to jen malý, dětský pusy, jen rychlá pusa na rty, prostě nám to přišlo jako zábava. Vždycky jsme... k sobě byli dost něžní. Mazlili jsme se a... chovali jsme se k sobě hezky, ne hnusně jako většina dětí. Asi jsme byli tak ponoření jeden do druhýho, že nám prostě... unikla veškerá ta heteronormativní propaganda, co ti v tom věku všude cpou.“

Znělo to jako ta nejsladší věc na světě, ale Danielovi se třásl hlas, jako by mluvil o někom, kdo už je po smrti.

„Nedošlo nám, že je to divný, dokud… no, asi tak do těch deseti nebo jedenácti. Ale ani pak jsme s tím nepřestali. Asi… Já jsem to asi vždycky považoval za něco romantičtějšího než Aled. Aled to prostě bral jako něco, co dělají kámoši, a ne jako něco, co dělají lidi, co spolu chodí. Aled byl… vždycky divnej. Je mu jedno, co si myslí ostatní. Podle mě nějaký společenský normy ani nevnímá… prostě si žije ve svým vlastním malým světě."

Prošla kolem nás dvojice studentů, smáli se a Daniel se odmlčel, dokud nebyli z doslechu.

„No a asi… víš co… když na nás přišla puberta, začalo to být trochu… trochu vážnější. Už to nebyly jen pusy na rty, chápeš?" Rozpačitě se zasmál. „Když nám bylo tak asi čtrnáct, tak jsem – udělal jsem první krok. Hráli jsme u něj v pokoji videohry a já prostě… prostě jsem se zeptal, jestli mu můžu dát opravdovou pusu. Byl trochu překvapenej, ale řekl, že jo, tak jsem ho políbil."

Ani jsem nedutala a Daniel se při pohledu na můj výraz rozesmál.

„Proč ti to vůbec vykládám? Kristepane. No, takže… pak to tak nějak šlo dál… líbali jsme se a… dělali i další věci. Vždycky jsem se ho nejdřív zeptal, víš? On není – nikdy nedává jasně najevo, co chce… je tak tichej a – nechá sebou zametat… takže ať už jsme dělali cokoli, vždycky jsem se ho nejdřív zeptal, pokaždý jsem mu řekl, že jestli něco nechce, může klidně říct ne… Ale on vždycky řekl, že jo."

Odmlčel se, jako by to znovu prožíval, jako by to celé prožíval právě v tuhle chvíli. Takový život jsem si já nedokázala ani představit. Neuměla jsem si představit, že bych toho ze sebe tolik sdílela s někým jiným tak dlouho.

„Bylo to prostě… něco, co bylo jen *naše*. Nechtěli jsme mít vztah nebo se před lidma, co jsme znali, chovat jako pár. Bylo to něco soukromého, něco, co jsme si museli chránit, protože jsme nechtěli, aby nám to něco pokazilo. Ani nevím proč... asi jsme ani neměli pocit, že je to vztah. Protože ze všeho nejvíc jsme byli nejlepší kamarádi. Takže jsme nevěděli, jak bysme to lidem vůbec vysvětlili."

Zhluboka se nadechl.

„Moc jsme jeden pro druhýho znamenali. Říkali jsme si úplně všechno. Zažili jsme spolu všechna poprvý. Byli jsme si vším. On je – on je jako anděl."

Myslím, že jsem ještě nikdy nikoho neslyšela o někom takhle mluvit.

„Jenže Aled – on nestál o coming out, protože... nemá pocit, že je gay, nebo prostě tvrdí, že ho nepřitahuje nikdo kromě mě."

„Je spousta jiných orientací a sexualit," vyhrkla jsem.

„No, ať už je Aled cokoli, tak neví, co to je," pokračoval Daniel. „A já jsem taky nechtěl, aby se o mně vědělo. Přece jen to byla chlapecká škola, to bych si rovnou řekl o šikanu. Jako, měli jsme tam lidi, co se vyoutovali... jeden kluk ve vyšším ročníku, jeden z Aledových kámošů, kterýho jsem fakt obdivoval... ale... já jsem se bál, co by tomu řekli lidi. Myslel jsem, že počkám, než přestoupím na Akademii, a pak udělám coming out, ale... nakonec jsem si nenašel žádný blízký kamarády a... na to téma nikdy nepřišla řeč, když jsem se s někým bavil..."

Zavrtěl hlavou a znovu se dlouze napil kávy.

„Ale ten poslední rok, od tý doby, co odešla Carys... se změnil. A já jsem se taky změnil. Už jsme spolu netrávili tolik času... a já měl pocit, že když už za mnou přijde, je to jen proto, aby utekl od svých problémů, jako by se se mnou ani doopravdy vidět nechtěl. Znáš jeho mámu, že jo?"

„Jo."

„No... než jste se skamarádili, pořád chodil ke mně domů, aby s ní nemusel být. A pak ses objevila ty a... on už mě prostě nepotřeboval. Myslím."

„To je – ale vždyť jste kámoši už od narození. Jste spolu celý roky."

„Kdyby mu na mně záleželo, tak by se se mnou bavil." Nadechl se, jako by to bylo poprvé, co si to přiznal. „Ani nemám dojem, že se mu vůbec líbím. Myslím, že se mnou je jen proto, že je na to zvyklej, že se se mnou cítí bezpečně a... protože je mu mě líto. Myslím, že... ho to se mnou ani moc nebaví... no."

Odmlčel se a já si všimla, že mu vyhrkly slzy. Zavrtěl hlavou a jedno oko si otřel.

„Většinou jsem všechno inicioval já."

„Tak proč..." Můj hlas byl jen sotva slyšitelný šepot, i když jsme byli na ulici úplně sami. „Proč to prostě... neukončíte? Když už vás to spolu tolik nebaví?"

„Já jsem neřekl, že *mě* to s ním nebaví. Já ho mám tak strašně *rád*." Po tváři se mu skutálela slza a Daniel jen frkl. „Sorry, to je fakt trapas."

„Není." Zvedla jsem ruce a objala ho. Chvíli jsme tak zůstali a pak jsem ho zas pustila.

„Snažil jsem se to s ním probrat na jeho narozeniny," pokračoval, „ale on to nechtěl slyšet. Pořád se mě jen snažil ujistit, že mě má rád. A to mě rozzlobilo, protože jsem mu viděl na očích, že lže. Lhal, i když jsme hráli Nikdy jsem... jak předstíral, že nikdy nelhal, když mi říkal, že mě miluje... Já to poznám. Vždycky poznám, když lže! A proč by se mi kurva pořád vyhýbal, kdyby mě fakt miloval? Ani nechce přiznat svoji orientaci. Dokonce ani *mně*."

Otřel si druhé oko.

„A... tu noc... pořád jen opakoval, že chce, víš co, že to se mnou chce dělat, ale já jsem měl pocit, že lže, tak jsem ho odmítl, a on se taky naštval." Daniel potřásl hlavou. „Jen je na mě zvyklej a nechce mě trápit, protože ví – ví, že jsem do něj zamilovanej. Ale on ke mně nic takovýho už necítí."

„Jak to můžeš vědět tak jistě?"

Střelil po mně pohledem. „Ty jsi fakt nemožná optimistka."

„Ne, chci říct…" Kousla jsem se do rtu. „Ale… co když… já vím, jak je pro něj těžký říct, co si doopravdy myslí… a jako víš co, i já mám problém poznat, na co myslí, ale… co když tě taky… ehm… miluje? Jak si můžeš být tak jistej, když ti výslovně neřekl, že tě nemiluje?"

Daniel se zasmál, znělo to, jako by to už vzdal.

„Všichni chtějí, aby spolu ti dva gayové zůstali a žili šťastně až do smrti, co?"

Bylo mi tak smutno, že bych se nejradši sebrala a odešla.

„Moje nejhorší noční můra je, že ho přinutím dělat něco, co dělat nechce… nevědomky…" Oči se mu znovu zalily slzami. „A… a… Lidi se prostě mění a zkrátka musíš prostě jít dál, ale…" Předklonil se a chytil si hlavu do dlaní. „Mohl mi aspoň… mohl se se mnou aspoň oficiálně rozejít, a ne mě prostě takhle nechat…" Hlas se mu skrz slzy třásl a mně ho bylo tak líto, že jsem se div taky nerozbrečela. „Pokud už mě nemá rád, tak to nevadí… to přežiju… ale chci zpátky svýho nejlepšího kamaráda… Prostě chci pochopit, co doopravdy cítí. Nevím, proč se mi vyhýbá. Pokaždý když si řeknu, že mě teda už nemá rád, začnu o tom hned zase pochybovat, protože mi nikdy *nic neřekl.* Já jen chci, aby mi pověděl pravdu. Když – když mi lže, protože chce, abych se cítil líp, tak to fakt *bolí.*"

Daniel vzlykl a já ho znovu objala a přála si, abych pro něj mohla něco udělat – *cokoli.*

„Občas mám pocit, že mu záleží jen na tom jeho podcastu… To jeho *Universe City*, to je celej on. Je to jeho duše převedená do zvukový podoby. Radio a February Friday a to, že jsou uvězněný v šedivým městě… to je prostě jeho život. Je to… taková hloupá sci-fi analogie."

Při zmínce o February Friday mi poskočilo srdce. Přemítala jsem, jestli Daniel vůbec ví, že je to on.

„Je to můj jedinej opravdovej kamarád," vzdychl. „A prostě mě tu jen tak nechal. Strašně se mi po něm stýská… ani ne po tom líbání a tak, ale... prostě bych s ním chtěl trávit čas... hrát videohry... aby u mě zas přespával... prostě jen chci slyšet jeho hlas... chci, aby mi řekl pravdu..."

Držela jsem ho v náručí a Daniel plakal a mně došlo, že jsme oba ve stejné situaci, ačkoli pro něj to muselo být tak stokrát horší. Taky jsem chtěla Aleda zpátky. Proč nám neodpovídal na zprávy? To nás opravdu tolik nenáviděl?

Byla to moje vina, že jo?

Zradila jsem jeho důvěru. Odehnala jsem ho. A on se nehodlal vrátit.

Když se Daniel po pár minutách uklidnil a zase se narovnal, řekl: „A víš co? Když jsem ho poprvý doopravdy políbil... tak se odtáhl."

EXTRÉMNĚ UNAVENÁ

Cestou domů jsme si s Danielem už nic dalšího neřekli, ale měla jsem takový vágní pocit, že jsme teď kamarádi. Asi po půl hodině prolomila ticho Raine.

„Hele, děcka… jako víte co… když vás nevezmou, tak to není jako úplná tragédie, ne?"

Oba jsme měli pocit, že by to tragédie byla, ale já rychle opáčila: „Ne, není."

Myslím, že Raine poznala, že lžu. Po zbytek cesty už hovor zapříst nezkoušela.

Doma jsem mámě možná trochu přehnaně předvedla, jak přesně se komise tvářila, když jsem blábolila u pohovoru. Máma se smála a častovala je různými nelichotivými přezdívkami. Pak jsme si objednaly pizzu a pustily si *Scott Pilgrim proti zbytku světa.*

Upřímně řečeno se mi dost ulevilo, že je po všem.

Stresovala jsem se kvůli tomu už skoro rok.

Bylo jedno, že jsem už nejspíš ani nechtěla studovat anglickou literaturu. Rozhodnutí padlo. Co se stane, to se stane.

Rozhodla jsem se, že dneska si od domácích úkolů dám pohov. Kolem půlnoci jsem zapadla do postele a zachumlala se pod peřinu s notebookem na klíně. Napadlo mě, že bych mohla něco nakreslit – už pár týdnů jsem nic nenakreslila –, ale z nějakého důvodu jsem na to neměla chuť ani jsem nedokázala vymyslet, co bych mohla nakreslit. Chvíli jsem projížděla Tumblr, ale pak se mě zmocnil pocit, že bych neměla tak mrhat časem, a tak jsem radši internet zavřela, abych nebyla v pokušení pořád dokola refreshovat stránku.

Pak jsem si řekla, že bych mohla dohnat pár novějších dílů *Universe City* – kolik jsem jich už prošvihla? Čtyři? Pět? Tolik mi jich ještě nikdy předtím naráz neuteklo.

To bylo... to bylo docela zvláštní, co?

Na někoho, kdo se hrdě řadil k největším fanouškům.

Na někoho, kdo se tak dobře znal s Tvůrcem.

Ani jsem už nekoukala na Aledův Twitter. Nekontrolovala jsem na Tumblru tag *Universe City*. Už dávno jsem si na Tumblru vypnula posílání soukromých zpráv, aby se mě lidi přestali vyptávat na Aleda a na Tvůrce. Už jsem v podcastu neúčinkovala ani jsem nevytvářela vizuál, neměla jsem s *Universe City* už vůbec nic do činění. Víc než měsíc jsem na svůj blog nepřidala žádné nové kresby.

Najednou jsem si připadala extrémně unavená. Vypnula jsem počítač – stejně bych na něm nic zajímavého dělat nemohla – a zhasla řetěz se světýlky. Nasadila jsem si sluchátka, stáhla si do iPodu poslední epizodu *Universe City* a zaposlouchala se do ní.

UNIVERSE CITY: Ep. 142 – ano

UniverseCity 93 937 zhlédnutí

ahoj

Transkript níže >>>

[...]
Já nevím... začíná mě to nějak unavovat...
[10 vteřin pauza]
Takže včera večer cestou po Brockenborne Street se přede mnou objevil takový – fosforeskující –
Hm.
Víte co, to je jedno.
Vlastně přemýšlím, že – teda, napadlo mě... taková myšlenka... co kdyby – co kdybychom to prostě ukončili?
Haha, ne, pardon, to je – to není –
Ach.
Strašně si přeju být zase s February Friday. Neviděli jsme se už... no... roky a roky.
[...]

HODINY A HODINY

Bylo to otřesné.

Byla to příšerná epizoda.

Radio v podstatě nemluvil v celých větách. Nemělo to žádný jasný děj. Neobjevily se žádné vedlejší postavy. Byla to jen dvacetiminutová tiráda o věcech, kterým mohl rozumět jenom Aled.

A ta zmínka o February Friday úplně na konci?

Co to mělo být?

Neviděli se už roky?

Nebyl snad February Friday Daniel? S Danielem se Aled viděl sotva před pár měsíci. Že by jen přeháněl? Určitě jen přeháněl.

Daniel říkal, že Aled v *Universe City* popisuje svůj život, což mi v tu chvíli znělo směšně, ale když jsem si poslechla tohle...

Jako, February Friday rozhodně byla skutečná osoba. To mi Aled v podstatě potvrdil.

Možná že i všechno ostatní bylo skutečné.

Sedla jsem si na posteli. Už jsem nebyla unavená.

February Friday byl Daniel.

Nebo – nevím.

Jestli Aled vážně tvrdil, že se neviděli už roky...

Rozhodla jsem se pustit si ten díl znova, abych zkusila odhalit, jestli tam nejsou nějaké další náznaky, ale nakonec jsem si jen znovu uvědomila, jak unaveně Aled zní, jak se zakoktává, jak neví, co přesně chce říct a proč. Ani se neobtěžoval změnit hlas – prostě jen mluvil, akorát nasadil ten staromódní rozhlasový přízvuk. A i z toho na několika místech vypadl.

Tohle mu nebylo podobné. Jestli Aledovi na něčem opravdu záleželo, jestli měl jedinou věc, kterou dělal opravdu naplno, bylo to *Universe City*.

Něco bylo špatně.

Pokusila jsem se usnout, ale trvalo mi to hodiny a hodiny.

4. VÁNOČNÍ PRÁZDNINY

INTERNETOVÁ ZÁHADA

Aledův profil na Twitteru, @UniverseCity, jsem mívala v jedné z karet prohlížeče otevřený vždycky a za všech okolností.

Tohle jsou příklady Aledových tweetů na @UniverseCity:

RADIO @UniverseCity
ZVUKY JSOU VE TMĚ HLASITĚJŠÍ -!

RADIO @UniverseCity
vim co tvoje sny delaly loni v lete,,, jo mluvim s tebou, romy. uz se neschovas

RADIO @UniverseCity
módní update universe city: štěrk je in, hobgoblini jsou out, mějte u sebe za všech okolností děrovačku (byli ste !!! VAROVÁNI !!!)

RADIO @UniverseCity
@NightValeRadio my vás posloucháme „“ vždycky posloucháme

Obvykle mi jeho tweety nedávaly žádný smysl, a právě proto mě tak bavily. Asi nemusím dodávat, že jsem je vždycky retweetovala.

Ale potom, co jsem zjistila, kdo za tímhle účtem stojí, začala jsem si do obsahu Radiových – Aledových – tweetů promítat víc, než jsem asi měla.

Tohle napsal po testu z anglické literatury:

RADIO @UniverseCity
\abeceda v ohrožení, zbývá už jen devět písmen.., !!
ZACHRAŇTE JE !!

Tohle napsal jednou v září, ve čtyři ráno, jen pár hodin potom, co mi řekl, že se pohádal s mámou:

RADIO @UniverseCity
*** DŮLEŽITÉ: hvězdy jsou vždycky na tvé straně. ***

Ale od chvíle, co odjel na vysokou, byly Aledovy tweety čím dál temnější.

RADIO @UniverseCity
kolik zoufalých mladých lidí je potřeba na výměnu žárovky. prosím , myslím to vážně , už dva týdny tu sedím ve tmě

RADIO @UniverseCity
kariérní možnosti: metalický prach, studené vakuum kosmu, pokladní v supermarketu

RADIO @UniverseCity
Má někdo nějaký tip, jak se dá zabránit utopení v betonu?

Musel to být záměr. Příběh samotného *Universe City* přece jen taky dost potemněl. Nedělala jsem si z toho moc hlavu.

Místo toho jsem většinu třítýdenních vánočních prázdnin strávila tím, že jsem znovu poslouchala každou dosud uveřejněnou epizodu podcastu ve snaze zjistit, kdo je doopravdy February Friday.

Ale pořád jsem jen marně tápala.

Aled se v podcastu už několikrát zmínil, že February Friday neviděl „roky a roky". Takže Daniel to vážně být nemohl. Zmýlila jsem se.

Což mě štvalo. Mýlila jsem se strašně nerada.

A víte co? Když na to přijde, neexistuje nic, co bych nenáviděla víc než internetovou záhadu.

STROP JAKO GALAXIE

Bylo 21. prosince odpoledne a máma mě povzbuzovala, ať zajdu za Aledem osobně.

Poskakovala jsem na místě před našimi dveřmi a máma na mě s rukama založenýma na hrudi koukala.

„Kdyby ti otevřela Carol," kladla mi na srdce, „nezačínej před ní radši mluvit o těchto tématech: politice, školních obědech, alkoholu a té staré paní, co pracuje za přepážkou u nás na poště."

„Co má Carol proti starý paní z pošty?"

„Jednou jí omylem naúčtovala vyšší částku a Carol nikdy neodpouští ani nezapomíná."

„To mě nepřekvapuje."

„A když ti otevře Aled..." Máma vzdychla. „Ne že zas začneš blábolit o tom, jak moc se omlouváš. Myslím, že Aled ví, jak moc tě to mrzí, protože jsi mu to řekla už tak milionkrát."

„Děkuju, matko, to od tebe vůbec není krutý."

„Těžko na cvičišti, lehko na bojišti."

„Super."

Máma mě poplácala po rameni. „Bude to v pohodě, neboj. Vždycky je lepší si o věcech promluvit z očí do očí, vážně. Moc nevěřím tomu, že by se to dalo vyřešit přes, jak to vy mladí říkáte, tambl?“

„Tumblr, mami.“

„No, ano, mně se to moc nepozdává. Promluvit si osobně je nejjednodušší způsob, jak to vyřešit.“

„Tak jo.“

Otevřela mi dveře a ukázala ven. „Tak běž!“

Zaklepala jsem u Lastových na dveře a otevřela mi Carol. Bylo to poprvé od toho incidentu se stříháním vlasů, co jsem se s ní viděla. Na ten incident jsem upřímně řečeno dosud myslela každý den.

Vypadala pořád stejně. Vlasy nakrátko, boubelatá, s prázdným výrazem.

„Frances!“ vyhrkla, zjevně ji trochu překvapilo, že mě vidí. „Jak se máš?“

„Dobrý den, mám se dobře, děkuju,“ chrlila jsem ze sebe až příliš rychle. „A co vy?“

„No, však víš, jde to, jde to.“ Usmála se a podívala se kamsi nad moji hlavu. „Pořád se něco děje. Člověk se ani na chviličku nezastaví, kolik má práce!“

„Jasně,“ odpověděla jsem, snažila jsem se, aby to znělo, jako že mě to zajímá, ale ne zas až tak moc, aby to chtěla rozvinout v plnohodnotnou konverzaci. „No, jen jsem se přišla zeptat, jestli je doma Aled.“

Úsměv jí zmizel z tváře. „Ach tak.“ Prohlédla si mě, jako by se rozhodovala, jestli mě má rovnou seřvat. „Ne, zlatíčko. Promiň, ještě je na koleji.“

„Ehm, aha.“ Strčila jsem si ruce do kapes. „A on – přijede vůbec na Vánoce?“

„To by ses ho musela zeptat sama,“ opáčila a sevřela rty do tenké čárky.

V tu chvíli se mě začalo zmocňovat zděšení, ale zkoušela jsem to dál.

„No, já – on mi neodpovídá na zprávy. Jen jsem si... ehm... o něj dělala starost. Chtěla jsem se ujistit, že je v pořádku."

„Ach, beruško." Carol se lítostivě zasmála. „Je v naprostém pořádku, to ti přísahám. Jen má na univerzitě hodně práce. Opravdu mu tam hodně nakládají – což je jedině dobře! Zdržel se tam i přes prázdniny, aby dohnal pár věcí, co v semestru nestihl." Zavrtěla hlavou. „Hlupáček. Nejspíš se někde bavil a popíjel, místo aby se pilně učil."

Bavit se a popíjet bylo to poslední, co by Aled dělal, ale nechtěla jsem jeho mámu osočit ze lži.

„A víš, že mu vždycky poněkud dělalo problémy udržet pracovní nasazení," pokračovala. „Ten chlapec má vážně potenciál – kdyby chtěl, mohl by si udělat i doktorát. Jenže on se pořád rozptyluje těmi svými projektíky. Takové zbytečnosti. Věděla jsi, že dřív trávil všechen svůj čas sepisováním jakéhosi směšného příběhu, a ten pak nahlas předčítal před svým počítačem? Ani nevím, kde se mu proboha povedlo opatřit si *mikrofon*."

Zasmála jsem se, i když to nebylo ani trochu vtipné.

„Hlouposti!" vykládala Carol dál. „Tohle je určující období tvého života, víš? Ve vašem věku by se člověk měl plně soustředit jen a pouze na studium, jinak si zkazí celý život!"

„Ano," vymáčkla jsem ze sebe.

„Vždycky jsem našeho Aleda podporovala, ale... bojím se, že nemá ten správný přístup, víš? Je tak *výjimečně* nadaný, ale vůbec své nadání *nevyužívá*. A to jsem se mu tolik snažila pomoct, už odmalička, ale on mě zkrátka neposlouchá. Ale nikdy nezlobil tolik jako jeho sestra, pochopitelně." Hořce se uchechtla. „Holka zlá."

Bylo mi dost nepříjemně, ale Carol se na mě podívala a v očích se jí zračilo obnovené nadšení.

„Vlastně od té doby, co mi před pár týdny naposledy telefonoval, na něčem tak trochu pracuju. Stěžoval si, že mu chybí motivace, a... no... já si myslím, že to má co do činění s tím psychickým stavem, který si přivodil. A tak jsem se pustila do lehkých úprav v jeho pokoji."

Krve by se ve mně nedořezal.

„Chce-li si člověk udržet motivaci, musí k tomu mít to správné prostředí, no ne? A já si opravdu myslím, že jeho pokoj byl jedním z největších problémů. Měl tam neustále nepořádek – to si pamatuješ, že?"

„Ehm, asi jo..."

„No, maličko jsem mu to tam předělala a myslím si, že odteď mu všechno půjde *mnohem líp*." Zničehonic ucouvla. „Nechceš se jít podívat, zlatíčko?"

Zvedal se mi žaludek.

„D-dobře," vykoktala jsem a šla za ní dovnitř a nahoru po schodech do Aledova pokoje.

Otevřela dveře.

Jako první mě do očí uhodilo, jak je všechno bílé. Aledova pestrobarevná peřina a přehoz s obrázkem nočního města byly pryč a nahradilo je prosté, bílo-krémově pruhované povlečení. Stejně dopadly závěsy. Koberec zůstal, ale teď ho překrýval menší bílý kobereček. Řetězy se světýlky ležely zamotané v krabici u stěny. Carol taky sloupala všechny samolepky z komody a na stěně nezůstal jediný plakát, pohled, lístek, leták, obrázek ani jiný kus papíru – pár jich leželo zmuchlaných v krabici se světýlky, ale rozhodně v ní nemohlo být všechno. Ani pokojové květiny nezmizely, jenže teď byly všechny uschlé. Stěny byly vymalované nabílo a já si upřímně řečeno nebyla jistá, jestli takové byly vždycky, nebo to taky udělala Carol.

K mé hrůze ale přemalovala jeho strop, co byl jako galaxie.

„Je to takové čerstvé, nemám pravdu? Čistší, prázdnější prostor pomáhá udržovat čistou, bystrou mysl."

Ucedila jsem další „ano", ale nejspíš to znělo, jako bych se dusila.

Až to Aled uvidí, obrečí to.

Jeho matka mu sebrala jeho pokoj – místo, které mu patřilo, kde se cítil doma – a zničila ho.

Sebrala mu všechno, co měl rád, a zničila to.

3:54 RÁNO

Když jsem domů dorazila s kartonovou krabicí pod jednou paží a přehozem s obrázkem nočního města pod druhou a drmolila cosi o výzdobě pokoje, nejspíš jsem mámu docela vyplašila.

Jakmile se mi povedlo jí objasnit situaci, nasadila naprosto nepokrytě znechucený výraz.

„Měla by se za sebe stydět," prskla.

„Proto asi zůstal Aled na koleji – určitě si myslí, že se nemůže vrátit domů, že je tam uvězněnej, nemá nikoho, kdo by se o něj postaral..." Už zase jsem sotva srozumitelně blábolila a máma mě přinutila si sednout v obýváku na gauč, abych se uklidnila. Došla do kuchyně, udělala mi kakao a pak se posadila vedle mě.

„Jsem si jistá, že má na vysoké kamarády," uklidňovala mě. „A na univerzitách mají studenti další možnosti, kam se obrátit o pomoc – psychologické poradny a anonymní služby a tak. Určitě není sám."

„Ale co když je," špitla jsem a už pomilionté se snažila zadržet slzy. „Co když... trpí..."

„Vážně ho nemůžeš nějak kontaktovat?"

Zavrtěla jsem hlavou. „Na zprávy a maily mi neodpovídá a telefon mi nebere. Je to k němu šest hodin cesty. A ani nemám jeho přesnou adresu."

Máma se zhluboka nadechla. „No... pak chápu, že si o něj děláš starosti, ale... moc toho nezmůžeš. Rozhodně to není tvoje vina."

Ale já jsem měla pocit, že je, protože jsem věděla, co se děje, a nemohla jsem mu nijak pomoct.

Tou dobou už mi každý večer usnout trvalo i tři nebo čtyři hodiny. A tuhle noc to bylo ještě nesnesitelnější. Nechtělo se mi vypínat počítač, protože jsem si ve svém pokoji připadala moc sama, a nechtěla jsem ani zhasnout, protože jsem se bála tmy.

V hlavě mi neustále šrotovalo. Nedokázala jsem vypnout mozek. Měla jsem pocit, že panikařím.

Ne. Nebyl to jen pocit. Panikařila jsem.

Když jsem naposled někomu nezvládla pomoct, ten někdo utekl a od té doby po něm nebylo ani vidu, ani slechu.

Nemohla jsem zopakovat stejnou chybu.

Musela jsem dávat pozor, co se děje, a něco s tím udělat.

Projížděla jsem svůj blog na Tumblru a prohlížela si všechnu svoji tvorbu. Představila jsem si, že by ji někdo smazal, rozmlátil mi notebook – už jen při té myšlence jsem se rozzuřila. Svoje kreslení jsem milovala víc než cokoli jiného, bavilo mě víc než cokoli jiného. A kdyby mi ho někdo vzal, jako Aledovi jeho máma vzala jeho svět, jediné místečko, kde se cítil bezpečně...

Schoulená na posteli jsem na mobilu našla Aledovo jméno. Naposledy jsem mu zkoušela volat v říjnu.

Za další pokus to stálo.

Zmáčkla jsem ikonku telefonního sluchátka vedle jeho jména.

Ozval se vyzváněcí tón.

A pak najednou ustal.

A: … Haló?

Jeho hlas zněl přesně tak, jak jsem si ho pamatovala. Tiše, trochu ochraptěle, maličko nervózně.

F: A-Alede, tyjo, ježíšikriste. Já jsem – nečekala jsem, že to zvedneš…
A: … Aha. Promiň.
F: Ne, to se neomlouvej. To je – já jsem – strašně moc ráda zase slyším tvůj hlas.
A: Ehm…

Co jsem mu měla říct? Byla to nejspíš moje jediná šance.

F: No, tak… jak se máš? Jak je na vysoký?
A: Jo… dobrý.
F: Super… to je super.
A: Celkem dost práce.

Zachichotal se. Přemítala jsem, kolik toho přede mnou ještě pořád tají.

F: Ale jsi v pohodě?
A: Ehm, no…

Na druhé straně se rozhostilo dlouhé ticho a já v něm slyšela tlukot vlastního srdce.

A: No, víš jak. Je to… drsný. Je toho na mě trochu moc.
F: Jo?
A: Myslím, že je toho moc i na ostatní.

V jeho hlase bylo cosi divného.

F: Alede… jestli se necítíš dobře, mně to můžeš říct. Já vím, že už se spolu úplně nebavíme, ale já tě pořád… jakoby… no… mám ráda… A vím, že mě nejspíš pořád nenávidíš, a nevím, co si o mně ve skutečnosti myslíš... a vím, že nechceš, abych se pořád dokola omlouvala. Ale já tě… já tě vážně mám ráda. Proto ti taky volám.
A: Haha, jo, vždyť jsi přece říkala, že se telefonování bojíš.
F: Telefonování s tebou jsem se nikdy nebála.

Na to mi nic neodpověděl.

F: Dneska jsem se u vás stavovala, jestli tam nejsi.
A: Fakt? Proč?
F: Chtěla jsem… s tebou mluvit. Neodpovídáš mi na zprávy.
A: Promiň… Já jen… je pro mě dost těžký, ehm…

Jeho hlas se vytratil do prázdna a já netušila, co se mi snažil říct.

F: No, tvoje máma… mluvila jsem s ní. Ona ti… předělala pokoj. Přemalovala strop a tak.
A: … Fakt…?
F: Jo… ale já jsem spoustu tvých věcí zachránila, překecala jsem ji, že já to ještě využiju, aby to nevyhodila…

Další ticho.

F: Alede? Jsi tam?
A: Počkej – t-takže ona prostě… všechno vyhodila?
F: Jo, ale já jsem toho spoustu zachránila! Jako, nevím, jestli všechno, ale rozhodně něco…
A:
F: Proč – proč by něco takovýho dělala – bez dovolení?
A: To je…

F:

A: Haha. To neřeš.

Netušila jsem, jak zareagovat.

A: Moje máma je taková odjakživa. Už mě to ani nepřekvapuje. Ani trochu.

F: Přijedeš... vlastně na Vánoce domů?

A: ... Já nevím.

F: Mohl bys přijet k nám, jestli chceš?

Byla jsem si skoro jistá, že řekne ne, ale nakonec neodmítl.

A: A nejsi... tvojí rodině by to nevadilo?

F: Ne, vůbec! Mámu znáš a babička s dědou a tety a strejdové a bratranci a sestřenice jsou hlučný a přátelský. Prostě jim nakukáme, že jsi můj kluk.

A: Tak jo. To je... To by bylo vážně fajn. Děkuju.

F: Za málo...

On mi odpustil. Necítil ke mně nenávist. *Necítil ke mně nenávist.*

F: Jak to, že jsi vůbec vzhůru?

A: Ehm, no... snažím se napsat esej... musel jsem si nechat prodloužit termín odevzdání...

Znovu se odmlčel.

F: Aha... to je asi nuda, co?

A: Jo...

Pak jsem slyšela, jak se zničehonic prudce nadechl. Napadlo mě, jestli není nastydlý.

F: Na psaní eseje je docela pozdě...
A: (odmlka) Jo, no...

Další mučivě dlouhé ticho.

F: No a... jde ti to?
A: Ehm... no... moc ne...

Když znovu promluvil, třásl se mu hlas a mně došlo, že brečí.

A: Já jen... já fakt ne... Já to nechci psát. Jen tady zírám na prázdnou stránku na monitoru, už snad celej den...
F:
A: Já nechci... už to dál nechci dělat...
F: Alede, na psaní eseje je už fakt pozdě, jdi si prostě lehnout a napíšeš to ráno.
A: To nejde, je to – musím to odevzdat zítra v deset dopoledne.
F: Alede... víš, že dělat úkoly na poslední chvíli večer před odevzdáním se nevyplácí...

Nejdřív neodpověděl. Slyšela jsem, jak se rozechvěle nadechuje.

A: Jo.
F:
A: Jo, promiň. Sorry, neměl jsem... jo, no.
F: To nic.
A: Tak se vidíme pak.

Zavěsil dřív, než jsem se vzmohla na další slovo.
Podívala jsem se na displej. Bylo 3:54 ráno.

DOKUD NEUMŘE

„No teda, co ty vlasy?"

Bylo 23. prosince večer a Aled vystoupil z vlaku s kufrem v ruce a batohem na zádech.

Vlasy měl až po ramena a konce nabarvené na pastelově růžovou.

Na sobě měl úzké černé džíny, béžový manšestrový kabát s beránkem a svoje limetkově zelené tenisky s fialovými tkaničkami a v uších sluchátka. Já jsem na sobě měla svůj obří pánský kabát, legíny s mřížovaným vzorem a vansky s motivy *Star Wars*.

Usmál se na mě. Trochu rozpačitě, ale úsměv to byl.

„Myslíš, že je to dobrý?"

„Je to *zatraceně hustý*."

Chvíli jsem před ním jen stála a prohlížela si ho. Nakonec si vyndal z uší sluchátka. Zaslechla jsem, jakou hudbu v nich měl puštěnou – byla to písnička „Innocence" od skupiny Nero. Tu znal díky mně.

„Máš to moc nahlas," vyhrkla jsem, než mi stihl říct cokoli dalšího.

Aled zamrkal a pak se uculil. „Já vím."

Procházeli jsme naší vesnicí a tlachali o nepodstatných věcech – o jeho cestě vlakem, Vánocích, počasí. Nevadilo mi to. Chápala jsem, že to mezi námi nebude hned od začátku zase jako dřív.

Byla jsem prostě jen ráda, že tu je.

Došli jsme k nám a máma Aledovi na přivítanou nabídla šálek čaje, ale on jen zavrtěl hlavou.

„Půjdu si promluvit s mámou," řekl. „Vysvětlím jí, že budu na Vánoce tady u vás."

Zamrkala jsem. „Já myslela, že už to ví."

„Ne, myslím, že tohle je potřeba probrat osobně."

Shodil batoh v předsíni na zem a kufr opřel o stěnu.

„Tak za deset minut jsem zpátky," ujistil nás.

Nevěřila jsem mu.

Byl pryč už asi půl hodiny a já začínala panikařit. A moje máma taky.

„Neměla bych tam radši zajít?" zeptala se mě. Stály jsme v obýváku a sledovaly z okna dům Lastových, čekaly jsme na jakékoli známky pohybu. „Možná by pomohlo, kdybych si s ní promluvila. Většina dospělých poslechne jiné dospělé."

A pak jsme zaslechly, jak Aled křičí.

Nebyl to ani tak křik jako spíš dlouhé zakvílení. Ještě nikdy jsem ve skutečném životě nic takového od nikoho neslyšela.

Vystřelila jsem ke vchodovým dveřím a rozrazila je a Aled ve stejnou chvíli otevřel dveře jejich domu a vypotácel se ven. Rozběhla jsem se k němu, chvíli jen klopýtal a já se bála, že mu něco je, ale neviděla jsem žádné zranění, jen křivil obličej a nekontrolovatelně vzlykal. Sevřela jsem ho v náručí zrovna ve chvíli, kdy se na chodníku sesunul k zemi, vydával ze sebe zvuky plné bolesti, které jsem nikdy neslyšela, jako by ho někdo postřelil, jako by umíral...

A pak začal vykřikovat: „Ne, ne, ne, ne, ne, ne, ne…" a z očí se mu hrnul vodopád slz a já se ho freneticky vyptávala, co se děje, co se stalo, co ti udělala, ale on jen vrtěl hlavou a zalykal se pláčem, nemohl ze sebe vymáčknout ani slovo, i kdyby chtěl, ale pak jsem mu konečně začala rozumět.

„O-ona ho zabila – o-ona ho z-zabila."

Zvedl se mi žaludek.

„Koho? Co se stalo, řekni…"

„Mýho… mýho psa… Briana…" Znovu se rozvzlykal, strašně nahlas, jako by nikdy předtím v životě nebrečel.

Strnula jsem.

„Ona ti… zabila… psa?"

„Ř-říkala… že se o něj n-nemohla starat… protože jsem byl pryč, a on – Brian byl s-starej a o-ona – Ona prostě – šla a… nechala ho *utratit*."

„Ne…"

Z hrdla se mu vydralo další zakvílení, zabořil mi obličej do svetru.

Nechtěla jsem věřit, že by někdo byl schopný udělat něco takového.

Ale teď jsme seděli pod pouliční lampou a Aled se mi otřásal v náručí a tohle bylo skutečné, tohle se doopravdy stalo. Aledova máma mu brala všechno, co kdy měl, a pálila to. Pálila ho, pomalu, dokud neumře.

DRSNÉ RUCE SEVEŘANŮ

„Zavolám na ni polici," zopakovala počtvrté máma. Už půl hodiny jsme jen seděli v obýváku. „Nebo mě aspoň nech za ní jít a pořádně ji seřvat."

„Ne, to by k ničemu nebylo," zavrtěl hlavou Aled. Znělo to, jako by se mu chtělo umřít.

„Co můžeme udělat?" zoufala jsem si já. „Něco se přece musí dát udělat..."

„Ne." Aled se zvedl. „Jedu zpátky na kolej."

„Cože?" Vyskočila jsem na nohy a vyšla za ním ze dveří. „Počkej, přece tam nemůžeš být sám, když jsou Vánoce!"

„Nechci zůstat takhle blízko ní."

Chvíli jsme všichni jen mlčeli.

„Víš..." pokračoval pak, „když nám s Carys bylo deset... naše máma spálila hromadu oblečení, co si Carys nakoupila v sekáči. Carys byla strašně nadšená z jedněch kalhot, co si pořídila, když byla venku s kámoškama... byly z látky, co měly vzor jako galaxie... ale máma řekla, že jsou pro chátru, sebrala jí je a prostě je na zahradě spálila a Carys jen brečela a křičela, pokusila se je z ohně vytáhnout a popálila si ruce, a máma ji ani neutěšila." Oči měl prázdné, jako by v nich nic nebylo.

„Musel jsem... musel jsem jí ruce držet... pod studenou vodou..."

„Panebože," sykla jsem.

Aled sklopil hlavu a ztišil hlas. „Mohla je prostě vyhodit, ale ona se rozhodla je *spálit*..."

Ještě patnáct minut jsme se ho s mámou snažily přesvědčit, aby si to rozmyslel, ale marně.

Odjížděl. Už zase.

Zpátky na nádraží jsme dorazili před devátou večer, a i když jsme spolu byli jen dvě hodiny, připadalo mi to jako celá věčnost, co jsem ho tu vyzvedla.

Sedli jsme si na lavičku. Proti nám se rozkládala venkovská krajina, zimní nebe bylo temné a pochmurné.

Aled si přitáhl kolena k hrudi a opřel se botami o lavici. Začal si mnout dlaně.

„Nahoře na severu je fakt zima," prohodil a pak přede mě natáhl ruce. Kůži na hřbetech rukou a kloubech prstů měl úplně suchou. „Koukni."

„Drsné ruce seveřanů," řekla jsem.

„Cože?"

„Tak tomu říká moje máma." Přejela jsem mu po ruce ukazováčkem. „Když máme hodně suchou kůži na rukou. Drsné ruce seveřanů."

Aled se usmál. „Asi bych si měl koupit rukavice. A pak je budu nosit pořád."

„Jako Radio." V *Universe City* si Radio nikdy rukavice nesundává. Nikdo neví proč.

„Jo." Stáhl ruce zpátky a omotal si pažemi kolena. „Občas mám pocit, že *jsem* Radio."

„Nechceš moje?" vyhrkla jsem a stáhla si rukavice. Byly tmavě modré a na hřbetech měly vyplétaný norský vzor. Podala jsem mu je. „Já jich mám spoustu."

Upřel na mě pohled. „Nemůžu ti je přece ukradnout!"

„Stejně jsou starý," dodala jsem. Byla to pravda.

„Frances, i kdybych si je od tebe vzal, bylo by mi blbý je nosit."

Bylo mi jasné, že si je nevezme. „Fajn," pokrčila jsem rameny a zase si je natáhla.

Chvíli jsme seděli potichu. „Promiň, že jsem ti neodpovídal na zprávy," řekl nakonec.

„To je dobrý, měl jsi právo na mě být naštvanej."

Další odmlka. Chtěla jsem zjistit, co všechno na univerzitě dělá. Chtěla jsem mu říct, ať mi poví všechno, co nevím o *Universe City*. Chtěla jsem si mu postěžovat, jaká hrůza to je poslední dobou ve škole, že jsem tak nevyspalá, až mě každý den bolí hlava.

„A jak se máš ty?" zeptal se.

Podívala jsem se na něj. „Jo, dobrý."

A on věděl, že to není dobrý, ani u něj to nebylo dobrý. Ale nevěděla jsem, co dalšího říct.

„Co škola?" ptal se dál.

„Už se nemůžu dočkat, až vypadnu," přiznala jsem. „Ale taky... se snažím si to ještě užít."

„Nejsi jedna z těch, co chtějí stihnout první sex do maturity, že ne?"

Zamračila jsem se. „To lidi normálně dělaj?"

Aled pokrčil rameny. „Já o nikom nevím."

Zasmála jsem se.

„Takže učení i úkoly zvládáš?" zeptal se.

Mohla jsem mu zalhat. „Moc ne. Hodně probdělých nocí, víš jak."

Usmál se a uhnul očima. „Občas mám pocit, že jsme stejnej člověk... jen nás někdo před narozením rozdělil do dvou."

„Jak to?"

„Protože ty jsi doslova já, akorát bez všech těch sraček."

Frkla jsem. „Pod sračkama... jsou jen další sračky. Jsme hovna do morku kostí."

„Ha," udělal Aled. „To je název mýho debutovýho rapovýho alba."

Oba jsme se rozesmáli a náš smích se ozvěnou nesl nádražím.

A pak nad našimi hlavami zaznělo hlášení.

„*K prvnímu nástupišti – přijíždí – vlak – do cílové stanice – St Pancras – Londýn – pravidelný odjezd – ve dvacet jedna hodin – sedm minut.*"

Aled vzdychl, ale ani se nepohnul.

Naklonila jsem se k němu a objala ho. Pořádně, paže jsem mu omotala kolem krku a opřela se mu bradou o rameno. On mi objetí opětoval. A já si pomyslela, že je to mezi námi zase v pohodě.

„Zůstali u vás na koleji nějaký lidi, abys nebyl na Vánoce sám?" zeptala jsem se.

„Ehm..." Aled se odmlčel. „Jo, ehm... myslím, že tam zůstalo pár zahraničních studentů..."

A pak k nástupišti přijel vlak a Aled vstal, vzal svůj kufr a otevřel dveře a nastoupil. Otočil se a zamával mi. „Bon voyage!" zavolala jsem na něj a on se smutně usmál a řekl: „Frances, ty jsi vážně..." Ale zdálo se, že tu větu nedokáže dokončit, a já netušila, co se mi snažil říct. Pak si strčil do uší sluchátka, dveře se za ním zavřely a Aled od nich odešel a zmizel mi z očí.

Když se vlak dal do pohybu, napadlo mě, že vyskočím z lavičky a poběžím vedle něj a budu Aledovi mávat, jako to dělají lidi ve filmu. Pak jsem si řekla, že by to vypadalo debilně, a stejně by to bylo k ničemu, a tak jsem zůstala sedět, dokud vlak neodjel, a pak jsem zase osaměla s venkovskou krajinou všude kolem, já a pole a šeď.

MOJE KAMARÁDKA

Carys Lastovou jsem políbila den předtím, než utekla z domova, a jí se to nelíbilo a začala mě nenávidět a pak zmizela a byla to moje vina.

Stalo se to v den, kdy jsme dostali výsledky závěrečných testů – já byla v desátém ročníku a ona v jedenáctém. Večer přišla ke mně domů, abychom to oslavily, nebo spíš v jejím případě zapily žal. Carys totiž propadla.

Propadla z úplně všech předmětů.

Seděla jsem na pohovce, obklopená neotevřenými pytlíky chipsů a lahvemi s limonádou – jídlo a pití na oslavu, která se nekonala –, a poslouchala její vzteklou tirádu.

„A víš ty co? Mně je to jedno. Je mi to fakt úplně ukradený. A co jako, co mi můžou udělat? Prostě si zopáknu jedenácťák. Nikdo mi v tom nemůže bránit. A když znova propadnu – no a co! Najdu si práci. Nějakou, kde jim je vysvědčení fuk. Možná jsem blbá, ale můžu dělat spoustu věcí. Máma je fakt kráva, jako – jako co čekala? Já nejsem můj brácha! Nejsem její malej génius, do prdele! Co čekala?!“

Takhle to pokračovalo nějakou dobu. Když se rozbrečela, přesunula jsem se k ní na druhou pohovku a objala ji kolem ramen.

„Není to tak, že bych byla k ničemu, umím toho dost! Známky jsou – jsou to jen čísla. No a co, že si nepamatuju matematický vzorečky nebo nic o Hitlerovi nebo fotosyntéze a podobnejch sračkách." Podívala se na mě, pod očima měla černé fleky od řasenky. „Není to tak, že bych byla k ničemu, že jo?!"

„Není," vydechla jsem.

A pak jsem se k ní naklonila a dala jí pusu.

Upřímně řečeno se mi o tom nechce mluvit.

Jen při tom pomyšlení se ošívám.

Carys vyskočila na nohy.

Rozhostilo se krátké, nesnesitelné ticho, jako by ani jedna z nás nemohla uvěřit tomu, co se právě stalo.

Pak na mě začala křičet.

„Myslela jsem, že jsi moje kamarádka," zaznělo hned několikrát. Taky: „Nikomu na mně nezáleží." A: „Celou dobu jsi to na mě jen hrála," to mě zabolelo úplně nejvíc.

Nic jsem nehrála. Byla moje kamarádka, měla jsem ji ráda a nic z toho nebyla přetvářka.

Druhý den utekla z domu. Během dne si mě zablokovala na Facebooku a vymazala si Twitter. Za týden si změnila telefonní číslo. Za měsíc jsem si myslela, že už jsem se z toho vzpamatovala, ale ve skutečnosti jsem se z toho nikdy nevzpamatovala. Sice už jsem do ní nebyla zamilovaná, ale to neznamenalo, že se to nestalo, a to, že Carys Lastová utekla, bude navždy moje vina.

LEBKA

„Chceš, abych šla pryč?" zeptala se máma. „Jestli ti to pomůže, půjdu vedle."

„Nic mi nepomůže," vzdychla jsem.

Byl leden, nadešel Ten Den. Stály jsme naproti sobě u kuchyňské linky a já držela v ruce obálku a v té obálce byl dopis, z něhož se dozvím, jestli mě vzali na Cambridgeskou univerzitu.

„Nebo počkej, já půjdu vedle," rozmyslela jsem si to.

Odešla jsem i s dopisem do obýváku a sedla si na gauč.

Srdce mi divoce bušilo, ruce se mi třásly a potila jsem se i za ušima.

Snažila jsem se nemyslet na to, že pokud mě nevzali, promrhala jsem hodně velké procento svého života. Skoro všechno, co jsem kdy ve škole udělala, jsem udělala s myšlenkou na Oxford nebo Cambridge. Kvůli těmhle univerzitám jsem si vybrala konkrétní maturitní předměty, kvůli těmhle univerzitám jsem se stala primuskou. Kvůli těmhle univerzitám jsem se šprtala jak blázen, abych měla dobré známky.

Roztrhla jsem obálku a přečetla si první odstavec.

Stačila jedna věta a rozbrečela jsem se.

Stačily dvě a začala jsem ječet.

Další věty jsem už nečetla. Nebylo to potřeba.

Nevzali mě.

Máma přišla za mnou a objímala mě, zatímco jsem brečela. Nejradši bych si dala pěstí. Nejradši bych se mlátila do hlavy, dokud by mi nepraskla lebka.

„To nic, ššš, to bude dobrý," opakovala pořád dokola máma a houpala mě, jako bych byla zase miminko, ale já věděla, že to nebude dobrý, že už nikdy nebudu v pořádku.

Když jsem jí to řekla, nebo to spíš ze sebe vymáčkla mezi vzlyky, opáčila: „No dobře, máš nárok být kvůli tomu smutná. Dneska to můžeš obrečet."

A přesně to jsem udělala.

„Nevědí, o co přicházejí," pošeptala mi po chvíli máma a pohladila mě po vlasech. „Jsi nejchytřejší holka ve škole. Jsi nejlepší člověk na světě."

VYLIŽTE SI

Říct, že jsem z toho byla úplně hotová, by bylo slabé slovo.

Věděla jsem, že jsem si u pohovorů nevedla zrovna nejlíp, ale někde v hloubi duše jsem doufala, že mě i přesto vezmou. Jako první jsem cítila šok a zklamání a po tom, co jsme si s mámou objednaly pizzu a pustily si *Návrat do budoucnosti*, mnou lomcoval vztek, zlobila jsem se na sebe za to, že jsem čekala, že se prostě dostanu na Cambridge.

Ve tři ráno, když jsem ležela v posteli a nemohla spát, jsem se nenáviděla za to, jaký jsem rozmazlený spratek. Kdo brečí kvůli tomu, že se nedostal na jednu z *pěti* univerzit, na které se hlásil? Někteří brečeli štěstím, když se je vzali *aspoň* na jednu.

Celá řada statusů „OMG vzali mě na Cambridge/Oxford!!! :D“, která se během dne objevila na Facebooku, mi taky moc nepomohla, hlavně když to psali lidi, kteří měli ze všech písemek vždycky horší známky než já.

Ale když jsem si všimla, že podobný status napsal i Daniel Jun, cítila jsem se trochu líp. Měla jsem radost, že ho vzali. Zasloužil si to.

Daniel Jun 준대성
4 h
Dostal jsem se na Cambridgeskou univerzitu, obor přírodní vědy. Šťastný jako blecha x
To se líbí **106 uživatelům**

Nadřel se proto skoro až k smrti. Nikdo ho pořádně nepodporoval. Doopravdy si to zasloužil. A taky mi byl asi sympatický. Jo, teď už jsme byli kámoši.

Ale mohla bych mít jednu sobeckou chvilku?

Prostě…

Udělala jsem pro to doslova všechno. Přečetla jsem nehorázné množství knih. Připravovala jsem se na přijímačky celý rok. Byla jsem nejchytřejší holka ve třídě, už od doby, kdy jsem zjistila, co znamený být chytrá, a chytří lidé chodili na Cambridge.

A já se tam nedostala.

Všechno to bylo k ničemu.

Určitě si myslíte, že nemám důvod si stěžovat. Asi mě máte za ukňouranou puberťačku. A jo, nejspíš to prostě bylo celé jen v mojí hlavě. To ale neznamená, že to nebylo skutečné. Takže si všichni vyližte.

5. DRUHÉ POLOLETÍ

a)

BÍLÝ ŠUM

Po zbytek ledna jsem se snažila na nic příliš nemyslet. Domácí úkoly jsem dělala úplně bezmyšlenkovitě. O Cambridgi jsem se s nikým nebavila, i když všichni věděli, že jsem přijímačky neudělala. Několikrát jsem napsala Aledovi, abych se zeptala, jak se má, ale neodpověděl mi.

Na konci měsíce jsem odevzdávala hodně úkolů a pololetních prací. Každou noc jsem musela být dlouho vzhůru, abych všechno dodělala. Noc před odevzdáním jsem dokonce ani nešla spát, prostě jsem zůstala vzhůru a ráno po probdělé noci jsem šla do školy. O přestávce jsem musela zavolat mámě, ať pro mě přijede, protože jsem měla pocit, že omdlím.

A vedle toho všeho jsem dál poslouchala *Universe City*. Prosincové a lednové díly nebyly nic moc. Aled zjevně netušil, kam se má příběh ubírat. Zapomněl na několik vedlejších dějových linek, nové postavy se skoro neobjevovaly, a když už ano, nebyly vůbec zajímavé.

A v poslední lednový pátek zveřejnil Aled epizodu, která fandom *Universe City* srazila na kolena.

Jmenovala se „Sbohem“ a bylo to jen dvacet minut bílého šumu.

MUSEL POCHÁZET Z HVĚZDY

Fanoušci a fanynky se v zoufalství kolektivně zhroutili. Pod tagem na Tumblru se objevila záplava obsáhlých nekrologů, nešťastných příspěvků a emocionálních obrázků. Bylo to tak smutné, že jsem se na to nechtěla koukat moc dlouho.

V tentýž den napsal Aled svůj poslední tweet:

RADIO @UniverseCity
omlouvám se. potřebuju čas. jste možná maličcí, ale všichni jste ve vesmíru nesmírně důležití. sbohem ♡ 31 led 14

A v mém inboxu na Tumblru se vyrojily otázky, i když jsem už s *Universe City* neměla nic společného.

Anonym napsal:
Pár měsíců už na Tumblru nejsi pravidelně aktivní. Ale jsi jediný člověk kromě Tvůrce, který měl kdy k Universe City přístup. Nedávno sis zas otevřela inbox pro otázky, tak doufám, že se za tenhle vzkaz na mě nebudeš zlobit. Nevíš, co stojí za tou poslední epizodou s názvem „Sbohem“ uveřejněnou před dvěma týdny? (Pokud jsi ji tedy slyšela.)

touloser odpověděl:
nevím, co k tomu říct. jsem z toho, že se tvůrce odhodlal k takovému kroku, stejně smutná jako vy, ale zjevně si prochází nějakým složitým obdobím. nikdo kromě tvůrce neví, jestli se universe city ještě někdy vrátí, takže navrhuju, že by se všichni měli snažit žít prostě dál. je smůla, že se něco takového stalo zrovna podcastu, který tolik znamená pro tolik lidí.
s tvůrcem jsem se znala. universe city pro něj bylo hodně důležité. nebo to je vlastně slabé slovo. universe city bylo to jediné, co měl. universe city bylo i pro mě hodně dlouho to jediné, co jsem měla. doopravdy nevím, co si teď se sebou počít. nevím ani, co teď bude dělat tvůrce. nevím, co k tomu říct.

Netušila jsem, proč se Aled rozhodl s podcastem skončit. Možná ho donutila máma. Možná už na něj neměl čas. Nebo už ho prostě dál tvořit nechtěl.

Přesto mě to mátlo, protože pro něj *Universe City* tolik znamenalo. Záleželo mu na něm víc než na čemkoli jiném.

A ještě ani neodhalil, kdo je February Friday.

Ten večer, co vyšla epizoda s bílým šumem, jsem seděla s notebookem v obýváku a poprvé po asi měsíci jsem znovu přemítala nad tím, kdo asi February Friday doopravdy je.

A napadlo mě to prakticky hned.

Vybavila jsem si, co Aled říkal o Carys ten večer, co k nám přijel, strašilo mi to v hlavě už několik týdnů a mně náhle došlo proč.

Oheň.

Hranice, na které hořelo oblečení.

Carys si v plamenech popálila ruce.

Bylo zvláštní, že nám Aled vyprávěl zrovna tohle. Ze všeho, co mohl říct o vztahu Carys a jejich matky, nám pověděl zrovna tuhle historku.

Našla jsem si Aledův blog s přepisy epizod *Universe City* a pomocí CTRL-F jsem si vyhledala všechny zmínky o ohni v prvních dvaceti dílech. Potom jsem si relevantní citace zkopírovala do dokumentu ve Wordu.

- A když oheň dohořel, nebylo už po tobě ani stopy
- Vidím tě v každém ohni, který hoří
- Nakonec si s lítostí říkám, že měl ten Oheň spálit mě, ačkoli je to ode mě nejspíš sobecké
- Oheň, který se tě dotkl, musel pocházet z hvězdy
- Nikdy nemáš strach, klidně se necháš popálit Ohněm

Pak už jsem neměla nejmenší pochyby.
February Friday byla Carys Lastová.

SELHÁNÍ

Bylo to volání o pomoc.

Celé *Universe City* bylo volání o pomoc.

Bratr, který volal svoji sestru.

Přes víkend jsem vymyslela, co musím udělat.

Musím najít Carys, aby Aledovi pomohla.

V tuhle chvíli byla jediná na světě, kdo mu mohl pomoct.

Dopisy pro February byly v podcastu od začátku. Aled o Carys psal už několik let. Stýskalo se mu po ní. Chtěl s ní mluvit. A neměl ponětí, kde ji hledat.

Jestli ji vůbec šlo najít.

A jeho máma před ním tajila, kde Carys je – nevěděla jsem ani jak, ani proč. Ale nemohla jsem si s tím přestat lámat hlavu. Trápilo mě to. Měla jsem šanci Carys pomoct a totálně jsem ji podělala.

No, a přesně o to šlo, nebo ne?

Měla jsem šanci někomu pomoct a selhala jsem.

A selhání jsem nesnášela.

HOLKA SE STŘÍBRNÝMI VLASY

„Hej, malý blonďatý stvoření, vyměň si se mnou místo."

Zvedla jsem oči od pracovního listu na dějepis. Bylo pondělí a stála nade mnou holka se stříbrnými vlasy. Vyhodila kluka, který seděl vedle mě, a plácla sebou na uvolněné místo, uvelebila se, opřela se loktem o stůl a podepřela si rukou bradu, a nakonec na mě upřela pohled. Byla to Raine Senguptová.

Nedávno si černé vlasy obarvila na stříbrno a podholený sestřih teď vypadal, jako by si prostě natvrdo oholila pravou půlku hlavy. Vlasy jsou oknem do duše.

„Frances, kámo, tobě se nevede moc dobře, co?" pokývala na mě smrtelně vážně.

Pořád jsem se ve škole bavila s ní i s Mayou a zbytkem naší party a s Raine jsme si celkem často povídaly o všem možném, ale i přesto nikdo z nich nevěděl, co se vlastně stalo s Aledem a *Universe City*.

„Jak to myslíš?" zasmála jsem se.

„Myslím, jako že se tu ploužíš jako zmoklá slepice, kámo." Raine vzdychla. „To pořád smutníš kvůli Cambridgi?"

Měla jsem pocit, že vybuchnu z toho, jak moc jsem panikařila kvůli Aledovi, kvůli Carys, kvůli tomu, že jim musím pomoct, že musím ve svém životě plném selhání konečně udělat taky něco pořádného, ale místo toho jsem hlesla:

„*Ne*, ne. Jsem v pohodě, fakt."

„Tak to je dobře."

„Jo."

Raine mě dál propalovala pohledem a potom sklopila oči k tomu, co jsem dělala – protože místo abych do pracovního listu vyplňovala odpovědi, jen tak jsem si na něj malovala.

„Hej, dobrý obrázky! Podobný těm, cos dělala pro *Universe City*."

Přikývla jsem. „Jo, dík..."

„Měla by ses vykašlat na vysokou a jít na nějakou uměleckou akademii," prohodila. „Výtvarkářka by tě milovala." Myslela to jako vtip, ale já ten nápad na zlomek vteřiny vzala naprosto vážně a to mě docela vyděsilo. Snažila jsem se to vyhnat z hlavy a už na to dál nemyslet.

„No, tak co se teda děje?" naléhala Raine dál.

Chtěla jsem jí to říct, ale taky jsem nechtěla. Chtěla jsem se někomu svěřit, ale nebyla jsem si jistá, jestli je Raine ten správný člověk. Existuje vůbec nějaký správný člověk, kterému bych si mohla vylít srdce ohledně všeho, co se dělo?

A tak jsem to zkusila.

Vyložila jsem jí všechno od svého působení v *Universe City* přes to, co udělal Aled Danielovi, co jsem udělala já Aledovi, co udělala Aledovi jeho máma, až po to, že February Friday je Carys a že poslední epizoda se jmenovala „Sbohem". Všechno.

Všechno kromě jedné věci, kterou jsem dosud nedokázala přiznat nikomu kromě Aleda – toho, co se stalo mezi mnou a Carys. Pořád jsem nenacházela slova, jak to popsat.

„Ty jo, to je teda pecka," kývla Raine. „Jakej máš plán?"

„Jak to myslíš?"

„To to prostě jen necháš takhle skončit?" Založila si ruce na hrudi. „Aled je sám, trčí na vysoký a nemůže pryč. Carys je bůhvíkde a netuší, co se s jejím bráchou děje. *Universe City* skončilo bez sebemenšího vysvětlení. A nikdo s tím nic nedělá. Jedině snad ty."

Zabodla jsem pohled do pracovního listu před sebou. „No... chtěla jsem najít Carys, aby Aledovi pomohla, ale... to asi nepůjde."

„Copak Aled není tvůj kamarád?"

„Jo, jasně že je."

„Tak proč mu nechceš pomoct?"

„No..." Samozřejmě že jsem mu chtěla pomoct. Proč jsem kvůli tomu pořád tak váhala? „Já nevím."

Raine si strčila delší část vlasů za ucho. „Hele, tohle bude asi znít fakt hloupě, ale moje máma vždycky říká takovou jednu věc, jako že – když je toho na tebe hodně, musíš si dát trochu odstup, protože v konečným důsledku je nutný se podívat, co je v kterou chvíli zrovna nejdůležitější."

Narovnala jsem se. „Moje máma říká přesně to samý."

„Co? Nekecej!"

„Jo, taky říká, že v konečným důsledku na spoustě věcí vůbec nesejde."

„Kámo! Přesně o tom mluvím!"

Zazubily jsme se na sebe.

Raine se mi vážně snažila pomoct.

„Víš, co by teda v konečným důsledku fakt pomohlo?" zeptala se, přehodila si nohu přes nohu a podívala se mi přímo do očí. „Najít Carys Lastovou."

DIÁŘ

Důvody, proč jsem z hledání Carys Lastové měla strach, byly následující:

- Naposledy jsem s ní mluvila před osmnácti měsíci.
- Když jsem s ní naposledy mluvila, dala jsem jí bez zeptání pusu a jí se to vůbec nelíbilo a pak kvůli tomu utekla z domova a mě od té doby sžíral stud a provinilost.
- Snaha, kterou bude vyžadovat její nalezení – protože jediný, kdo věděl, kde je, byla hrůzostrašná vražedkyně psů –, mě nejspíš vystresuje ještě víc, než jsem se stresovala teď (pokud to vůbec šlo).

Navzdory tomu všemu mě představa, že poprvé ve svém zcela neužitečném životě udělám něco, co někomu pomůže, hnala dál.

A o to asi právě šlo.

Nevzali mě na Cambridge a já měla pocit, že je celý můj život k ničemu.

Což je směšné a trapné, to já vím. Věřte mi, že to chápu.

Druhý den přišla Raine po škole k nám, abychom probraly její plán, jak najít Carys.

Vzhledem k tomu, že Raine pořád ještě propadala ze všech svých maturitních předmětů, musela nadále chodit o každé volné hodině před ředitelnu a tam se učit a dělat úkoly.

To znamenalo, že vídala mraky lidí, co chodili do ředitelny a zase ven. Ředitelna byla mimochodem spíš jako velká zasedací místnost, s klimatizací, velkou plazmovou televizí na stěně, několika pokojovými květinami a pohodlnými křesly.

Jedna z těch, co se v ředitelně vyskytovali často, byla Carol Lastová, členka rodičovské rady naší školy.

Carol si podle Raine na každou schůzku do ředitelny nosila růžový kroužkový diář.

A podle Raine taky jediné místo, kde by Carol mohla mít Carysinu adresu, tedy pokud ji znala, byl právě její diář.

Netušila jsem, jak jí diář vyfouknout přímo před nosem, a upřímně řečeno se mi do toho ani nechtělo. Nikdy jsem nic neukradla ani jsem se zlodějkou stát nechtěla. Představa, že by mě Carol načapala, stačila k tomu, aby se mi zvedl žaludek.

„S tím si nedělej hlavu," mávla rukou Raine. Seděly jsme u kuchyňského stolu a cpaly se sušenkami přímo ze sáčku. „Já mám menší morální zábrany. S kradením mám zkušenosti."

„Ty už jsi něco ukradla?"

„No… tak trochu. Šlohla jsem Thomasovi Listerovi boty, protože po mně v autobusu hodil chleba." Zakřenila se a zvedla ke mně oči. „Když pak vystoupil, musel jít domů sněhem jen v ponožkách. Nádhera."

Plán byl, že Raine počká, až bude Carol vycházet z ředitelny, narazí do ní a upustí hromadu knih. Teoreticky by Carol zároveň měla upustit svůj diář a Raine ho sebere, aniž by si toho Carol všimla.

Ten plán mi připadal hrozný, protože závisel na tom, že a) Carol bude mít růžový diář v ruce, a ne třeba v kabelce, b) Raine se povede upustit knihy tak, že se mezi nimi diář ztratí a ona ho tak bude moct sebrat, aniž by ji Carol viděla, a c) Carol okamžitě zapomene, že ho nesla v ruce.

Jinými slovy jsem nevěřila, že by takový plán mohl mít úspěch.

Ani jsme si nebyly jisté, že v diáři najdeme Carysinu adresu.

Tou dobou s námi v kuchyni byla i moje máma, a když Raine domluvila, vložila se do toho taky.

„Myslím, že tohle vám asi nevyjde, holky."

Otočily jsme se k ní.

Máma se usmála a svázala si dlouhé vlasy do culíku. „Nechte to na mně."

Jisté bylo, že ve čtvrtek 13. února dorazí Carol do naší školy na schůzi rodičovské rady, která se konala ve dvě odpoledne. Dumala jsem, jaká asi mají tihle rodiče zaměstnání, že mají ve čtvrtek ve dvě odpoledne jen tak volno. Dumala jsem, proč je vůbec Carol členkou rodičovské rady ve škole, kam nechodilo ani jedno z jejích dětí.

Máma si na ten den vzala z práce volno. Prohlásila, že si stejně nikdy nezvládne vyčerpat všechny dny dovolené.

Myslím, že ve skutečnosti měla hroznou radost, že může být součástí našeho plánu.

Dohodla si na třetí schůzku s naší ředitelkou. Řekla nám, že si s Carol promluví, až bude odcházet z toho jednání rodičovské rady, ale neřekla nám, jak z ní vymámí Carysinu adresu. Raine a já jsme tou dobou měly mít hodinu dějepisu, takže jsme netušily, jak to provede.

„Nechte to na mně," zopakovala s čertovským úšklebkem.

To odpoledne se mnou Raine jela vlakem k nám domů. Máma na nás čekala u kuchyňského stolu. Na sobě měla svůj jediný kalhotový kostýmek a vlasy měla sepnuté skřipcem. Vypadala jako úplně nejvíc stereotypní matka, jakou jsem kdy viděla.

V ruce držela růžový diář.

„*No ty kráso!*“ vyjekla jsem, skopla boty a vrhla se k ní. Raine mě napodobila, ve tváři výraz naprostého úžasu. „Jak se ti to sakra povedlo?“

„Prostě jsem si ho půjčila,“ opáčila nonšalantně máma a pokrčila rameny.

Nevěřícně jsem se uchechtla. „Cože?“

Máma se opřela lokty o stůl. „Zeptala jsem se jí, jestli nemá kontakt na našeho poslance v dolní sněmovně parlamentu, protože mu chci napsat důrazný dopis o tom, jak málo vám zahálčivým studentům školy v našem okrsku dávají úkolů, a že z vás tím dělají líné vši.“ Podala nám růžový notes. „Ale samozřejmě jsem spěchala na schůzku s ředitelkou, takže jsem neměla čas si od ní adresu opsat. A tak jsem se zeptala, jestli si můžu diář půjčit, a slíbila jí, že jí ho hodím do schránky, hned jak dorazím domů, takže byste si vy dvě měly pospíšit.“

„Asi jsi jí fakt hodně sympatická,“ potřásla jsem hlavou a vzala si od ní diář.

Máma znovu pokrčila rameny. „Vždycky se se mnou dává do řeči, když mě potká na poště.“

Trvalo nám asi deset minut projít část diáře s kontakty, abychom zjistily, že údaje o Carys Lastové v něm nejsou.

Prohlédly jsme ještě část na poznámky, ale tam jsme našly jen nejrůznější seznamy, pracovní poznámky (pořád jsem ale nedokázala uhádnout, co Carol v práci vlastně dělá) a máminy zápisky ze schůzky s ředitelkou, které se skládaly ze slov „bla bla bla“, smajlíka a malého obrázku dinosaura. Rychle jsem tu stránku vytrhla.

„Asi tu ta adresa není,“ hlesla jsem a srdce mi spadlo do kalhot. Upřímně jsem věřila, že v tom diáři něco najdeme. Carol přece musela adresu svojí dcery mít aspoň někde napsanou.

Jestli Carys nějakou adresu vůbec měla.

Raine zaúpěla. „Co budeme dělat? Je únor, Aled je pryč už dva měsíce…“

„Únor,“ vyhrkla jsem.

„Co s ním?“

Únor. February.

„February znamená únor.“ Přitáhla jsem si diář k sobě. „Projedu to ještě jednou.“

Pomalinku jsem otáčela jednu stránku po druhé. A pak jsem se zarazila a zavýskla „JO!“ Zapíchla jsem do sešitku prst.

„Panebože,“ vydechla Raine.

V sekci adresáře byly pod písmenem „f“ jen čtyři záznamy. Hned první byl pro člověka, který zjevně neměl ani příjmení. Jen na tečkovaném řádku hned za „Jméno:“ bylo napsané:

„February.“

DO LONDÝNA

V pátek jsem vyrazila vlakem do Londýna. Máma mě přinutila slíbit, že u sebe budu neustále mít pepřák a každou hodinu jí napíšu.

Byla jsem odhodlaná.

Najdu Carys. A Carys pomůže Aledovi.

A pak už jsem stála před upravenou řadovkou v obytné čtvrti, která vypadala mnohem víc nóbl, než jsem čekala. Sice to nebyl jeden z těch luxusních bílých domů se sloupovím před vchodem, jaké si lidi představí, když se řekne život v Londýně, ale Carys rozhodně nebydlela v žádném brlohu. Čekala jsem nějakou rozpadající se ruinu s vysklenými okny zakrytými kartonem.

Vyšla jsem po schůdcích ke dveřím a zazvonila. Zahrál melodii „Červená se line záře".

Dveře mi otevřela mladá černoška se zářivě růžovými vlasy. Chvíli jsem se nevzmohla ani na slovo, protože si do záplavy kudrn vpletla sedmikrásky a upřímně to byl ten nejkrásnější účes, co jsem kdy viděla.

„Jsi v poho, kámo?" zeptala se mě s typickým londýnským přízvukem. Vlastně zněla trochu jako Raine.

„Ehm, jo, hledám Carys Lastovou." Odkašlala jsem si, protože se mi třásl hlas. „Měla by tady bydlet?"

Mladá žena se soucitně usmála. „Sorry, kámo, tady žádná Carys nebydlí.“

„Aha…“ svěsila jsem ramena.

A pak mě něco napadlo.

„Teda počkat – a co February?“ vyhrkla jsem.

Žena nasadila překvapený výraz. „Jo! Jo, jasně, naše Feb! Ty jsi její kámoška, nebo…?“

„Ehm… jo, no, vlastně jo.“

Zazubila se a opřela se o rám dveří. „Ty vado. Věděla jsem, že si změnila jméno, ale… *Carys*. Krucinál, to zní tak *velšsky*.“

Zasmála jsem se. „Takže… je tu?“

„Ne, kámo, je v práci. Klidně tam za ní můžeš zajít, jestli máš čas. Nebo můžeš chvíli felit tady a počkat na ni, jestli chceš?“

„No, vlastně… je to k ní do práce daleko?“

„Ne, pracuje v Národním divadle, to je na Jižním nábřeží. Dělá tam průvodkyni a vede dílničky pro děti a tak. Metrem je to tak deset minut.“

Napůl jsem čekala, že Carys v Londýně tře bídu s nouzí a má sotva minimální mzdu, takže mě to hodně překvapilo.

„A nebude jí to vadit? Nebudu ji tam rušit nebo tak něco?“

Holka se podívala na hodinky – žluté a baňaté. „Ne, je po šestý, takže dílničky už skončily. Asi bude v prodejně suvenýrů, obvykle tam tak do osmi vypomáhá.“

„Dobře.“ Zarazila jsem se. Bylo to tady. Za chvíli se uvidím s Carys.

Anebo – ne. Počkat. Musela jsem si to ověřit. Abych měla jistotu.

„A Carys – teda *February*,“ opravila jsem se rychle, „ehm… jen pro jistotu, ona – má blond vlasy a –“

„Odbarvený blond vlasy, modrý oči, velký kozy a výraz, jako že tě chce každou chvíli zaškrtit?“ Růžovláska se zasmála. „Zní to povědomě?“

Nervózně jsem se uculila. „Ehm, jo.“

Cesta k Národnímu divadlu mi trvala dalších dvacet minut. Jižní nábřeží řeky Temže bylo plné kaváren a stánků a restaurací a pouličních umělců a hemžily se tu davy lidí mířící na večeři nebo do divadla. Byla už docela tma a někdo hrál na akustickou kytaru písničku od Radiohead. Byla jsem tu jen jednou, když jsme se školou jeli na představení *Válečný kůň*.

Došla jsem podle Google map až k budově divadla a ještě jsem si zkontrolovala, co mám na sobě – pruhované šaty s laclem, pod tím tričko s obrázky textových bublin a tlusté šedé punčocháče, navrch kardigan se severským vzorem. Cítila jsem se v tom sama sebou a to mi dodalo sebevědomí.

Před vchodem se mě zmocnil ještě poslední záchvěv touhy se otočit na podpatku a jít domů. Poslala jsem mámě plačícího smajlíka a v odpovědi mi od ní přišel obrázek ruky se zdviženým palcem, několik tančících postaviček a čtyřlístek.

Národní divadlo je obrovská, hranatá šedivá budova, která rozhodně nikomu nevytane na mysli, když se řekne divadlo v Londýně. Vyšla jsem a hned za vchodem jsem uviděla obchod se suvenýry. Namířila jsem si to tam.

Carys jsem hledala asi minutu, a i to bylo s podivem, protože byla pořád stejně výrazná jako vždycky.

Rovnala nějaké knihy na polici, pár jich přeskládala a přidala k nim další z kartonové krabice, kterou si přidržovala pod paží. Došla jsem k ní.

„Carys," vydechla jsem a ona se při zaslechnutí toho jména zamračila a trhla ke mně hlavou, jako bych ji vylekala.

Chvíli jí to trvalo. Ale pak mě poznala.

„Frances Janvierová," pronesla se zcela prázdným výrazem ve tváři.

ZLATÍČKO

Byla jsem z toho úplně na větvi. Nejvíc z jejích vlasů. Teď je měla úplně peroxidové, skoro bílé, a ofina jí sahala jen do půl čela – její oči vypadaly obrovské, úplně jsem viděla, jak mě pozoruje. Kristepane, jen ta kočičí oční linka jí musela při líčení zabrat aspoň půl hodiny.

Pusu měla namalovanou rudou rtěnkou, na sobě námořnicky pruhovaný crop top, béžovou sukni do půli lýtek a pastelově růžové lakovky s páskem. Na krku jí visela šňůrka s průkazkou Národního divadla. Vypadala tak na čtyřiadvacet.

Jediné, co se nezměnilo, byla její kožená bunda. Nevěděla jsem, jestli je to pořád ta, kterou nosila už kdysi, nebo jiná, ale efekt měla stejný. Vypadala, že by mě nejspíš mohla zabít, nebo mě zažalovat. Klidně obojí.

Sama pro sebe se rozesmála. „Já to věděla," řekla, její hlas zněl pořád stejně, lehce povýšeně, tiše, jako Aledův, byl to hlas, který patřil do televize. „Věděla jsem, že mě nakonec někdo najde." Sklopila ke mně oči, byla to doopravdy ona, ale já měla pocit, jako bych se bavila s někým, koho jsem předtím nikdy nepotkala. „Jen mě ani ve snu nenapadlo, že to budeš ty."

Rozpačitě jsem se zahihňala. „Překvapení!"

„Hm.“ Carys povytáhla obočí, pak se ode mě odvrátila a houkla na ženu za kasou: „Hej, Kate! Můžu dneska skončit dřív?“

Žena odpověděla, že může, a Carys si došla pro tašku a společně jsme vyrazily ven.

Vzala mě do divadelního baru, což mě ani trochu nepřekvapilo. Už v šestnácti ráda pila a zjevně ji to neopustilo ani teď.

Taky trvala na tom, že mi koupí drink. Snažila jsem se jí to vymluvit, ale ani jsem se nenadála a už nám objednávala daiquiri, které, jak jsem tak odhadovala londýnské ceny, muselo stát nejmíň dvacet liber. Sundala jsem si bundu, pověsila ji na opěradlo židle a silou vůle se snažila přesvědčit svoje tělo, aby se přestalo tolik potit.

„Takže, čím jsem si to vysloužila?“ zeptala se mě a srkala dvěma titěrnými brčky svůj koktejl. Dívala se mi u toho přímo do očí. „Jak jsi mě našla?“

Při vzpomínce na tu anabázi s růžovým diářem jsem vyprskla smíchy. „Moje máma ukradla tvojí mámě adresář.“

Carys se zamračila. „Moje máma by moji adresu vůbec mít neměla.“ Pak uhnula pohledem. „Kruci, že ona si přečetla můj dopis pro Aleda.“

„Ty jsi – tys Aledovi poslala dopis?“

„Jo, loni, když jsem se nastěhovala ke spolubydlícím. Jen jsem mu psala, že všechno je v pohodě, a taky aby měl moji adresu. Dokonce jsem se podepsala jako February, aby věděl, že to jméno teď používám.“

„On Aled…“ Maličko jsem zavrtěla hlavou. „Aled říkal, že mu od tebe nic nepřišlo.“

Carys jako by mě ani neslyšela. „To máma. Ježíši. Nevím, proč mě to pořád překvapuje.“ Vydechla, povytáhla obočí a upřela na mě pohled.

Přemítala jsem, kde začít. Potřebovala jsem jí toho tolik vypovědět, na tolik věcí se zeptat.

Nakonec mě předběhla. „Vypadáš jinak," prohodila. „V tom oblečení jsi to víc ty. A máš rozpuštěný vlasy."

„Ehm, dík, já –"

„A jak se teda máš?"

Carys mě několik dalších minut zasypávala otázkami, takže jsem nemohla zavést řeč na to, o čem jsem doopravdy chtěla mluvit, což bylo 1) tvůj bratr se už sedm měsíců chová divně a mně to dělá starosti, 2) strašně moc mě mrzí, že jsem se nezachovala jako správná kamarádka, 3) jak to, že to máš v životě tak skvěle srovnané, vždyť ti je doslova jenom osmnáct, 4) vysvětli mi prosím, proč se teď jmenuješ February.

Pořád mi naháněla hrůzu nejvíc ze všech lidí, které jsem znala. Teď snad ještě víc. Děsilo mě na ní úplně všechno.

„Dostala ses nakonec na Cambridge?" zeptala se.

„Ne," přiznala jsem.

„Aha. A jakej máš teď plán?"

„Ehm... já nevím. To je jedno. Kvůli tomu jsem za tebou nepřijela."

Carys si mě zvědavě prohlédla, ale nic neřekla.

„Jsem tu kvůli Aledovi," připustila jsem konečně.

Carys na mě dál upírala pohled s pozdviženým obočím. Ve tváři měla už zase ten známý kamenný výraz. „Aha?"

Pustila jsem se do vyprávění od samého začátku. Popsala jsem jí, jak jsme se s Aledem skamarádili, jak jsme na sebe narazili díky té zvláštní shodě náhod s *Universe City*. Popsala jsem jí, jak jsem omylem vykecala, že Aled je Tvůrce, a jak mi pak přestal psát a jak se jejich máma rozhodla zničit všechno, co měl kdy rád.

Carys mě poslouchala a u toho upíjela koktejl, ale já na ní viděla, že ji to nenechává chladnou. Pohrávala jsem si se sklenicí, posouvala si ji z jedné ruky do druhé.

„To je..." vydechla, když jsem skončila. „Bože. Nikdy mě nenapadlo – nenapadlo mě, že to začne dělat i jemu."

Skoro jsem se ani nechtěla ptát. „Dělat co?“

Carys se na okamžik zamyslela, dala si nohu přes nohu a pohodila vlasy. „Naše máma si myslí, že nikdo nemůže mít pořádnej život, pokud nemá dobrý známky.“ Odložila sklenici a začala odpočítávat na prstech zvednuté ruky. Na kůži pořád měla drobné jizvy po popáleninách. „Takže musíš mít na vysvědčení vždycky samý jedničky, vybrat si ty správný předměty k maturitě a pak získat titul na co nejprestižnější univerzitě.“ Zase ruku svěsila. „Věří na akademickej úspěch tak moc, že by fakt byla radši, kdybysme umřeli, než aby se nám nedařilo ve škole a nežili podle jejích představ.“

„K posrání,“ zhodnotila jsem to.

„Jo,“ zasmála se Carys. „Jak dobře víš, bohužel pro mě jsem já jedním z těch lidí, co – je jedno, jak moc jsem se šprtala, prostě jsem dobrý známky nikdy neměla. Z ničeho. Ale máma si myslela, že mě prostě nějak přinutí být chytřejší. Jako kouzlem. Doučování, domácí úkoly navíc, vzdělávací tábory o prázdninách a tak dále. Což bylo samozřejmě směšný.“

Znovu se napila. Vyprávěla mi to s nonšalancí člověka, co vám popisuje svoje zážitky z dovolené.

„Aled byl vždycky chytřejší. Dítě snů. Když nám bylo osm, táta od nás odešel, ale už předtím bylo jasný, že Aled je mámin oblíbenec. Mě nesnášela, protože jsem neuměla počítat matematický úlohy – byla jsem oplácaná a hloupá a ona mi ze života dělala peklo.“

Nechtěla jsem se ptát, ale nakonec jsem to udělala. „Jak?“

„Prostě mi pomalu brala všechno, co mi kdy přinášelo radost.“ Pokrčila rameny. „Něco jako – nedostala jsi jedničku z týhle písemky, oukej, tak se o víkendu nesmíš vidět s kámoškama. Nedostala jsi deset z deseti bodů z tohohle úkolu, fajn, seberu ti na dva týdny počítač. A pak to začalo být čím dál krutější. Třeba jako – nenapsala jsi vzorovej maturitní test na jedničku, tak tě na víkend zamknu v pokoji. Vyfasovala jsi pětku z testu, takže nedostaneš žádný dárky k Vánocům.“

„Bože můj."

„Ona je fakt monstrum." Carys zvedla ukazováček. „Ale taky je dost vychytralá. Nedělá nic, co by mohlo znít jako týrání, nic nezákonnýho. Proto jí to prochází."

„A ty myslíš... že to teď... dělá i Aledovi?"

„Z toho, cos mi tu teď povídala... jako jo, zní to tak. Nikdy by mě nenapadlo, že se obrátí i proti němu. Byl její *zlatíčko*. Já bych nikdy... Teda, kdybych to tušila... kdyby si přečetl můj dopis a odpověděl mi a napsal mi o tom..." Zavrtěla hlavou a větu nechala bez konce. „Sama jsem se jí nedokázala bránit, natož abych bránila jeho. A když už jsem tam nebyla, tak asi... asi prostě potřebovala ničit někoho jinýho."

Nevěděla jsem, co na to říct.

„A taky nemůžu uvěřit, že nechala utratit našeho psa," pokračovala. „To je prostě... příšerný."

„Aleda to sebralo."

„Jo, měl toho psa hrozně rád."

Rozhostilo se mezi námi ticho a já se napila koktejlu. Byl hodně silný.

„Ale upřímně jsem bráchu občas nenáviděla."

To mě šokovalo. „Nenáviděla? Proč?"

„Protože naše máma mučila jen mě. Protože on byl zlatíčko a já blbeček. Protože se za mě nikdy nepostavil, ani jednou, dokonce ani když viděl, jak hnusně se ke mně máma chová. Myslela jsem, že je to celý jeho vina." Všimla si, jak pohoršeně se tvářím, a pozdvihla obočí. „Neboj, už takhle dávno nepřemýšlím. Nemám mu to vůbec za zlý, může za to jen máma. I kdyby se pokusil mě bránit, jen by nám dělala ze života peklo oběma."

Znělo to tak k uzoufání smutně. Věděla jsem, že zkrátka musím nějak zařídit, aby se spolu Aled a Carys začali znovu bavit, i kdyby to bylo to poslední, co v životě udělám.

„No, a tak jsem odtamtud prostě musela vypadnout." Dopila a položila sklenici na stůl. „Kdybych tam zůstala, byl by můj život jedna velká mizérie. Donutila by mě jít k maturitě, pak si zopáknout ročník, až bych u ní nevyhnutelně propadla, a potom bych se jen zoufale snažila najít si práci, která by odpovídala máminým představám." Pokrčila rameny. „A tak jsem utekla. Našla jsem babičku s dědou – tátovy rodiče – a bydlela chvíli u nich. Táta je marnej, ale naši prarodiče se s náma vždycky snažili udržovat kontakt. Potom jsem se dostala k programu Národního divadla pro mládež, povedlo se mi získat stipendium na jeden z jejich kurzů herectví, do kterýho jsem se přihlásila. A pak jsem si tu našla práci." Pohodila vlasy jako filmová hvězda, až mě to rozesmálo. „A teď mám parádní život! Bydlím s kamarády, dělám práci, která mě baví. V životě nejde jen o známky a učení."

Zatetelila jsem se z vědomí, že je šťastná.

Čekala jsem, že až Carys Lastovou najdu, dozvím se o ní hodně věcí, ale tohle nebyla jedna z nich.

„Ale…" Zaklonila se do opěradla židle. „Mrzí mě, že to má Aled teď tak těžký."

„Fakt o něj mám strach, od tý doby, co přestal nahrávat *Universe City*."

Carys naklonila hlavu k rameni, platinově blond vlasy se jí ve světle LED žárovek v baru zaleskly. „Nahrávat co?"

A vtom mi to došlo.

Carys vůbec netušila, o čem *Universe City* je.

„Ty – ty neznáš příběh *Universe City*." Plácla jsem se rukou do čela. „Panebože."

Zmateně se na mě podívala.

A tak jsem jí převyprávěla všechno, co se stalo v *Universe City*. Včetně dopisů pro February Friday.

Její ledový výraz začal tát. Vykulila oči a několikrát potřásla hlavou.

„Myslela jsem, že to víš," dodala jsem nakonec. „Jako… vždyť jste dvojčata."

Carys frkla. „Ale nejsme duševně propojený."

„Ne, ale myslela jsem, že ti o tom řekl."

„Aled nikdy *nic neříká.*" Zase se mračila, tvářila se zahloubaně. „Pořád jen mlčí jako zařezanej."

„Myslela jsem, že možná proto sis vybrala jméno February –"

„February je moje *druhý křestní jméno.*"

Rozhostilo se mezi námi ohlušující ticho.

„Takže to dělal celý pro mě, jo?" zeptala se Carys.

„No... většinou to dělal hlavně pro sebe. Ale chtěl, aby sis to poslechla. Chtěl s tebou mluvit."

Nakonec jen vzdychla. „Vždycky mi připadalo, že jste vy dva stejný."

Zamíchala jsem ve své sklenici brčkem. „Jak to?"

„Ani jeden z vás nikdy neříká, co si doopravdy myslí."

RODINA

Ještě chvíli jsme v baru seděly a povídaly si o svých životech. Carys byla jen o tři měsíce starší než já, ale byla tak desetkrát dospělejší. Chodila na pracovní pohovory, platila daně a složenky a pila červené víno. Já jsem se sama neuměla ani objednat k doktorovi.

Asi v půl desáté jsem prohlásila, že bych měla jít, a tak zaplatila za naše drinky (i když jsem se bránila) a vyšly jsme ven směrem ke stanici metra Waterloo.

Pořád se mi nepodařilo ji poprosit, aby nějak pomohla Aledovi, a tohle byla moje poslední šance.

Objaly jsme se na perónu na rozloučenou a já to ze sebe konečně vymáčkla.

„Myslíš, že bys – že by ses mohla nějak spojit s Aledem?" špitla jsem tiše.

Nezdálo se, že by ji to překvapilo. Její tvář už zase vypadala jako bezvýrazná maska. „To je ten hlavní důvod, proč jsi za mnou přijela, co?"

„No... jo."

„Hm. To ho musíš mít fakt ráda."

„On je... nejlepší kamarád... co jsem kdy měla." Jen co jsem to dořekla, začalo mi být trapně.

„To je hezký," opáčila Carys. „Jenže – já s ním asi nemůžu znova mluvit."

Srdce mi spadlo do kalhot. „Co – jak to?"

„Prostě jsem –" Rozpačitě se ošila. „Tahle část mýho života už je za mnou. Teď jsem jinde. Už to není moje starost."

„Ale... vždyť je to tvůj brácha. Jste rodina."

„Být rodina nic neznamená," odsekla a já viděla, že tomu opravdu věří. „Mít rád svoji rodinu není povinný. Nikdo se mě neptal, jestli se chci narodit."

„Jenže – Aled je dobrej kluk, on je – podle mě potřebuje pomoc a se mnou se nebaví –"

„Prostě už to není moje starost!" zvýšila trochu hlas. Nikdo si toho nevšiml – lidi kolem nás spěchali, stanicí se ozvěnou rozléhal šum hlasů. „Já se tam nemůžu vrátit, Frances. Rozhodla jsem se odejít a už se nechci ohlížet. Aled bude na vysoký v pohodě, odjakživa tam směřoval. To mi můžeš věřit, já jsem s ním vyrostla. Jestli je něčí osud jít na univerzitu a vystudovat nějakej fakt prestižní obor, je to Aled. Nejspíš si to tam dost užívá."

A v tu chvíli jsem si uvědomila, že jí nevěřím.

Aled mi řekl, že na vysokou jít nechce. Tehdy v létě. Říkal, že na univerzitu nechce, a nikdo ho neposlouchal. A takhle to dopadlo. Když jsem mu v prosinci volala, znělo to, jako by chtěl umřít.

„Dopisy pro February psal tobě," naléhala jsem. „Tobě. I když jsi ještě bydlela doma, on už nahrával *Universe City* a doufal, že si to poslechneš a přijdeš za ním."

Na to Carys neodpověděla.

„Tobě na něm nezáleží?"

„Záleží, ale –"

„Prosím," žadonila jsem. „Prosím. Mám strach."

Lehce zavrtěla hlavou. „Z čeho?"

„Že zmizí," zašeptala jsem. „Jako ty."

Carys strnula a sklopila oči.

Skoro jsem *chtěla*, aby se kvůli tomu cítila provinile.

Chtěla jsem, aby se cítila stejně jako ty dva roky já.

Carys se uchechtla.

„Snažíš se ve mně probudit pocit viny, Frances," zazubila se na mě. „Myslím, že ses mi líbila víc, dokud jsi sebou nechala zametat."

Pokrčila jsem rameny. „Jen ti tentokrát říkám pravdu."

„No, v pravdě je síla, nebo tak něco."

„Takže mu pomůžeš?"

Carys se zhluboka nadechla, přimhouřila oči a strčila si ruce do kapes.

„Jo," řekla.

„INCIDENT"

Stavily jsme se u Carys doma, aby si sbalila pár věcí, a pak jsme se vydaly na nádraží na vlak k nám. Na to dojet vlakem až do univerzitního města na severu, kde Aled studoval, už bylo pozdě, takže jsme se rozhodly přespat u mě a vyrazit až ráno. Napsala jsem to mámě a ta mi odpověděla, že je to v pohodě.

Cestou ve vlaku jsme spolu skoro nemluvily. Být zas takhle s Carys působilo skoro surreálně – zase sedět naproti sobě u stolečku a zírat z okna ven do tmy. Spousta věcí se změnila, ale to, jak se opírala o jednu ruku a jak těkala očima, bylo pořád stejné.

Dorazily jsme ke mně domů, Carys vešla a zula se. „Páni, tady se nic nezměnilo."

„Jo, my nejsme moc na domácí úpravy," zasmála jsem se.

Z kuchyně vešla do předsíně moje máma. „Carys! No teda, máš skvělý účes. Takovou ofinu jsem taky jednou nosila. Vypadala jsem příšerně."

Carys se taky zasmála. „Dík! Konečně taky trochu vidím."

Pár minut jen tak tlachala s mojí mámou a pak jsme si šly lehnout – byla skoro půlnoc. Venku byla tma, ale pouliční lampy do temně modré zářily tlumeným oranžovým světlem.

„Pamatuješ, jak jsem u tebe tehdy spala?" zeptala se mě potom, co jsem se v koupelně převlékla do pyžama.

„No jo vlastně," řekla jsem, jako bych si to matně vybavovala. Přitom jsem na to nikdy nezapomněla. Bylo to dva dny před naším „incidentem". Skončily jsme u nás potom, co mě Carys zatáhla na nějakou kalbu, na kterou jsem fakt nechtěla jít. „Byla jsi namol, haha."

„Jo."

Došla si vyčistit zuby a převléknout se do pyžama a já se snažila nevnímat, jak trapně mi je a jak ke mně Carys neustále zalétá pohledem.

Vlezly jsme si do mojí velké postele. Zhasla jsem světlo a rozsvítila řetěz s barevnými žárovičkami. Carys se ke mně otočila. „Jaký to je, bejt chytrá?"

Posměšně jsem frkla, ale nedokázala jsem se na ni podívat. Místo toho jsem zvedla oči k řetězu světýlek. „Proč máš pocit, že jsem chytrá?"

„Myslím tím známky. Ty přece máš dobrý známky. Jaký to je?"

„Je to... není to zas tak výjimečný. Asi je to užitečný. Jo, užitečný."

„Jo, to dává smysl." Odvrátila se a taky se zadívala do stropu. „Mně by se to bývalo hodilo. Máma mě pořád nutila se snažit o dobrý známky. Ale nefungovalo to. Já prostě nejsem chytrá."

„Jsi chytrá v důležitějších věcech."

Carys na mě upřela pohled a uculila se. „Jé, to je hezký."

Zalétla jsem k ní očima a neubránila se úsměvu. „Co? Vždyť je to pravda."

„Jsi roztomilá."

„Nejsem."

„Jsi." Pohladila mě rukou po vlasech. „Tvoje vlasy jsou takhle roztomilý." Jedním prstem mi lehce přejela po tváři. „Úplně jsem zapomněla, že máš pihy. Roztomilý."

„Přestaň říkat roztomilý," vyprskla jsem smíchy.

Dál mě špičkami prstů hladila po tváři. Po chvíli jsem k ní natočila hlavu a najednou mi došlo, že jsme od sebe jen několik centimetrů. Po kůži se jí míhaly barvy světýlek, nejdřív zářila modře, pak růžově, zeleně a zase modře.

„Promiň –" Hlas se mi zlomil, než jsem to stihla doříct. „Mrzí mě, že jsem nebyla lepší kamarádka."

„Chceš říct, že tě mrzí, žes mi dala pusu," zašeptala Carys.

„Jo," vydechla jsem.

„Hm." Stáhla ruku zpátky a mně došlo, co se chystá udělat, ale nestihla jsem vymyslet, jak říct ne, a tak jsem ji prostě nechala, aby se ke mně naklonila a přitiskla své rty na moje.

Trvalo to několik minut. Bylo to v pohodě. Někdy během toho, co se to dělo, jsem si uvědomila, že už mě nepřitahuje a že nechci, aby v tom pokračovala.

Carys se mezitím překulila a opřela se loktem na druhé straně mojí hlavy, takže na mně skoro ležela, tiskla se ke mně nohou a pomalu mě líbala, jako by se mi snažila vynahradit, jak na mě před dvěma lety křičela. Měla jsem dojem, že se od té doby musela líbat s hodně lidmi.

Když jsem si v hlavě srovnala, co se děje, odtáhla jsem se a odvrátila hlavu do strany.

„Já to... nechci," vymáčkla jsem ze sebe.

Carys na chvilinku znehybněla. A pak se ze mě odvalila a lehla si zase na svoji stranu postele.

„Dobře," řekla. „To je dobrý."

Odmlčely jsme se.

„Nejsi do mě tajně zabouchnutá, že ne?" zeptala jsem se.

Carys se pro sebe usmála.

„Ne," odpověděla. „Jen jsem se taky chtěla omluvit. Byla to omluvná pusa."

„Omluvit za co?"

„Doslova jsem na tebe dobrejch deset minut ječela jen proto, žes mi dala pusu."

Obě jsme se zasmály.

A mně se ulevilo.

Ulevilo se mi hlavně proto, že jsem už doopravdy nebyla do Carys zamilovaná.

„Má Aled holku?" zeptala se.

„Jé... tak o tomhle taky nevíš..."

„O čem?"

„Aled totiž to, ehm... pamatuješ si jeho kámoše Daniela?"

„Oni spolu chodí?" vyprskla Carys smíchy. „To je parádní. Naprostá paráda. Doufám, že to mámu pořádně sere."

Taky jsem se zasmála, protože jsem nevěděla, co na to říct.

Složila si ruce pod tvář.

„Neposlechneme si to *Universe City*?" poprosila mě.

„Ty si chceš poslechnout nějakej díl?"

„Jo. Jsem na to zvědavá."

Přetočila jsem se na bok, takže jsem k ní zase byla čelem, a vytáhla zpod polštáře mobil. Vyhledala jsem úplně první epizodu – kde jinde začít než na začátku – a zmáčkla play.

Pokojem se linul Aledův hlas a Carys se uvelebila na zádech. Zírala do stropu a poslouchala Aledova slova. Nic neřekla, vlastně nereagovala vůbec nijak, ačkoli při pár vtipných replikách se usmála. Po pár minutách jsem přestala vnímat, klížily se mi oči a pak najednou neexistovalo nic než Aledův hlas ve vzduchu nad našimi hlavami, promlouval k nám, jako by byl v pokoji s námi. Když epizoda skončila a poslední akordy „Nic nám nezbývá" se vytratily do nicoty, místnost byla bolestně prázdná a tichá. Příliš tichá.

Zalétla jsem ke Carys pohledem a překvapilo mě, že leží pořád ve stejné poloze a pomalu mrká, jako by nad něčím dumala. A pak jí z koutku oka skanula slza.

„To bylo smutný," špitla. „To bylo tak strašně smutný."

Nic jsem na to neřekla.

„A tohle dělal celou dobu. Ještě předtím, než jsem utekla... už mě volal."

Zavřela oči.

„Kéž bych se uměla takhle krásně a něžně vyjadřovat. Ale já umím jenom křičet..."

Natočila jsem se čelem k ní. „Proč jsi mu nechtěla pomoct?"

„Bojím se," zašeptala.

„Čeho?"

„Že když ho uvidím, nebudu schopná ho znova opustit."

Skoro hned potom usnula a já se rozhodla Aledovi napsat. Pochybovala jsem, že mi odpoví. Možná si zprávu ani nepřečte. Ale stejně jsem to chtěla udělat.

Frances Janvierová

Ahoj Alede, doufám, že jsi v pohodě, kámo. Jen jsem ti chtěla dát vědět, že jsem našla Carys a zítra za tebou přijedeme na kolej. Máme o tebe fakt strach. Máme tě rády a chybíš nám xxx

UNIVERSE CITY: Ep. 1 – temně modrá

UniverseCity 809 965 zhlédnutí

Jsem v nouzi. Trčím v Universe City. Pomozte mi.

Transkript níže >>>

[...]

To, co k tobě cítím, není zamilovanost, ale možná něco jako kamarádství. Chci ti všechno říct. Kdysi dávno mě sužovaly strašlivý sklony nikdy neříct ani slovo a upřímně nechápu, proč nebo jak se to stalo. C'est la vie.

Máš v sobě něco, co ve mně vyvolává touhu umět mluvit jako ty – sleduju tě už dlouho zpovzdálí a jsi opravdu ten nejlepší člověk, kterého mi život přivedl do cesty. Máš schopnost přimět lidi, aby ti bez otázek naslouchali, i když ji moc často nevyužíváš. Tak často skoro chci *být* tebou. Dává to smysl? Vsadím se, že ne. Jen tak plácám. Omlouvám se.

No nic. Doufám, že jednou, až se opět shledáme, mě pozorně vyslechneš. Nemám se komu jinému svěřit, komu tohle všechno říct. Možná mě ani teď neposloucháš. Na druhou stranu, nemusíš poslouchat, pokud nechceš. Nejsem někdo, kdo by tě mohl k čemukoli nutit. Nejsem, jsem nic. Ale ty – ach, *ty* – ach, tobě budu klidně naslouchat celé hodiny.

[...]

5. DRUHÉ POLOLETÍ

b)

UMĚNÍ ODRÁŽÍ ŽIVOT

„Jo, akorát jsem švorc," oznámila nám z okna svého mrňavého Fordu Ka Raine. „Takže doufám, že vy nějaký prachy máte."

Raine jsem zavolala hned druhý den ráno a doufala jsem, že bude pro náš plán „záchrana Aleda z univerzity". Samozřejmě byla.

„Benzin zacvakám," řekla Carys a vlezla si na zadní sedadlo.

Raine na ni užasle hleděla.

„Já jsem Carys," dodala Carys.

„Jo," vydechla Raine. „Ty vole." Došlo jí, že na ni zírá, a odkašlala si. „Já jsem Raine. Moc se Aledovi nepodobáš."

„No, sice jsme dvojčata, ale nejsme ten samej člověk."

Narovnala jsem opěradlo předního sedadla a nastoupila. „Fakt ti nevadí nás hodit až tam?"

„Lepší než čumět ve škole," pokrčila rameny Raine.

Carys se uchechtla. „To máš recht."

Raine nastartovala a mě zničehonic něco napadlo.

„Neměly bysme se zeptat Daniela, jestli nechce jet taky?"

Raine i Carys se na mě otočily.

„Myslím, že kdyby o tomhle všem věděl, tak by... tak by chtěl jet taky," dodala jsem.

„Ty jsi doslova ta nejvíc ohleduplná osoba na planetě," prohlásila Raine.

Carys pokrčila rameny. „Aspoň bude větší sranda."

Vytáhla jsem mobil a zavolala Danielovi. Vyložila jsem mu celou situaci.

„Tak dobrý?" zeptala se Raine.

„Jo. Máme se pro něj stavit."

Carys upřela pohled ven z okna.

Raine se na ni podívala do zpětného zrcátka. „V pohodě, kámo?" prohodila. „Na co koukáš?"

„Jo, dobrý. Nic, jedem."

Zajely jsme vyzvednout Daniela. Seděl na nízké cihlové zídce před svým domem, pod sakem od školní uniformy měl vínový svetr. Vypadal, jako by měl každou chvíli dostat záchvat úzkosti.

Vylezla jsem z auta, aby si mohl sednout dozadu ke Carys. Sedl si a vyměnil si s ní dlouhý pohled.

„No do prdele," vyhrkl, „ty ses vrátila."

„Jo," potvrdila Carys. „Taky tě ráda vidím."

Cesta na sever trvala šest hodin. Zpočátku panovalo v autě napětí – Raine se před Carys chovala tak trochu ostražitě, stejně jako kdysi já, hlavně proto, že Carys opravdu naháněla lidem hrůzu. Daniel si přehazoval mobil z ruky do ruky a chtěl, ať mu slovo od slova zopakuju, co přesně se s Aledem stalo před Vánoci.

Asi po dvou hodinách jsme zastavili u benzinky, aby si Raine mohla dát kafe a všichni jsme si odskočili. Cestou zpátky k autu, kolem kterého se na parkovišti proháněl vichr, se Raine Carys zeptala: „Takže kam jsi vlastně vysmahla?"

„Do Londýna," opáčila Carys. „Dělám v Národním divadle, vedu workshopy a dílničky a tak. Jsou za to i celkem dobrý prachy."

„Kámo! Národní divadlo znám, byla jsem tam před pár lety na *Válečným koni*." Raine si Carys zkoumavě prohlédla. „A to na to nepotřebuješ mít žádnou kvalifikaci?"

„Ne," pokrčila rameny Carys. „Nic po mně nechtěli."

Daniel se při těch slovech zamračil a Raine na to nic neřekla, jen roztáhla rty od ucha k uchu, a když si Carys vlezla zpátky na zadní sedadlo, pošeptala mi: „Ta holka se mi líbí."

Potom už byla atmosféra v autě trochu uvolněnější. Raine mi půjčila svůj iPod, takže jsem pustila hudbu od Madeona, ale Daniel bručel, že to je moc hlučné, a tak jsem to vzdala a naladila Radio 1. Carys si nasadila sluneční brýle a dívala se skrze ně z okna, jako by byla Audrey Hepburnová.

Byla jsem jako na trní. Aled mi na zprávu neodepsal a samozřejmě byla velká šance, že bude prostě jen ve svém pokoji na koleji nebo někde na přednášce, ale já nemohla přestat myslet na to, že mohl udělat i něco... horšího.

Takové věci se stávaly, ne?

A Aled už vůbec nikoho neměl.

„Není ti nic, Frances?" zeptal se mě Daniel. To už jsem seděla vzadu vedle něj. Jeho otázka zněla upřímně, upíral na mě tmavé oči.

„On už... nikoho nemá. Aled už nikoho nemá."

„Tak to je pěknej kec," ušklíbl se Daniel a zase se narovnal. „Jen v tomhle autě jsme čtyři. Já jsem kvůli tomuhle zatáhl chemii."

Dálnice na mě působila uklidňujícím dojmem. Odjakživa. Strčila jsem si do uší sluchátka, pustila si *Universe City* a sledovala míhající se šeď a zeleň venku. Daniel seděl vedle mě, hlavou se opíral o okno a oběma rukama svíral telefon. Carys popíjela z lahve vodu. Raine pohybovala rty a nejspíš si pobrukovala nějakou písničku, co zrovna hrála z rádia, ale já měla sluchátka a nedokázala jsem poznat, jaká to je. V mých uších právě Aled nebo Radio říkal: „Chci mít taky tolik příběhů jako ona," a i když jsme všichni měli strach ze stejné věci, na chvíli jsem měla pocit, že je všechno v pohodě. Takhle klidná a bez stresu jsem se necítila už hodně dlouho. Zavřela jsem oči a vrčení motoru, šum hudby z rádia a Aledův šeptavý hlas se slily do jednoho nádherného proudu zvuku.

Asi půl hodiny od Aledovy koleje jsem pronesla: „Mám pocit, jako bysme byli v Universe City."

Raine se zasmála. „Jak jako?"

„Radio je uvězněnej v Universe City. A někdo ho konečně slyšel a jede ho zachránit."

„Umění odráží život," podotkla Carys. „Anebo... je to možná naopak."

POČÍTAČ SE SMUTNÝM VÝRAZEM

Cesta uběhla rychleji, než jsem čekala, ani jsme se nenadáli a byli jsme ve městě, kde studoval Aled.

V mnoha ohledech se podobalo tomu našemu. Vysoké staré budovy, ulice dlážděné kočičími hlavami, nevelké náměstí s hrstkou značkových obchodů, řeka vinoucí se centrem. Bylo devět večer, všude davy lidí, hlavně studentů a studentek, kteří se procházeli městem nebo postávali před hospodami.

Asi dvacet minut nám trvalo najít Aledovu kolej. Raine zaparkovala venku na zákazu stání. Budova byla celkem malá, vypadala jako obyčejná řadovka, vůbec jsem nechápala, jak to může být univerzitní kolej. Ale jakmile jsme vešli, zjistili jsme, že kolej zabírá i celou řadu vedlejších budov.

Rozpačitě jsme stáli před vrátnicí. Po pravé straně se táhlo dlouhé schodiště, před námi dvě chodby.

„A co teď?" zeptala jsem se.

„Ví Aled, že za ním jedeme?" zeptal se Daniel.

„Jo, psala jsem mu."

„A odepsal?"

„Ne,“

Daniel se ke mně otočil. „Takže jsme sem prostě dorazili bez pozvání.“

Všichni mlčeli.

„Hele, kámo, byla to tak trošku panika,“ vysvětlila Raine. „Znělo to, jako že se Aled chce zabít nebo tak něco.“

Vyslovila to, co se nikdo z nás dosud nahlas říct neodvážil, a všichni jsme zase utichli.

„Víme vůbec, kde má pokoj?“ zeptala se Carys.

„Možná bysme se mohli zeptat na vrátnici,“ navrhla jsem.

„Já se zeptám,“ kývla bez sebemenšího zaváhání Carys a došla k pultu, za nímž seděl postarší pán. Chvíli se s ním bavila a pak se vrátila k nám. „Zjevně nám to říct nesmí.“

Daniel zaúpěl.

„Mohli bysme se zeptat nějakých studentů, ne?“ napadlo Raine. „Jestli ho třeba neznají.“

Carys souhlasně přikývla.

„Ale co když tu Aleda nikdo nezná?“ strachovala jsem se.

Raine se mi chystala odpovědět, když vtom se ze schodiště ozval cizí hlas.

„Pardon – říkali jste Aled?“

Jako jeden muž jsme se otočili a uviděli kluka v polo tričku s logem univerzitního veslařského týmu.

„No?“ řekla jsem.

„Vy jste jeho kámoši z domova?“

„Jo, já jsem jeho sestra,“ pronesla Carys a zněla, jako by byla o deset let starší.

„Ty vado, díkybohu,“ vydechl ten kluk.

„Proč díkybohu?“ utrhl se na něj Daniel.

„Ehm, no – on se jen poslední dobou chová trochu divně. Bydlím naproti němu a – on v podstatě vůbec nevychází ven, třeba. Nechodí ani do menzy na jídlo. A tak.“

„A kde zhruba je jeho pokoj?“ neztrácela čas Carys.

Student nám popsal, jak se tam dostat.

„Jsem fakt rád, že tu někoho má," dodal, než odešel. „Jako fakt, připadal mi hrozně *izolovanej*."

Bylo rozhodnuto, že za Aledem půjdu jen já.

Svým způsobem jsem byla ráda.

Připadalo mi, že po chodbách s modrým kobercem a oprýskanými, špinavě bílými zdmi plnými lesklých dveří jdu snad celou věčnost, ale nakonec jsem jeho pokoj našla.

Zaklepala jsem.

„Haló?"

Odpovědi jsem se nedočkala, a tak jsem to zkusila zmovu.

„Alede?"

Nic.

Vzala jsem za kliku – nebylo zamčeno, a tak jsem vešla dovnitř. V pokoji byla tma, závěsy byly zatažené, a tak jsem zmáčkla vypínač.

Vypadalo to jako po výbuchu atomovky.

Byl to typicky stísněný kolejní pokoj, menší než můj pokojíček doma. Byla tu jednolůžková postel, pár čtverečních metrů podlahy, zašlá skříň a rozviklaný stůl. Závěsy byly tak tenké, že skrze ně prosvítala záře pouličních lamp.

Mně ale větší strach nahnalo to ostatní. Tohle nebyl jen tak obyčejný nepořádek, a Aled hlavně nikdy nepořádný nebýval. Na židli u stolu se vršila hromada oblečení, další leželo poházené na podlaze, takže nebyl skoro ani vidět koberec. Skříň byla téměř prázdná a postel neustlaná a vypadalo to, že povlečení nikdo neměnil už několik měsíců. Na nočním stolku stál tucet prázdných lahví od vody a vedle nich notebook, jehož zapínací tlačítko něžně poblikávalo. Jediné, co tu bylo čisté, byly stěny. Nepověsil si na ně žádné plakáty ani obrázky – byly to prostě jen nudně světlezelené zdi. Aled nechal otevřené okno, takže tu byla pěkná kosa.

Po stole se válely nejrůznější papíry, lístky, letáky, obaly od jídla a plechovky od limonád. Vzala jsem do ruky jeden papír, bylo na něm jenom pár řádků.

Poezie 14/1 – George Herbert: přednáška o hlasu a formě
– po roce 1630
– paratext – Gérard genette, textová forma básně nabývá – to, co je vidět na stránce
– dialog – trochej
– John wesley ježíš 1744 1844????

Na zbytku stránky byly jen malůvky.

Dál jsem se záplavou papírů prohrabávala, nebyla jsem si ani jistá, co přesně hledám. Našla jsem několik zápisků z přednášek, na každé stránce byly jen jedna nebo dvě odrážky. Taky tu bylo několik dopisů z finančního oddělení univerzity s připomínkou, že pokud chce Aled i příští rok stipendium, musí si o něj znovu zažádat.

A pak jsem našla první ručně psaný vzkaz.

Jako jak si do prdele dovoluješ sebrat lidem podcast, kterej je pro tolik z nich tak důležitej? Myslíš si, že ho máš celej pod kontrolou, ale on znamená mnohem víc – nebýt nás, nikdy bys nebyl tam, kde seš. Koukej zase začít dělat Universe City, nebo si to odskáčeš.

A potom druhý.

NASER SI ALEDE LASTE!!! ZNIČIL SI ŠTĚSTÍ TOLIKA LIDÍ PO CELÝM SVĚTĚ. DOUFÁM, ŽE SI SPOKOJENEJ

A třetí.

Lol proč vůbec zůstáváš naživu když ani neděláš Universe City? Pošlapal jsi srdce tolika lidí. BĚŽ SE ZABÍT

A pak čtvrtý. A pátý.

Našla jsem jich na stole celkem devatenáct.

Byla jsem zmatená a vyděšená a pak jsem si vzpomněla na tu fotku Aleda, jak vchází do budovy koleje, co se objevila na internetu před několika měsíci. Tihle lidi prostě jen napsali na obálku jeho jméno a adresu koleje a výsledkem bylo, že Aled dostával spousty dopisů plných nenávisti.

Potom jsem narazila na dopis, který měl v záhlaví logo YouTube a několik dalších, která jsem nepoznávala. Přelétla jsem text očima.

Vážený pane Laste,

jelikož jste neodpověděl na e-maily, doufáme, že se nebudete zlobit, že Vás kontaktujeme touto cestou. Rádi bychom Vás jménem Live!Video pozvali na naši konferenci, která se bude konat toto léto v Londýně. Váš kanál na YouTube, Universe City, získal za poslední rok na popularitě, a tak jsme se chtěli zeptat, zda byste nechtěl se svým podcastem vystoupit naživo. Nikdy jsme živé představení vyprávěcího fikčního podcastu na konferenci neměli a bylo by pro nás velkou ctí, kdybyste se svým podcastem byl první.

Následovalo několik dalších dopisů, z nichž bylo jasné, že Aled ani na jeden z nich neodpověděl, což mě hodně rozesmutnilo.

Pod další haldou papírů jsem našla Aledův mobil. Byl vypnutý, a tak jsem ho zapnula, protože jsem znala jeho PIN. Okamžitě na něm cinklo osm zpráv, většina ode mě, některé dokonce ještě ze začátku ledna.

On měl od ledna vypnutý telefon.

„Co tu děláš?“ ozvalo se za mnou.

Otočila jsem se. Ve dveřích stál Aled.

Na sobě měl bílé tričko s obrázkem počítače se smutným výrazem a světle modré potrhané džíny. Vlasy mu už sahaly až pod ramena a měly takovou nazelenalou barvu, jako když si je hodněkrát nabarvíte a pak necháte přeliv prostě vyblednout. V jedné ruce držel zubní pastu a kartáček.

Nejvíc mě ale praštilo do očí, že od posledně, kdy jsem ho viděla, extrémně zhubl. V době, kdy jsme se spolu bavili, nebyl zrovna vychrtlý, ale teď... jeho obličej ztratil svoji zakulacenost, oči měl zapadlé a tričko na něm viselo jako stan.

Šokovaně otevřel pusu, pak se pokusil ještě něco říct, ale nakonec se otočil a vzal nohy na ramena.

NASLOUCHAT

Vystřelila jsem za ním, ale hned se mi ztratil, takže jsem najednou byla sama venku, ve tmě. Byla jsem si jistá, že vyběhl ven z budovy, ale neviděla jsem, kam utekl, a v tomhle počasí nejspíš musel jen v džínách a tričku mrznout. Nahmatala jsem telefon a našla v kontaktech jeho číslo, zkusila jsem mu volat, ale samozřejmě mi to nezvedl. Pak jsem si vzpomněla, že jeho mobil je v jeho pokoji a on ho několik týdnů vůbec nezapnul.

Nevěděla jsem, co si počít. Vrátí se, když na něj prostě počkám? Nebo se chystal udělat něco nebezpečného?

Zjevně nedokázal rozumně uvažovat.

Otočila jsem se a podívala se na dveře koleje.

Nemohla jsem se tam vrátit.

Rozběhla jsem se po ulici směrem do centra města.

Uviděla jsem ho skoro hned. Mezi studenty v dlouhých kabátech a naducaných bundách, kteří se smáli a tlachali a vypadali, že se královsky baví – a nejspíš se doopravdy bavili –, hodně vyčníval.

Zavolala jsem na něj a on se otočil, a když mě spatřil, zase se dal na útěk.

Proč přede mnou *utíkal*?

To mě tak strašně moc *nechtěl* vidět?

Seběhla jsem za ním po pár schodech, zahnula za roh a na most. Aled zabočil doprava a zmizel pod dalšími schody a já ho následovala a vtom mi došlo, kam jde.

Zapadl do dveří jakéhosi nočního klubu.

Zevnitř řvala muzika, venku sice nestála fronta, ale bylo vidět, že v klubu je hlava na hlavě.

„Copak, slečinko?" zeptal se mě vyhazovač se silným severoanglickým přízvukem. „Můžeš mi ukázat občanku?"

„Ehm..." Nic jsem s sebou neměla. Ani doklady. „Ne, já jen..."

„Dovnitř bez občanky nesmíš, slečinko."

Zašklebila jsem se. Hádat se s dvoumetrovým holohlavým vyhazovačem nebyl asi ten nejlepší nápad, ale jinou možnost jsem neměla.

„Prosím, zrovna tam vběhl můj kamarád, je hrozně rozrušenej, jen si s ním potřebuju promluvit a hned zas odejdu, hned, jak ho najdu, přísahám..."

Vyhazovač si mě soucitně prohlédl. Podíval se na hodinky a vzdychl.

„No dobře, slečinko, tak běž. Je teprve deset."

Zadýchaně jsem mu poděkovala a vpadla do klubu.

Bylo to ještě horší než u Johnnyho. Podlaha byla špinavá a lepila, na zdech se srážela vlhkost, byla tu tma, takže nešlo nic pořádně vidět, a uši mi ohlušily klasické popové fláky. Prodírala jsem se davem poskakujících studentů – kupodivu na sobě skoro všichni měli jen džíny a trika, na rozdíl od maturantů, co se u nás doma na každou návštěvu u Johnnyho vyfikli jak ze žurnálu. Hledala jsem Aleda a nevšímala si nepřátelských pohledů lidí, které jsem odstrkovala z cesty. Vyšla jsem do patra a hledala dál a pak...

Tam. Bílé tričko, kluk opřený o zeď. Jeho vlasy měly v odlescích stroboskopů mechově zelenou barvu.

Využila jsem toho, že mě nevidí, popadla ho za ruku a on nadskočil tak prudce, že jsem úplně cítila, jak se mu pod kůží pohnuly kosti.

„ALEDE!" zaječela jsem, i když to nebylo k ničemu, sama jsem neslyšela ani hlásku.

Hudba duněla tak nahlas, že se všechno otřásalo: podlaha, moje kůže, krev v mých žilách.

Aled na mě civěl, jako by poprvé v životě viděl lidskou bytost. Pod očima měl temně fialové kruhy, vlasy si nejspíš nemyl už několik dní. Na kůži se mu míhaly barvy, modrá, červená, růžová, oranžová...

„Co blbneš?" křičela jsem, ale ani jeden z nás to neslyšel. „Ta hudba tu moc řve!"

Aled otevřel pusu a něco řekl, ale já jsem ho neslyšela a neuměla jsem ani odečítat ze rtů, i když jsem se snažila naslouchat usilovněji než kdy předtím. Pak se kousl do rtu a znehybněl.

„Strašně se mi po tobě stýskalo," řekla jsem, byla to jediná pravdivá věc, kterou jsem v tu chvíli dokázala říct, a myslím, že Aled to z pohybu mých rtů dokázal přečíst, protože se mu oči zalily slzami a odpověděl „mně po tobě taky", a já ještě nikdy za celou dobu, co jsem ho znala, nechtěla tak moc slyšet jeho hlas.

Nevěděla jsem, co dál, a tak jsem ho objala oběma rukama kolem pasu a položila mu hlavu na rameno a jen ho objímala.

Nejdřív nijak nezareagoval. Potom pomalu zvedl paže a objal mě kolem ramen, opřel si hlavu o moji. Po chvíli jsem ucítila, že se chvěje. A po další chvíli mi došlo, že oba brečíme.

Bylo to tak opravdové. Neměla jsem pocit, že se snažím být někým, kým nejsem, nic jsem nehrála.

Měla jsem ho ráda. A on měl rád mě.

Nic víc v tom nebylo.

NIKDO

Došli jsme na náměstí a za celou dobu jsme nepromluvili ani slovo. Drželi jsme se za ruce, protože nám to připadalo správné.

Sedli jsme si na kamennou lavičku. Po pár minutách mi došlo, že je to přesně to místo, kde Aleda před několika měsíci vyfotil ten stalker a pověsil ho na Tumblr.

Když mám špatnou náladu, nejvíc ze všeho nenávidím, když mě lidi litují a chovají se ke mně soucitně. A bylo mi jasné, že tohle není jen obyčejná „špatná nálada", ale přesto jsem se rozhodla jít na to jinak.

„Takže se cítíš tak trochu na hovno, jo?" zeptala jsem se. Ještě pořád jsme se drželi za ruku.

Aledovi se udělaly vějířky v koutcích očí – náznak úsměvu. Přikývl, ale nic neřekl.

„A z čeho teda? Jestli za to může nějakej člověk, klidně ho půjdu zmlátit."

Znovu se pousmál. „Ty bys nezvládla zmlátit ani mouchu."

Zvuk jeho hlasu v mrazivém vzduchu – ve skutečném světě – mě málem znova rozbrečel.

Zamyslela jsem se. „Jo, to máš asi pravdu. Mouchy jsou moc rychlý. Já dělám většinu věcí pomalu."

Aled se nahlas zasmál. Bylo to magické.

„Takže, co tě trápí?“ nasadila jsem doktorský tón, nebo jsem v to aspoň doufala.

Aled mi poklepal prsty na ruku. „Tak nějak... všechno.“

Vyčkávala jsem.

„Strašně se mi na vysoký nelíbí,“ pokračoval.

„Fakt?“

„Fakt.“ Do očí mu opět vhrkly slzy. „Nenávidím to tu. Nenávidím tu úplně všechno. Asi z toho zešílím.“ Na lavičku ukápla slza. Zmáčkla jsem mu ruku.

„Tak proč neodejdeš?“

„Domů nemůžu. Tam to taky nenávidím. Takže... nemám kam jít.“ Jeho hlas zněl skřehotavě. „Nemám kam jít, nemám nikoho, kdo by mi pomohl.“

„Já ti pomůžu,“ přesvědčovala jsem ho. „Jsem tady.“

Aled se znova zasmál, ale jeho smích se hned vytratil.

„Proč ses se mnou přestal bavit?“ zeptala jsem, protože jsem to pořád nechápala. „A s Danielem?“

„Já –“ zajíkl se. „Já jsem se – bál.“

„Čeho?“

„Já prostě – od všeho, co je moc těžký, prostě utíkám,“ vysvětloval a zoufale se uchechtl. „Když je něco obtížný, když bych si musel s někým promluvit o něčem hodně vážným, tak se tomu radši vyhnu a začnu toho člověka ignorovat, jako by pak ta věc přestala existovat.“

„Cože... takže... jsi s námi –“

„Nedokázal jsem se smířit s představou, že byste mě.... já nevím... navždycky odvrhli. Myslel jsem, že bude lepší, když vás prostě budu ignorovat.“

„Ale – ale proč bysme to dělali?“

Aled si volnou rukou otřel oči. „No... prostě, já a Dan... jsme se dost hádali. Hlavně kvůli tomu, že on mi nevěří, když mu říkám, že se mi líbí. Jako že on si myslí, že mu lžu, nebo tak něco, je to směšný, myslí si, že jen předstírám, že mě přitahuje, protože je mi ho líto nebo protože se už tak dlouho kamarádíme." Zalétl ke mně pohledem a všiml si, jak se tvářím. „No tak, přece si to nemyslíš taky, nebo jo?"

„Daniel je o tom dost přesvědčenej..."

Aled zaúpěl. „To je blbost. Takže když – když svoje city nevytrubuju neustále celýmu světu..."

„A jak to vyřeší, že ho budeš ignorovat?"

Aled zavrtěl hlavou. „Nevyřeší. Já vím, že ne. Jen jsem se bál o tom mluvit. Čelit možnosti, že mě – že Dan prostě náš vztah ukončí, protože má dojem, že do něj nejsem dost zamilovanej. Dělám to tak už od léta, protože jsem – jsem absolutní debil. A teď jsme se odcizili a... já nevím, jestli to ještě někdy může být takový jako dřív..."

Zmáčkla jsem mu ruku.

„A co já?"

„Já se snažil," opáčil bleskově a podíval se mi přímo do očí. „Zkoušel jsem to. Napsal jsem ti na tvoje zprávy tolik odpovědí, ale... nikdy jsem to nedokázal odeslat. Myslel jsem, že bys mě pak nenáviděla. A jak ubíhal čas, pořád se to zhoršovalo a já měl čím dál větší pocit, že mě nenávidíš a cokoli, co bych ti řekl, by tě jen přimělo na mě prostě zapomenout." Oči se mu znovu zalily slzami. „Myslel jsem, že bude lepší, když prostě nic nenapíšu. A pak bych aspoň... aspoň bych ještě pořád měl šanci mít v životě něco dobrýho... teď, když už... nemám *Universe City*..."

„Já bych tě nemohla nenávidět," řekla jsem. „Ani teď. Právě naopak."

Aled popotáhl.

„Fakt mě to strašně mrzí," omlouval se. „Vím, že jsem se choval jako idiot. Všechno by bylo dobrý, kdybych... kdybych tohle všechno dokázal říct hned..."

Věděla jsem, že říká pravdu.

„To je dobrý," utěšovala jsem ho. „Já to chápu."

Člověk občas nedokáže říct nahlas to, co si myslí. Občas je to příliš těžké.

„Proč jsi přestal dělat *Universe City*?" zeptala jsem se.

„Kdykoli jsem vydal novou epizodu, hned mi volala máma a vyhrožovala, že když toho nenechám, tak – mi přestane posílat peníze, nebo mě nahlásí děkanovi, takový věci. Ze začátku jsem ji nebral vážně, ale pak se to dostalo do bodu, kdy jsem se při každým novým dílu klepal strachy, a pak mi došly nápady a začal jsem to nenávidět." Svraštil obličej a po tvářích mu skanuly další slzy. „Věděl jsem, že mi to máma zničí. Věděl jsem, že mi sebere poslední věc, která mi ještě zbyla, a *zničí ji*."

Pustila jsem jeho ruku a znovu ho objala.

Chvíli jsme jen mlčeli, a i když se ještě nic nespravilo, mně se ulevilo, že konečně říká to, co doopravdy cítí.

„My jenom chceme, abys byl v pořádku," řekla jsem, když jsem se od něj odtáhla. „Všichni."

„Všichni – jako ty a Daniel?"

Zavrtěla jsem hlavou. „Je tady i Carys."

Aled strnul.

„Carys?" vydechl, jako by to jméno nevyřkl už roky.

„Jo." Taky jsem šeptala. „Přijela za tebou. Přijela se mnou, aby tě viděla."

Aled se rozbrečel a bylo to, jako by někdo pustil kohoutek. Z očí se mu valily slzy jako hrachy.

Rozesmála jsem se, což ode mě nejspíš bylo hodně necitlivé, ale nemohla jsem si pomoct, nějakým divným způsobem jsem z toho měla radost. Objala jsem ho, protože jsem netušila, co na to říct, a došlo mi, že i Aled se skrze slzy směje.

ASPOŇ JSME V TO DOUFALI

Vrátili jsme se na jeho kolej. Carys, Daniel a Raine pořád seděli na vrátnici. Vešli jsme hlavním vchodem, a když Aledův zrak padl na Carys, zastavil se a jen na ni zíral.

Carys vstala ze židle a taky si ho přes celou místnost prohlížela. Kdysi si bývali podobní – modré oči, blond vlasy –, ale teď už ani trochu. Carys byla vyšší a oblejší a všechno na ní vypadalo čistě, výrazně, v jasných barvách. Aled byl malý, samé ostré úhly, vypadal neupraveně, jako stín s flekatou kůží, zmačkaným oblečením a vlasy v různých odstínech zelené, fialové a šedé.

Zatímco k nám Carys šla, ustoupila jsem od Aleda dál. Objala ho a já zaslechla, jak mu šeptá: „Promiň, že jsem tě s ní nechala samotnýho."

Daniel a Raine je z křesílek nepokrytě pozorovali, na Danielovi bylo vidět, jak ho rozhodila Aledova fyzická proměna, a Raine se v očích zračilo dojetí, jako by se dívala na nějaký dramatický dokumentární film.

Položila jsem jim ruce na temeno a otočila jim hlavy pryč.

„Jak na tom je?" zeptal se Daniel, když jsem si k nim přisedla.

Nemělo cenu mu lhát. „Naprosto příšerně," řekla jsem. „Ale aspoň není mrtvej."

Myslela jsem to napůl jako vtip, ale Daniel souhlasně přikývl.

Dokázali jsme to.

Našli jsme ho. Pomohli jsme mu. Zachránili jsme ho – nebo jsme v to aspoň doufali.

Ale jen do chvíle, než se rozlétly dveře koleje a dovnitř nakráčela baculatá žena s vlasy na krátko a plátěnou taškou přes rameno.

Tak rychle, jak jsem teď vyskočila ze sedačky, jsem se ještě nikdy v životě nehýbala. Jakmile Carys ženu uviděla, odtáhla Aleda od dveří směrem k nám, a než se otočil a spatřil ji taky, zračil se mu v očích zmatek.

„Allie, drahoušku," pronesla Carol.

SÁM

Všichni byli rázem na nohou. Nebyla jsem si jistá, co přesně znamená patová situace, ale měla jsem pocit, že tohle bude ono.

Carol zamrkala. „Carys, co ty tady pohledáváš?"

„Přijela jsem za Aledem."

„To jsem nevěděla, že ti ještě záleží na členech tvé rodiny."

„Jen na těch, co za něco stojí," procedila skrze zaťaté zuby Carys.

Carol povytáhla obočí. „No, tak už to zkrátka chodí. Já jsem sem nepřijela za tebou, upřímně řečeno se s tebou nechci ani vidět. Chci mluvit se svým *skutečným* dítětem."

„To si ale nezasloužíš," prohlásila Carys a já úplně cítila, jak lidi kolem zatajili dech.

„No dovol?" zvedla její matka hlas. „Nemáš právo mi diktovat, jak mám mluvit se svým synem."

Carys se zachechtala, její smích se rozlehl po vrátnici. „Ha! To si teda piš, že mám. Mám, protože vím, jak ho týráš, chováš se k němu jako ke kusu hadru."

„Co si to dovoluješ..."

„Co si dovoluju já? Co ty si dovoluješ. Zabila jsi mu psa, Carol! Tys mu zabila psa. Aled ho miloval, vždyť jsme s ním vyrostli..."

„Ten pes byl jen přítěží, nemohla jsem se o něj starat. Už se jen trápil."

„Nech mě si s ní promluvit," ozval se Aled, a i když byl jeho hlas sotva víc než zašeptání, všichni zmlkli. Vymanil se ze sestřina sevření a došel k matce. „Pojď, probereme to venku."

„Nemusíš s ní jít sám," řekla Carys, ale ani se nepohnula.

„Musím," opáčil Aled a vyšel s mámou před kolej.

Čekali jsme na něj deset minut. A pak dalších deset. Raine neustále odbíhala ke dveřím a poslouchala, jestli jsou pořád ještě venku. Procházející studenti a studentky po nás vrhali udivené pohledy.

Carys si tiše povídala s Danielem, který nervózně poklepával nohou, koleno mu nadskakovalo nahoru a dolů. Já seděla na židli a přebírala si v duchu, co se právě stalo a co mu asi Carol hustí do hlavy.

„Aled bude v pohodě, že jo?" zeptala se Raine, když si asi pošesté znovu sedla vedle mě. „Nakonec bude v pohodě."

„Já nevím," řekla jsem, protože jsem to vážně nevěděla. Aledův osud závisel plně na tom, k čemu se dnes rozhodne.

„Jak se vůbec dozvěděla, že tu jsme?" přemítala jsem nahlas, protože jsem nemohla uvěřit, že si sem Carol udělala výlet zrovínka v den, kdy jsme sem Aleda jeli šest hodin zachraňovat my čtyři.

„Viděla nás odjíždět," vyhrkla Carys. „Zahlédla jsem ji, jak se kouká z okna."

„Přece nemohla vědět, kam jedeme!" namítla Raine.

Carys se zasmála. „Když viděla Aledovu ztracenou sestru, jak s jeho nejlepší kamarádkou nasedá do auta s taškama plnýma žrádla na dlouhou cestu, tak to asi nebylo moc těžký odhadnout."

Raine se užuž nadechovala k odpovědi, když vtom jsme uslyšeli bouchnutí dveří od auta. Raine vyskočila ze židle a rozrazila dveře, zaječela „NE!" a my ostatní jsme za ní vyběhli právě včas na to, abychom viděli, jak Aled a jeho matka odjíždějí v taxíku pryč.

UNIVERZITA

„Myslel jsem, že už to nemůže být horší," vzdychl Daniel, „ale ono se to fakt ještě zhoršilo. Super."

Stáli jsme uprostřed ulice a sledovali odjíždějící taxi.

„Jedou na nádraží," prohlásila Carys. „Asi ho chce vzít domů."

„To nemůžeme dopustit," řekla jsem.

Raine už vykročila ke svému autu, které pořád nevinně parkovalo na zákazu stání před budovou koleje. „Všichni do auta, hned."

Chvíli nám trvalo zareagovat, a až když Raine zaječela „VŠICHNI DO AUTA, DO PRDELE!", dali jsme se do pohybu, nasáčkovali se do auta a Raine šlápla na plyn.

Překročila povolenou rychlost a dostala nás na nádraží za tři minuty. Daniel většinu cesty hulákal: „Zpomal, vždyť nás všechny zabiješ!" Vyskákali jsme z auta, vběhli do budovy nádraží a zkontrolovali tabuli s odjezdy. Jeden vlak do Londýna odjížděl za tři minuty z prvního nástupiště. Beze slova jsme se tam rozběhli a uviděli ho, jak stojí s matkou u lavičky. Zakřičela jsem na něj – blíž jsme nemohli, protože mezi námi byly turnikety – a Aled se otočil a vykulil oči, jako by měl pocit, že se mu jen zdáme.

„Nejezdi s ní!" ječela jsem. Světla v hale svítila oranžově a dodávala tmě zlatavý nádech. „Alede, prosím!"

Aled sebou cukl směrem k nám, ale matka ho chytila za paži. Otevřel pusu, aby jí něco řekl, ale nevyšla z něj ani hláska.

„My ti pomůžeme!" Snažila jsem se přemýšlet nad tím, co říkám, ale srdce mi bušilo a já nedokázala uvažovat, myslela jsem jen na to, že pokud Aled nastoupí do toho vlaku, možná už ho nikdy nedostaneme zpátky. „Prosím! Nemusíš s ní zůstávat!"

Carol nesouhlasně zamlaskala a odvrátila se, jako kdyby mě neslyšela. Aled na mě dál třeštil oči. Vlak už přijížděl k nástupišti.

„Nemám jinou možnost," řekl, sotva jsem ho slyšela přes nesnesitelné skřípění brzdící soupravy. „Nemůžu tady zůstat, nemám kam jinam jít –"

„Můžeš bydlet u mě!"

„Jo, nebo u mě!" křikla Carys. „V Londýně!"

„Tady nemáš být!" pokračovala jsem. „Ona tě jen donutí vrátit se na univerzitu. Ty ale na univerzitu nepatříš, nepatříš sem…"

Carol ho táhla ke dveřím vagonu. Pomalu ji následoval, ale nespouštěl ze mě pohled.

„Bylo to špatný rozhodnutí… Ty jsi – ty sis myslel, že musíš na vysokou, i když jsi sem nechtěl, nebo – nebo sis možná myslel, že chceš, protože… jen proto, že nám pořád tvrdí, že jiná možnost neexistuje." Nakláněla jsem se celou horní polovinou těla přes přepážku turniketu, jako bych se chtěla rozpůlit. „Ale já přísahám, že tak to není! Já chápu… myslím – myslím, že jsem udělala tu samou chybu, nebo možná – ještě jsem ji neudělala, ale – já svoje rozhodnutí změním…"

Aled klopýtavě nastoupil do vlaku, ale zůstal stát ve dveřích a dál mě pozoroval.

„*Prosím, prosím, Alede…*" Zuřivě jsem vrtěla hlavou, cítila jsem, jak mi v hrdle bublají vzlyky, ne kvůli smutku, ale ze *strachu*.

Někdo mě dloubl do boku, a když jsem se podívala na Raine, držela obě ruce s propletenými prsty vedle mojí nohy, dělala mi stoličku. Došlo mi, o co se snaží. „Dělej, než si toho všimne hlídač," mrkla na mě.

Opřela jsem se nohou o její dlaně a Raine mě prakticky přehodila přes turniket. Slyšela jsem, jak dozorce něco křičí, ale já se rozběhla ke dveřím vagonu a zastavila se přímo před Aledem. Jeho máma se ho snažila zatáhnout do vlaku, Aled se však ani nepohnul. Jen stál a díval se na mě.

Napřáhla jsem k němu ruku.

„Prosím, nejezdi s ní... máš i další možnosti... nejsi její vězeň." Slyšela jsem, jak se mi panikou a zoufalstvím třese hlas.

„A co když nemám?" zašeptal. „Co když... si nenajdu práci a... nebudu mít kde bydlet... a –"

„Můžeš bydlet u mě a pracovat budeme na směny u nás na poště a budeme spolu nahrávat *Universe City*," malovala jsem mu. „A budeme šťastný."

Aled mrkáním zaháněl slzy. „Já –" Sklopil hlavu, zabodl pohled do země a nic dalšího neřekl, ale já na něm viděla, že se právě rozhodl...

„Alede!" zaječel za ním hlas jeho matky, řezavý a rozkazovačný.

Aled se jí vyškubl ze sevření a chytil mě za ruku.

„Díkybohu," zamumlala jsem a všimla si, že má na nohou svoje limetkově zelené tenisky s fialovými tkaničkami.

A pak seskočil z vlaku na perón.

5. DRUHÉ POLOLETÍ

c)

UNIVERSE CITY

Přespali jsme u Aleda na koleji, na to, abychom ještě podnikli cestu domů, už bylo příliš pozdě. Aled nám dal svou náhradní peřinu, kterou jsme si roztáhli na zem, měli jsme pocit, že toho stejně moc nenaspíme. Nicméně Raine usnula jen deset minut potom, co prohlásila: „Už jsem u nikoho nepřespávala celý *věky*!" A Carys si přes sebe přetáhla svoji koženou bundu a zanedlouho ji následovala.

Za další čtvrt hodiny usnul i Daniel. Ze školní uniformy se převlékl do Aledových pyžamových šortek a trička a musel si v podstatě vlézt pod psací stůl, protože v tomhle pokoji rozhodně nebylo dost místa na to, aby se tu vyspalo pět lidí. Pak už jsme zbyli vzhůru jen Aled a já. Seděli jsme na jeho posteli a opírali se zády o zeď.

„Jak jsi to myslela, žes taky udělala chybu? Jako s vysokou?" zeptal se mě Aled šeptem a natočil ke mně hlavu. „Ty se – jakej máš teď teda plán?"

„No... jde o to, že... mě asi vůbec nezajímá anglická literatura. Nechci ji jít studovat na vysokou."

Aled se zatvářil zaskočeně. „Ne?"

„Nejsem si jistá, jestli vůbec chci jít na vysokou."

„Ale... to bylo – Vždyť ti na tom záleželo víc než na čemkoli."

„To jen proto, že jsem si myslela, že mi na tom musí záležet," vysvětlila jsem. „A protože se dobře učím. Myslela jsem si, že to je jedinej způsob, jak mít dobrej život. Ale... to není pravda."

Odmlčela jsem se.

„Strašně mě bavilo s tebou dělat *Universe City*," řekla jsem. „Ale když se učím, tak takovej pocit nemám."

Aled na mě upíral pohled. „Jak to myslíš?"

„Když jsme spolu, cítím se sama sebou. A... tahle verze mýho já... nechce ještě tři roky ležet v knihách jen proto, že ostatní jdou studovat a ve škole mi řekli, že bych měla taky... Tahle moje verze se nechce stát kancelářskou krysou, jen aby si vydělala peníze. Tahle moje verze si chce dělat, co chci já."

Aled se tiše zasmál. „A co chceš dělat?"

S úsměvem jsem pokrčila rameny. „Zatím žádný plány nemám. Jen prostě... asi si to ještě potřebuju trochu víc promyslet. Než udělám nějaký rozhodnutí, kterýho bych pak litovala."

„Jako já," podotkl Aled, ale usmíval se u toho.

„No, přesně," kývla jsem a oba jsme se zasmáli. „Ale fakt můžu dělat cokoli. Klidně si můžu nechat dát piercing do nosu."

Znovu jsme se zasmáli.

„A co umění?" zeptal se Aled.

„Co s ním?"

„Umění máš ráda, ne? Mohla bys jít na nějakou uměleckou školu. Kreslení ti jde. A taky tě baví."

Zamyslela jsem se nad tím. Opravdu jsem nad tím vážně uvažovala. Rozhodně to nebylo poprvé, co mi někdo něco takového navrhl. A já neměla nejmenší pochyby, že by mě to bavilo.

Na okamžik mi to připadalo jako geniální nápad.

Ze zbytku noci si pamatuju už jen to, že jsem se na chvíli probudila a uslyšela, jak si Aled a Daniel povídají, šeptali tak tiše, že jsem jim sotva rozuměla. Aled pořád ležel vedle mě na posteli, Daniel se na něj podle všeho díval z podlahy. Rychle jsem zase zavřela oči, aby si nevšimli, že jsem vzhůru, a nepomysleli si, že je tajně odposlouchávám.

„Počkej, já to nechápu," říkal právě Daniel. „Myslel jsem, že tak se říká někomu, kdo vůbec nemá rád sex."

„U některých lidí to tak asi bude…" odpověděl Aled. Jeho hlas zněl trochu nervózně. „Ale asexualita znamená… ehm… že někdo necítí vůbec žádnou sexuální přitažlivost. K nikomu."

„Aha. Jasně."

„A některý lidi mají prostě pocit, že jsou… jako by… jen *částečně* asexuální, takže… je sexuálně přitahujou jen lidi, který hodně, hodně dobře znají. Lidi, ke kterým mají to, no, citový pouto."

„Aha. A to jsi ty."

„Jo."

„A přitahuju tě já. Protože mě hodně, hodně dobře znáš."

„Jo."

„A proto se ti jinak nikdy nikdo nelíbil."

„Jo." Rozhostilo se krátké ticho. „Někdy se tomu říká ‚demisexuál', ale, ehm… ono je vlastně jedno, jakým slovem tomu budeš říkat –"

„Demisexuál?" zahihňal se Daniel. „Tak to slyším prvně."

„Jo, ale upřímně, fakt je jedno, jak tomu říkáš… jen se ti snažím vysvětlit, co doopravdy to… cítím. City jsou na tom to nejdůležitější."

„Jasně, v pohodě. Jen je to trochu složitý." Ozvalo se zašustění, asi jak se Daniel převalil. „Kdes to všechno zjistil?"

„Na internetu."

„Měl jsi mi o tom říct."

„Myslel jsem, že by sis řekl… že je to blbost, nebo tak něco."

„Kdo jsem já, abych někoho soudil za jeho sexualitu? Jsem teplej jak kamna v sauně."

Oba se tiše rozesmáli.

„Jen jsem chtěl," pokračoval Aled, „abys pochopil, proč jsem nechtěl dělat coming out ani nic. Rozhodně ne proto, že by ses mi nelíbil –"

„Ne, já to chápu, fakt."

„Jen jsem se bál... nevěděl jsem, jak ti to vysvětlit, abys mi uvěřil. Tak jsem se ti postupně začal úplně vyhýbat, a... tys měl pocit, že tě nemám rád... a já měl strach, že ve chvíli, kdy si s tebou zkusím promluvit, se se mnou rozejdeš. Strašně moc se omlouvám, choval jsem se k tobě hrozně –"

„Jo, choval ses jako absolutní kretén." V Danielově hlase jsem slyšela úsměv, oba se tlumeně uchechtli. „To nic. Já se taky omlouvám."

Aled svěsil paži z postele. Přemítala jsem, jestli se drží za ruce.

„Takže to mezi náma může být zase jako předtím?" špitl Aled. „Můžeme to zase být prostě my dva?"

Daniel se na chvíli odmlčel.

„Jo, můžeme," řekl nakonec.

Ráno jsme s Aledem vyrazili do drogerie koupit všem kartáčky na zuby, protože Carys prohlásila, že dokud si nevyčistí zuby, nikam nejede. Aled se vydal k regálu s barvami na vlasy, a když jsem k němu došla, zeptala jsem se, jestli chce, abych mu vlasy nabarvila, až se vrátíme k němu na pokoj, a on řekl, že jo.

Sedl si s čerstvě umytými vlasy ke stolu a já k němu přistoupila s nůžkami, pro které jsme se stavili v papírnictví.

„Frances..." Aledovi se nedařilo zamaskovat nervozitu. „Jestli mě ostříháš blbě, budu muset zdrhnout do Walesu a žít tam, dokud mi ty vlasy nedorostou."

„Neboj!" Cvakla jsem nůžkami ve vzduchu. „Jsem umělecky založená. Z výtvarky jsem měla vždycky samý jedničky."

Raine seděla na Aledově posteli a vyprskla smíchy. „Ale z kadeřnictví nematuruješ, ne?"

Otočila jsem se a namířila na ni ostřím nůžek. „Ale kdyby to šlo, tak bych z něj klidně maturovala."

Zastřihla jsem Aledovi konečky – jen pár centimetrů, vlasy mu pořád sahaly pod uši, jen už je neměl tak těžké a zplihlé – a pokusila se mu je trochu prostříhat, aby nevypadal jako středověký panoš. Nakonec jsem usoudila, že se mi jeho sestřih docela podařil, a Aled souhlasil, že je to lepší než cokoli, co mu kdy udělali v kadeřnictví.

Pak jsme mu vlasy odbarvili, což trvalo věčnost, a vyšly mu z toho takové žlutooranžové a mně to připadalo k popukání, takže jsem si ho na mobil vyfotila ze všech stran.

Potom jsme mu vlasy nabarvili na pastelově růžovou podle gifu, který mi ukázal – byl na něm člen nějaké hudební skupiny v těžké džínové bundě a s delšími vlasy, sahaly mu kousek pod bradu, s tlumeným růžovým přelivem. Když jsme měli hotovo, došlo mi, že přesně takové má podle popisu vlasy Radio v *Universe City*.

Jeli jsme sotva pět minut, když se Raine porouchalo auto.

Zajela ke krajnici a chvíli jen nehybně seděla a potom se poměrně zdvořile zeptala: „To má jako bejt vtip?"

„Co se dělá, když se člověku porouchá auto takhle daleko od domova?" zeptala jsem se já.

„Nedá se zavolat na nějakou asistenční službu?" navrhl Daniel.

„Nevím," odpověděla Raine. „Tohle se mi ještě nikdy nestalo."

Vylezli jsme z auta.

„Komu se má volat?" zeptala jsem se a podívala se na Carys.

„Na mě nekoukej. Umím sice vyplnit daňový přiznání, ale o autech nevím ani ň. V Londýně auto nepotřebuješ."

Daniel řidičák neměl a já a Aled pochopitelně taky ne. Takže jsme jen stáli jako tvrdé Y.

Carys s povzdechem sáhla do kapsy pro telefon. „Počkejte, najdu to na googlu."

„Já se potřebuju dostat domů," stěžoval si Daniel. „Už tak jsem prošvihl tři hodiny chemie, víte, jak blbě se to dohání?"

„Mohli bysme jet vlakem," prohodila jsem.

„Do Kentu stojí jízdenka minimálně devadesát liber. To jsem si už hledal."

„Já to zaplatím," ozval se Aled. Všichni jsme se na něj podívali. „Poslední dobou jsem moc peněz neutratil. A před pár týdny mi přišly peníze ze stipendia."

„Ale co moje *autíčko*?" Raine sebou teatrálně plácla na kapotu a pohladila auto jednou rukou. „Nemůžu ho tady jen tak nechat."

„A Aled v něm má všechny věci," podotkl Daniel.

Carys vzdychla. „Raine, já tu s tebou zůstanu, nějak to pořešíme. Vy tři mazejte na vlak."

„Co?" vydechla jsem. „Určitě?"

„Jo." Carys se usmála. „Stejně chci tady s tou dát řeč." Ukázala na Raine, která dál hladila auto po kapotě a něžně u toho vrkala.

„O čem?"

„O alternativách vysokoškolskýho studia pro lidi, kterým nejde matika." Carys pokrčila rameny. „O věcech, co vám ve škole neřeknou."

Daniel sice tvrdil, že se ve vlaku bude učit, ale pak skoro okamžitě usnul. Já a Aled jsme seděli naproti sobě a nakonec se řeč stočila na *Universe City*.

„Nechci, aby skončilo," řekla jsem.

Aled se nadechl. „Já taky ne."

„Myslím – myslím, že by ses k němu měl vrátit."

„No... já bych i chtěl."

„Takže s ním zas začneš?"

A on řekl: „Možná," a pak jsme hned začali plánovat další epizodu. Měla se v ní objevit i Toulouse, po dramatickém návratu od Brány mrtvých, a taky jsme začali probírat některé dlouhodobé dějové linky – Temně modrou budovu, February Friday a *Universe City* jako takové. Šeptali jsme si repliky a Aled si je zapisoval do mobilu, ale pak se nám přece jen povedlo Daniela vzbudit, a když zjistil, co děláme, nejdřív zvedl oči v sloup, ale pak se hned usmál. Pokusil se znovu usnout, ale bez úspěchu, a tak nás začal poslouchat.

„Za trest budeš tři týdny mýt nádobí," prohlásila máma. Byli jsme pořád ještě ve vlaku asi na půl cesty k domovu a já s mámou mluvila po telefonu. Prošla jsem uličkou až ke dveřím vagonu, protože oba kluci usnuli. „A taky můžu celý příští měsíc vybírat sobotní film. Nemůžu jen tak vypláznout devadesát liber, kdykoli se mi zachce. Kdybych mohla, dělám to furt, to mi věř. Zrovna nedávno jsem byla v zahradnictví a měli tam fontánku ve tvaru čurajícího psa. Za osmdesát liber. Tady mluvíme o nezbytnostech, Frances, *nezbytnostech*, které si musím odepřít, jen aby ses mohla projet vlakem –"

„No jo, no jo, jasně." Zazubila jsem se. „Klidně můžeš vybírat sobotní filmy. Jen když to nebude *Shrek*."

„A co *Shrek 2*?"

„*Shreka 2* ti dovolím."

Máma se zasmála a já se opřela hlavou o dveře vlaku. Zrovna jsme projížděli nějakým městem. Nevěděla jsem, co je to za město nebo kde přesně jsme.

„Mami," řekla jsem.

„Copak, beruško?"

„Já už asi nechci jít studovat anglickou literaturu." Odmlčela jsem se. „Vlastně asi vůbec nechci jít na vysokou."

„Ach, Frances." Máma ani nezněla zklamaně. „To je dobrý."

„Vážně?" zeptala jsem se, protože jsem si nebyla jistá.

„Jo," potvrdila máma. „To je úplně v pořádku."

LÉTO

NOVÝ HLAS

Aled byl jedním z headlinerů. Vystupoval v největším sále ve čtyři odpoledne. Zatímco se v zákulisí chystal a nacvičoval si svoje představení, trávila jsem čas sledováním dalších youtuberů. Zrovna teď to byla holka, která dělala hudební standupy. Mluvila hodně i o Tumblru, měla dva rozhovory s herci, kteří na konferenci přišli, a pak zazpívala několik písniček o *Lovcích duchů*.

Po chvíli jsem zjistila, že vedle mě stojí někdo povědomý. Měla jsem pocit, že tuhle holku už jsem někdy potkala.

Vlasy měla podivně černé, možná to byla spíš hodně tmavá hnědá, to se nedalo poznat. Hustá ofina jí plně zakrývala obočí. Vypadala trochu unaveně, jako by pořádně nevnímala, kde je.

Zírala jsem na ni dobrých deset vteřin, než se na mě taky podívala.

„Neviděla jsem tě už někdy?" zeptala se mě, než jsem se vzmohla na slovo. „Nechodila jsi na Higgs?"

„Jo, před lety. Ale pak jsem přestoupila na Akademii..." Odmlčela jsem se.

Holka mě sjela pohledem od hlavy až k patě. „Nepřišla jsi jednou na kalbu v kostýmu *Pána času*?"

Překvapeně jsem se rozesmála. „Jo!"

Chvíli bylo ticho.

„A jaký to je na Akademii?" zeptala se mě pak. „Slyšela jsem, že se tam hodně řeší studijní výsledky. Jako na mojí škole."

„Jo... to jo. Víš jak. Prostě škola."

Obě jsme se vědoucně uchechtly.

Holka se obrátila směrem k jevišti. „Bože, střední škola mě málem zabila. Jsem fakt ráda, že ji mám za sebou."

„Přesně," zazubila jsem se.

Zašla jsem do zákulisí. Ztratila jsem pojem o čase, takže jsem musela běžet, abych tam nedorazila pozdě.

Řítila jsem se zákulisní chodbou a jakási žena v černém a se sluchátky s mikrofonem na hlavě se mě snažila zastavit, ale já na ni jen houkla „Jsem tu s Radiem" a mávla jsem akreditací, která mi visela na krku. Hned mě nechala být. Nejspíš jsem vypadala jako typická fanynka – měla jsem na sobě legíny s obrázky želv Ninja a oversize mikinu s logem jedné kapely. Zpomalila jsem. Míjela jsem jedny neoznačené dveře za druhými, až jsem nakonec došla k šipce ukazující doleva. Stálo na ní STAGE.

Zahnula jsem. Vyšla po pár schodech. Protáhla se dveřmi s nápisem „STAGE" a ocitla se v temných stínech samotného zákulisí. Byla tu spousta podivných kladek a provazů a drátů, blikajících světel a různého vybavení, všude byly zdánlivě nahodile nalepené kusy stříbrné izolační pásky. Kolem se míhali muži a ženy oblečení v černém, připadala jsem si jako uprostřed tornáda těl, dokud se jeden z nich nezastavil a nezeptal se: „Ty jsi tu s Tvůrcem?" A já přikývla.

Chlápek se nadšeně zakřenil. Byl docela mohutný, vousatý a v ruce držel iPad. Muselo mu být aspoň třicet.

„Bože můj. Takže ty víš, kdo to je? Ty vado. Já jsem ho ještě neviděl. Slyšel jsem, že se jmenuje Aled, jenže netuším, jak vypadá. Vicky tvrdí, že ho zahlédla, ale já ještě ne. Měl by čekat na pravý straně stage. Panebože, strašně se na to *těším*."

Nevěděla jsem, co na to říct, a tak jsem ho nechala odkvačit a protáhla se škvírou mezi oponou a černou cihlovou zdí na druhou stranu jeviště. Zeď byla lemovaná řetězem světýlek, jako bychom byli letadla, která je potřeba navést na přistání.

Oproti levé straně bylo na pravé straně stage skoro prázdno. Úplně vepředu stály tři postavy, dvě z nich tak trochu obskakovaly tu třetí.

A pak jsem ho zahlédla.

Na chvíli jsem se zastavila.

Nemohla jsem uvěřit, že se to děje.

Ne – dokázala jsem tomu uvěřit. A bylo to úžasné. Bylo to spektakulární.

Nakonec si mě všichni tři všimli a otočili se, takže na ně dopadl pruh světla. S Aledem tu byli dva pořadatelé, muž a žena. Jemu mohlo být něco přes dvacet a měl modré vlasy. Ona byla čtyřicátnice a měla dredy.

Aled ke mně vykročil. Vypadal úžasně a naprosto švihle. Věnoval mi nervózní pohled, jen kratince se mi podíval do očí a zase se s nesmělým úsměvem odvrátil. Promnul si ruce v rukavicích. Uculila jsem se a prohlédla si ho od hlavy až k patě. Ano. Radio. Pitomě dlouhé vlasy s tím pitomě pastelovým přelivem, zastrčené za uši. Oblek s vestičkou, kravata, rukavice. Mohli jsme čekat čerstvou záplavu fanouškovských obrázků. Tohle se jim bude líbit.

„Vypadáš fakt cool," pochválila jsem ho a myslela jsem to vážně – vypadal opravdu hustě, jako by se chystal vzlétnout a vznášet se mezi mraky a stát se novým sluncem, jako by mohl někoho zabít pouhým úsměvem, jako nejlepší člověk na světě.

V kapse mě hřál dopis o přijetí na uměleckou akademii. Aled o tom ještě nevěděl. Ještě nikdy jsem z ničeho nebyla tak nadšená, ale nechtěla jsem mu to říkat hned, překvapím ho tím až později.

Dneska byl opravdu skvělý den.

„Já –" Aled chtěl něco říct, ale pak to spolkl.

V sále zhasla světla a publikum začalo šílet. Zákulisí osvětlovala jen mrňavá stolní lampička pověšená na trubce po mojí pravé ruce.

„Dvacet vteřin," řekla dredařka.

„Bude to v pohodě, že jo?" zeptal se roztřeseně Aled. „Ten scénář… byl – je v pohodě, že jo?"

„Jo, je geniální jako obvykle," ubezpečila jsem ho. „Ale na mým názoru nezáleží. Tohle je tvoje show."

Aled se zasmál, bylo to stejně vzácné jako krásné. „Bez tebe bych tady nebyl, ty trumbero."

„Nech toho, nebo se rozbrečím!"

„Deset vteřin," řekl modrovlas.

„A TEĎ UŽ MI DOVOLTE PŘIVÍTAT VE VÝCHODNÍM SÁLE NOVÝ HLAS…"

Aled zbledl jako stěna. Přísahám, viděla jsem to i v chabém světle zákulisí. Úsměv mu zmizel z tváře, bylo to, jako by dočasně umřel.

„FENOMÉN YOUTUBU, KTERÝ NEDÁVNO PŘEKROČIL HRANICI 700 000 ODBĚRATELŮ…"

„Co když se to lidem nebude líbit?" zašeptal takřka neslyšně. „Všichni ode mě čekají něco úžasnýho."

„To je jedno," přesvědčovala jsem ho. „Je to tvůj podcast. Pokud se líbí tobě, tak je úžasnej."

„ZÁHADNÝ STUDENT, KTERÝ SE POSLEDNÍ TŘI ROKY SKRÝVAL ZA PRÁZDNOU OBRAZOVKOU…"

Na jevišti vybuchla exploze barev, po celém sále se rozblikaly reflektory. Začaly hrát první tóny basového intra „Nic nám nezbývá" a Aled si vzal kytaru a pověsil si ji na krk.

„Bože můj," vydechla jsem. „Bože můj, bože můj, bože můj…"

„Pět vteřin."

„TAJEMNÝ…"
„Čtyři."
„VŠEMOCNÝ…"
„Tři."
„TEN, KTERÝ VZDORUJE SMRTI…"
„Dva."
„SVRHÁVÁ VLÁDY…"
„Jedna."
„RADIO… SILENCE."

Viděla jsem jen jeho zátylek, krk mu sotva vykukoval zpod límce saka. Vyšel do světel reflektorů, jeho kroky byly jako zpomalené, vzduch naplnilo hřmění hudby, které by mohlo způsobit zástavu srdce. Zatajila jsem dech a jen si to vychutnávala. Viděla jsem, jak lidi v publiku vyskočili na nohy, nadšení a šťastní jen z toho, že ho konečně vidí osobně, a užasla jsem, kolika lidem dokáže Aled vykouzlit úsměv na tváři jen tím, že udělá dva kroky a vyjde na jeviště.

Viděla jsem, jak se skupinka pořadatelů shromáždila u levé části jeviště, všichni se snažili zpoza opony dohlédnout na Anonymního Tvůrce. Viděla jsem, jak Aled zvedá ruku v rukavici. Viděla jsem všechny tváře v publiku. Všichni se usmívali, někteří měli na sobě obleky a rukavice jako Radio, jiní zas byli převlečení za Chestera nebo Atlase nebo další nové postavy z posledního roku, jako byli Marine, Jupiter a Atom. Viděla jsem úplně vepředu holku, která přišla jako Toulouse, a sevřelo se mi srdce.

Sledovala jsem Aleda, Radia, nebo kdo ten kluk vůbec byl, jak bere do ruky mikrofon a otevírá pusu, a sama pro sebe jsem si zašeptala slova, která on zakřičel do davu.

„Ahoj. Doufám, že mě někdo poslouchá…"

Universe City živě na Live!Video, Londýn 2014

Live!Video 1 562 979 zhlédnutí

Uveřejněno 16. září:
Radio vůbec poprvé živě vystupuje na konferenci Live!Video v Londýně, v sobotu 22. srpna 2014 ve východním sále. Poté, co se diváci poprvé dozvídají, jak Radio doopravdy vypadá, jim Radio popisuje své pátrání po Ztraceném bratrovi a události, k nimž v poslední době došlo během hledání únikové cesty z Universe City. Také mluví o budoucnosti Universe City a jeho sesterských měst po celé zemi.

Info:
Radio je tvůrcem mezinárodně uznávaného webového podcastu „Universe City", se kterým od března roku 2011 nasbíral na YouTube přes deset milionů zhlédnutí. Každý díl má zhruba 20 až 25 minut a sleduje počínání studujících z Universe City, kteří odhalují záhady svého města, jeho chyby a přetvářku. Celý příběh vypráví jeden zástupce studentstva, který tam nechce být – enigmatický Radio Silence.
[TRANSKRIPT NENÍ K DISPOZICI]

PODĚKOVÁNÍ

Děkuju všem, kdo mě při psaní mé druhé knihy podporovali. Trvalo to, ale zadařilo se!

Díky si zaslouží hlavně nejdůležitější lidé mé kariéry: moje agentka Claire a redaktoři Lizzie, Sam a Jocelyn. Pomáháte mi dál věřit, že to, co dělám, je dobré, a ne strašné, a že všechno bude v pohodě. Bez vás bych tu nebyla.

Jako obvykle děkuju svým rodičům a bratrovi za to, že jsou nejlepší rodina na světě.

Díky patří i mým kamarádům, na které se můžu vždycky spolehnout, když se potřebuju zasmát, obejmout nebo si zazpívat v autě. Děkuju i svým spolubydlícím z univerzity za to, že mi pomohli se nezbláznit. A také jedné velmi důležité kamarádce – Lauren Jamesové. Díky tobě jsem téhle knížce ani na okamžik nepřestala věřit.

Díky *Welcome to Night Vale*, obrovské inspiraci pro *Universe City* a po všech směrech skvělému podcastu.

A díky i vám, čtenářkám a čtenářům. Ať už jste tu noví, nebo jste mě znali už v roce 2010, kdy jsem na Tumblr psala zoufalé posty o tom, jak se chci stát spisovatelkou. Nezáleží na tom, kdo jste a jak jste tuhle knížku našli – napsala jsem ji pro nás všechny.

ALICE OSEMAN

RADIO SILENCE

Z anglického originálu *Radio Silence* vydaného nakladatelstvím
Harper Collins *Childern's Books*, 2018, Londýn,
přeložila Romana Bičíková
Vydalo nakladatelství CooBoo v Praze roku 2024
ve společnosti Albatros Media a. s.
se sídlem 5. května 22, Praha 4,
číslo publikace 44 052
Odpovědná redaktorka Tereza Eliášová
Technická redaktorka Viola Urbanová
Sazbu zhotovilo Grafické a DTP studio Albatros Media, Július Muránsky
Vytiskla CPI Moravia Books s. r. o., Brněnská 1024, Pohořelice
1. vydání

Cena uvedená výrobcem představuje nezávaznou
doporučenou spotřebitelskou cenu.

www.cooboo.cz
www.albatrosmedia.cz
www.facebook.com/cooboo
www.instagram.com/cooboo_redakce